L'épopée de Chanur

C. J. CHERRYH | *ŒUVRES*

C.J. CHERRYH

L'épopée de Chanur

TRADUIT DE L'AMÉRICAIN
PAR MICHEL DEUTSCH

ÉDITIONS J'AI LU

A Diane Nancy

Ce roman a paru sous le titre original :

CHANUR'S VENTURE

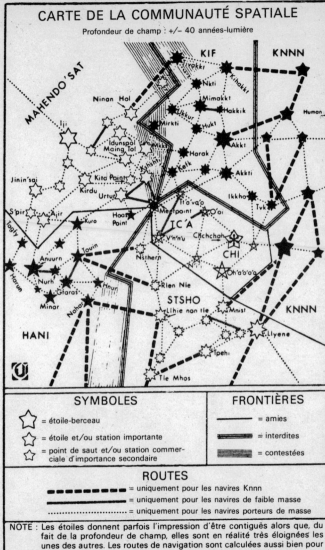

CARTE DE LA COMMUNAUTÉ SPATIALE

Profondeur de champ : +/- 40 années-lumière

KIF

KNNN

MAHENDO'SAT

Iyokki

Nkti

Kihakki

Ninan Hol

Mimakki

Hakkik

Human

Iji

Ukkur

Hukt

Idunspol

Mirkti

Maing Tol

Akkt

Harak

Ishishtu

Kelk

Akkti

Jinin'sai

Kita Point

Kirdu

Urtur

Ikkho

Tvk

Itso'va'o

S'pir

Ajir

Meetpoint

O'o'i

Kura

Hoas
Point

IC'A

Chchchan

Touin

V'n'n'u

CHI

Anuurn

Nisthern

Oh'a'o'o'o

Nurh'

Harun

Gfaras

Hnur

Rien Nle

STSHO

Minor

Nahar

Llhie nan tle

Mnist

KNNN

Tle Mhos

Llyene

Tpehi

HANI

1

Deux vieux amis qui tombent l'un sur l'autre, quoi de plus banal à La Jonction où une demi-douzaine d'espèces se retrouvaient pour y faire du commerce? Et justement, à peine *L'Orgueil de Chanur* était-il amarré qu'une vieille connaissance vint à la rencontre de Pyanfar.

Pyanfar Chanur était une hani à la crinière et à la barbe bouclées, au pelage lustré couleur de cuivre. Son oreille gauche s'ornait d'anneaux d'or dont chacun symbolisait un voyage réussi, et le dernier était serti d'une monstrueuse perle scintillante, en forme de larme. Son bouffant de soie cramoisie était passementé de ganses orangées quasi imperceptibles et les franges de sa ceinture étaient incrustées de pierres précieuses et de bijoux d'or et de bronze. Pyanfar n'était pas quelqu'un qui passait inaperçu. Elle rayonnait d'opulence et de dignité, et, où qu'elle allât, elle attirait les regards.

Comme elle contournait un amoncellement de conteneurs qui attendaient d'être embarqués, elle aperçut une silhouette dont la fourrure noire constituait le seul vêtement. Rien d'autre qu'un mahendo'sat comme on en croisait treize à la douzaine à La Jonction. Mais celui-ci écarta les bras, ses yeux s'éclairèrent et sur son large visage mahen s'épanouit un sourire extatique révélant des crocs émoussés de primate, intégralement aurifiés.

– Pyanfar! s'exclama-t-il.

– Vous! (Pyanfar s'arrêta net.) Vous!

D'une claque sèche, elle refusa l'accolade et, passant son chemin, accéléra le pas. Faire un peu d'exercice serait excellent pour le mahe.

– Ha, hani capitaine! l'interpella-t-il. Vous faire affaire vouloir?

Pyanfar se retourna et, les poings aux hanches, s'immobilisa pour qu'il la rejoignît, encore qu'elle sût d'avance que c'était malavisé de sa part. Une main se posa pesamment sur son épaule et elle eut encore droit au sourire aurifié du mahe.

– Temps long, dit Or-Aux-Dents.

– Que les dieux vous putréfient! Cessez de sourire comme ça! Vous voulez que je vous sourie, moi aussi, canaille mahen? Comment se fait-il que vous soyez là?

– Je tout juste aborder. Et trouver amie chère ici. Faire surprise, a? (Il s'esclaffa, envoya une bourrade à Pyanfar, lui entoura une épaule d'un bras maigre couvert de poils rêches et la poussa en direction des postes à quai où étaient amarrés les vaisseaux.) Je présent avoir pour vous, hani.

– Un présent! (Pyanfar enfonça ses griffes dans les plaques de blindage du pont, refusant ces démonstrations d'amitié et sachant qu'il y avait probablement des témoins – toute une file de mahendo'sat ricaneurs fort occupés à ne rien faire le long de l'aire d'embarquement du fret.) Le panneau de la rampe d'accès d'un des vaisseaux était béant. (Le *Mahijiru*, sans aucun doute.) Nous sommes en compte, mahe. Des outils, deux postes de soudure en parfait état, des réparations bidon, une trahison...

– Bonne amie, Pyanfar Chanur.

Sans ménagements, il lui fit traverser le groupe de mahendo'sat, l'entraînant en direction de la rampe d'accès. Elle pivota sur elle-même et enveloppa d'un regard indigné Or-Aux-Dents qui lui serra encore plus fermement l'épaule et l'entraîna.

– Bonne amie, répéta-t-il. Je ta peau sauver, te rappeler, a?

– Un présent, bougonna Pyanfar en négociant la rampe à son côté. Un présent, je vous demande un peu!

Elle continua cependant d'avancer. Elle fit halte dans le sas tandis que quelques-uns des mahendo'sat qui leur avaient emboîté le pas les dépassaient et s'engouffraient dans les coursives. Or-Aux-Dents avait recouvré sa gravité : ce n'était pas de bon augure. Elle avait aplati ses oreilles.

Le mahe cligna de l'œil. Oui, c'était indiscutablement une œillade que décochait à Pyanfar ce commerçant qui ne faisait pas de commerce, qui jouait le rôle de quelqu'un qu'il n'était pas avec ce *Mahijiru* qui n'était nullement le rafiot poussif qu'il donnait l'impression d'être.

– Je content vous voir entière, hani.

– Hum! (Elle plissa le museau, affectant d'être en de meilleures dispositions, et lança une claque sur le bras du mahe sans rétracter entièrement ses griffes.) Moi aussi, je suis heureuse de vous revoir, Ana Ismehanan-min. Vous faites toujours semblant de vous occuper de commerce?

– Nous quelquefois commercer. Pour inspirer confiance.

– Alors, ce présent?

Le mahe tourna la tête vers la gauche, vers le majestueux et sombre rempart que formait son équipage. Pyanfar fit de même. Ses oreilles se redressèrent et elle ouvrit la bouche toute grande à la vue de l'apparition dégingandée, vêtue comme un stsho, qui se découpait dans l'embrasure de la porte donnant sur les coursives du *Mahijiru*. Son visage était quasiment nu, sa crinière et sa barbe semblables à des fils de lumière. Un visage unique en son genre dans l'espace civilisé.

– Dieux!

Pyanfar pivota sur elle-même dans l'intention de se ruer sur le sas mais les mahendo'sat lui bloquaient le passage.

– Pyanfar, articula l'humain.

La hani lui fit face, les oreilles collées contre son crâne.

– Tully! s'exclama-t-elle avec l'accent du désespoir.

Et elle perdit ce qui lui restait encore de dignité quand l'humain se précipita sur elle et la serra dans ses bras. Ses vêtements dégageaient l'odeur puante de l'encens mahen.

– Pyanfar, répéta Tully. (Il se redressa, la dominant de toute sa taille en souriant comme un mahe mais en s'efforçant de réprimer ce sourire qui, il le savait, n'était pas de saison.) Py-anfar.

Son ravissement sautait aux yeux.

Mais la conversation n'alla pas plus loin. Sa bouche n'était pas adaptée au langage hani. Or-Aux-Dents le prit par l'épaule dans un geste possessif.

– Présent superbe a, Pyanfar?

– Où l'avez-vous trouvé?

Le capitaine mahen eut un haussement d'épaules.

– Il route faire à bord d'un cargo, nom *Ijir*, vieux vaisseau mahen. Tout le temps dire il vouloir vous, Pyanfar Chanur. Cervelle dérangée, cet humain. Venir vous trouver, venir vous trouver, rien savoir d'autre il.

Elle leva les yeux vers Tully. Tully en qui bouillonnait quelque chose, Tully qui n'avait strictement rien à faire là, à bord d'un cargo mahen, à des années-lumière du territoire humain dans une région interdite à ceux de sa race.

– Non, dit-elle à Or-Aux-Dents. Absolument non. C'est votre problème, pas le mien.

– Il vouloir vous. Ami. Votre sentiment, où?

– Les dieux vous réduisent en pourriture... en pourriture, Or-Aux-Dents. Pourquoi? Pour quoi faire? Que veut-il?

– A vous parler. Votre ami, hani, bon ami, a?

– Ami! Crapule galeuse sans oreilles! Je viens tout juste d'obtenir mes lettres d'espace. Vous savez ce que ça coûte?

– Affaires. (Or-Aux-Dents fit un pas vers Pyanfar et la prit par les épaules dans un geste de conspirateur. La hani, tel un bloc de rocher, ne bougea pas. Elle rabattit ses oreilles et lui adressa un sourire glacial.) Affaires, hani. Vouloir vous marché conclure?

– Et vous, vous voulez que je vous arrache votre bras?

Les crocs de primate du mahe étincelèrent de tous leurs ors.

– Richesse, hani. Richesse – et puissance. Vouloir vous cet humain troquer? Il être à vous. Regarder vous cette figure...

– Ai-je le choix?

Le sourire du mahe s'élargit encore.

– Ami loyal. Vouloir vous une chose pour moi faire? A cet humain faire plaisir, a? Conduire lui auprès Personnage, vouloir je. Conduire lui auprès *han*. Et tout le monde content. Je content avoir. Profits.

– Bien sûr!

Pyanfar le repoussa et scruta son visage mahen. Des profits comme la dernière fois. Des factures en avalanche, les hani interdites de séjour pendant six mois à La Jonction et *L'Orgueil* hors d'état de naviguer pendant une maudite année...

– Grande reconnaissance stsho pour hani qui leur peau sauver, a?

– Comme les mahendo'sat. Les mahe qui m'ont dupée...

Or-Aux-Dents leva ses mains brunes.

– Pas ma faute, non, pas ma faute. Stsho proches La Jonction. Quoi moi faire?

– Enlever l'affaire, quoi d'autre? Quelle route avez-vous suivie?

– Vous lui prendre, a?

– Vous l'avez conduit ici. Ami. C'est entièrement vous que cela regarde. Les poursuites judiciaires aussi. A vous de vous expliquer avec les stsho!

– Accepter marché, Pyanfar...

– Pour que l'on nous mette sous séquestre? Que les dieux vous verminisent, foldingue sans oreilles que vous êtes! Qu'est-ce que vous cherchez? A faire mettre un point final à mon négoce? Les stsho...

– Pyanfar. (Il l'empoigna par les deux épaules.) Pyanfar. Je dire vous humain certain papier avoir. Il ce document lire à vous. Il envoyé par son humanité. Humains faire affaires. Grosses affaires, peut-être comme jamais la Communauté avoir vu. Vous toucher participation.

Pyanfar prit une longue et profonde inspiration. L'air avait une odeur mahen.

– Vous me faites des faveurs, maintenant, Or-Aux-Dents?

– A! (Il s'esclaffa et la serra contre lui avec une telle force qu'elle crut qu'il allait lui broyer les os.) Promesse, hani. Je promesse faire, je promesse tenir. Affaire faire. Vous embarquer l'humain. J'ai promesse donner vous participer commerce avec humains, non? Je promesse tenir. Cet humain à moi venir. Je chercher et trouver vieille amie Pyanfar pour lui. Si vous vouloir part, vous recevoir part. Mais vous faire cette chose.

– Nous y arrivons! Pourquoi la ferais-je?

– Affaires. Commerce.

– Commerce... Comment se fait-il que vous soyez ici? Comment se fait-il que vous ayez accosté juste après que je me suis amarrée?

– Savoir vous venir, vieille amie. Tranquillement, je attendre.

– Mais comment le saviez-vous alors que, moi, je ne le savais même pas avant que mes lettres d'espace aient été homologuées à Kura?

– Je contacts avoir. Savoir vous régler choses avec stsho. Donc, vous forcément aborder La Jonction bientôt.

– Que votre carcasse moisisse, mahe! C'est un mensonge.

Une lueur scintilla dans les yeux noirs d'Or-Aux-Dents qui détourna le regard.

– Alors, disons je suivre vous depuis Urtur.

– Avec lui? Hors de l'espace mahen? C'est impossible, belette! Comment vous êtes-vous débrouillé?

Le mahe lui lâcha l'épaule.

– Hani dure en affaires, a?

– Et si nous disions plutôt que les stsho n'ont pas porté le *Mahijiru* sur les listes d'escale à La Jonction? Que vous êtes là, à l'affût, depuis le début? A m'attendre.

– Vous très méfiante devenir.

– Ça, pour être méfiante, je le suis, coquin! Je veux que vous me disiez maintenant la vérité.

– Peut-être.

– Peut-être... peut-être! Les stsho savent-ils qu'il est là?

– Ils savoir, oui.

– Dans ce cas, pourquoi vous cachez-vous? Dieux! s'exclama-t-elle, prise d'une soudaine inspiration.

– Ennuis avec kif.

– Et vous l'avez embarqué! Que les dieux vous putréfient! Vous avez signé le contrat et...

– Bonne amie. Vaillante amie. Espions kif déjà là. Et espions han aussi. Vaisseau émissaire han relâcher à La Jonction. Rendre ils curieux grandement. Aussi, vous déjà être dans situation risquée, hani. Ne pas vouloir en tirer aussi bénéfices? D'ailleurs, vous lui attrister. Et attrister moi.

Pyanfar demeura immobile un long, un très long

moment, faisant jouer ses griffes. Enfin, elle les rentra et exhala un interminable soupir.

– Que les dieux vous putréfient...

– Je marché honnête proposer, Pyanfar. Marché extra, super. Je savoir vous être mal embarquée. Désagréments avec *han*. Promettre vous ouvrir marché humain et marché non. Perdre face. Vous aussi ennuis avec compagnon mâle...

– Taisez-vous.

– Je parole tenir, Pyanfar. Vous partager profits, partager risques aussi.

– Partager le suicide, oui! Pour qui me prenez-vous?

– Si vous nouer commerce avec humains, ennemis plus toucher vous pouvoir, a, hani capitaine? Le *han*... non apprécier perte face. Vous devenir riche, conserver frère en vie, garder compagnon. Et garder *Orgueil*.

La vision de Pyanfar s'obscurcit. Ses oreilles étaient si fermement rabattues qu'elle avait du mal à entendre. Elle se força à les redresser. Regarda autour d'elle. Regarda le visage anxieux de Tully.

– Je le prends, fit-elle d'une voix étranglée. A condition que...

– Que?

– Que nous ayons un accréditif nous autorisant à utiliser les installations mahen. Valable en tous lieux et sans aucune restriction.

– Dieux! Vous croire je être Personnage?

– Ce que je crois, c'est que vous arrivez juste en deuxième position derrière lui, sale fourbe aux oreilles mangées des mites! Ce que je crois, c'est que vous avez tout pouvoir pour demander tous les accréditifs qui vous plaisent. On n'a rien à vous refuser. Je me rappelle, par exemple, le vilain tour que vous m'avez joué à Kirdu, je me rappelle...

– Vous rêver. (Or-Aux-Dents posa une main aux griffes émoussées sur sa poitrine.) Je capitaine. Je non avoir pouvoir pareil.

– Alors, adieu. (Pyanfar fit volte-face et montra les crocs à la horde des mahe qui lui bloquait le chemin.) Vous leur dites de me laisser passer ou faut-il que je m'en charge avec pertes et fracas ?

– Je écrire.

Elle le dévisagea, oreilles aplaties, et tendit la main.

Or-Aux-Dents fit signe au mahe qui se tenait à côté de lui.

– Tablette, ordonna-t-il.

L'autre se rua dans les profondeurs de la coursive. Martèlement de pieds mahen nus et crissements de griffes non rétractiles...

– Voilà qui est mieux, dit Pyanfar.

La mine maussade, Or-Aux-Dents s'empara de la tablette que le mahe hors d'haleine lui apportait, sortit son stylet et se mit à griffonner. Puis, il prit le sceau glissé dans le baudrier qui lui barrait la poitrine, l'inséra dans la tablette qui recracha le document dûment avalisé et le présenta à Pyanfar.

– Avant tout, fit celle-ci, j'en ferai faire la traduction.

– Pyanfar vous vaurienne. (Le sourire d'Or-Aux-Dents qui fendait son sombre visage mahen paraissait singulièrement hani.) Vaurienne première catégorie. Eh bien, non... (Il reprit le document que Pyanfar avait déjà en main et le tendit à Tully qui les considéra tour à tour l'un et l'autre, visiblement décontenancé.) Lui le garder et le transmettre avec autres papiers.

– Si cette pièce ne dit pas ce qu'elle devrait...

– Alors, faire quoi, hani capitaine ? Ejecter bon ami Tully par sas ? Vous pas faire cela.

– Non, certainement pas. Je règle mes dettes quand elles viennent à échéance, vieil ami.

Le sourire d'Or-Aux-Dents s'élargit encore un peu plus. Il fourra la tablette entre les mains d'un de ses hommes d'équipage et tapota le bras de Pyanfar.

– Un jour, vous remercier je.

– Vous pouvez être tranquille. Tout ce que je dois, je le paie, je vous le répète. Je trouverai un moyen. Comment comptez-vous faire monter Tully à mon bord? J'aimerais bien le savoir. Si vous le faites entrer dans le sas, gare à vos oreilles.

– Conteneur spécial je avoir. (Or-Aux-Dents leva la main.) Manifeste! (L'un de ses navigateurs lui présenta aussitôt une seconde tablette et un stylet.) Vous charger fret, a? Fruits *shishu*. Poisson séché. Quatre barils. Dont un aménagé pour survivance. Voilà comment il embarquer.

Pyanfar secoua la tête pour s'éclaircir les idées, mais dévisagea de nouveau le mahe.

– Je suis en train de perdre la raison! C'est une ruse vieille comme le monde. Au nom de tous les dieux, pourquoi ne pas le rouler dans un tapis et le balancer sur la passerelle? Pourquoi ne pas me le livrer dans un panier, hein? Mais qu'est-ce que je fais là, je me le demande!

– Truc toujours efficace. Vous cet honnête citoyen vouloir. Alors, payer droits en conséquence?

Rabaissant ses oreilles, la hani saisit la tablette d'un geste brusque et y apposa sa signature manuscrite, puis la rendit au navigant mahen qui, impassible, se gardait de manifester le moindre sentiment.

– Du poisson! soupira-t-elle avec dégoût.

– Droits les plus faibles, lui expliqua Or-Aux-Dents. Vouloir vous casquer davantage? Je répéter : tout bien organisé je.

– Ça, je n'en doute pas!

– Douane non poser questions. Tout machiner super.

– Eh bien, moi, j'ai des questions à poser. Des quantités de questions. Vous m'avez mis au pied du mur, affreuse belette que vous êtes. Alors, soit : j'accepte le marché. Mais, par tous les dieux, vous allez vider votre sac, maintenant. Et jusqu'au bout. Vous allez me dire tout ce que vous savez. D'abord, qu'est-ce que c'est que ces histoires avec les kif? Où opèrent-ils? Sont-ils d'ores et déjà à vos trousses?

– A La Jonction, y avoir toujours des kif.

– Alors, pourquoi y êtes-vous venu? Qu'est-ce que vous fabriquez ici? Les kif savent-ils ce que vous avez dans votre manche?

Or-Aux-Dents haussa les épaules.

– Peut-être.

– Depuis quand? Il y a combien de temps que vous êtes sur ce coup?

Nouveau haussement d'épaules.

– Papiers qui expliquent tout dans conteneur. Prendre vous Tully dedans conteneur et lire. Vous vite faire. Aller Maing Tol, voir Personnage. Il aider grandement.

– Sont-ils à vos trousses, oui ou non? (Troisième haussement d'épaules.) Or-Aux-Dents, vous allez me répondre, espèce de canaille?

– Je problèmes.

Pyanfar médita sur cette réponse. Le *Mahijiru* était en difficulté. Le chasseur mahen était en délicatesse avec les kif et en mauvaise posture.

– Bon, vous avez des ennuis. Où comptez-vous aller, maintenant?

– Préférable vous non demander.

– Dans l'espace humain?

– Peut-être en territoire stsho profond. Lire lettre, Pyanfar. Lire lettre. Ami.

– Les dieux vous verminisent!

– Vous aussi. (Or-Aux-Dents redressa ses oreilles. Un fin réseau de rides cernait ses yeux noirs.) Dieu nous sauve! Votre aide besoin avoir, hani capitaine. Très besoin.

– Hum! (Ses anneaux émirent un léger tintement quand elle leva vivement les oreilles.) *L'Orgueil* n'est pas un navire de guerre, mahe.

– Savoir je.

– C'est sûr.

Pyanfar fit un pas en arrière dans l'espoir de respirer un air moins fétide et regarda Tully – qui comprenait peut-être un peu. Il avait toujours compris mieux qu'il ne parlait.

Il ne lui mentirait pas. Pas à elle. Elle en était intimement convaincue. Son silence, son attitude, son regard maintenant résolu étaient garants de sa loyauté.

– Quand je livraison faire?

Elle se tourna de nouveau vers le mahe.

– Il faut que j'obtienne un rendez-vous avec le bureau de la station. C'est indispensable. Il faut que je prévienne mon équipage. Je dois dire à mes navigantes... Vous me créez bien des complications, vous savez! Et vous, soyez prudent. (Elle sortit une griffe qu'elle enfonça sans ménagements dans le thorax d'Or-Aux-Dents jusqu'à ce qu'il tressaille.) Soyez prudent avec ce colis. Sacrément prudent, compris?

Elle pensait à deux choses en disant cela.

– Compris, répondit laconiquement son interlocuteur.

Il les avait saisies l'une et l'autre, elle n'avait aucun doute là-dessus.

– Je dois rester trois jours à quai. Rester coincée ici trois jours avec des kif, que les dieux les vomissent, qui fouineront partout. Si *L'Orgueil* prend l'espace plus tôt, je serai dans un sale pétrin. Il faudra être très prudent. Quand partirez-vous?

– Faire livraison paquet, attendre un peu et appareiller je. Pas de fret avoir sauf faux conteneurs je donner vous.

– Bien. (Elle se retourna, croisa le regard de Tully et lui tapota le bras – avec beaucoup de douceur, se rappelant la fragilité de son épiderme.) Tu n'as rien à craindre. Tu es en sécurité, compris? Tu feras comme ils te diront. N'aie pas peur. Ces mahendo'sat te conduiront à moi. Tu as compris?

– Oui, répondit Tully.

Il la scrutait de la manière qui était la sienne et son regard pâle avait une intensité farouche.

Les oreilles de Pyanfar se plissèrent et ses narines se dilatèrent. Cela sentait mauvais, cette histoire. Un pépin plus gros que La Jonction elle-même, qu'un stsho soudoyé et les routes fermées, que les conseils des stsho xénophobes de Llyene pour lesquels il n'était pas question que l'humanité transite par l'espace stsho. Les manigances mahen. La cupidité des kif.

Derechef, ses yeux se posèrent sur Or-Aux-Dents.

– Joli présent, en vérité! siffla-t-elle.

Le mahe leva la tête, ses yeux sombres à demi cachés sous ses paupières.

– Ecouter je, vieille amie. Dire ceci. Kif non oublier. Ils traquer je. Et bientôt traquer vous. Non vengeance. Pensée kif. *Skikkik*. Traquer je, traquer vous. Tully ici venir. Ennuis extra-grandeur, cette fois. Cette affaire Tully apporter nous seulement... précipiter choses. Suivre plan à nous, non plan kif.

– Ouais. Eh bien, j'accepte ce présent. Je n'aime pas les courses-poursuites. Gardez-vous, mahe. Filez le plus loin possible. Vous êtes un bon capitaine. Que la chance soit avec vous.

– A vous je souhaiter aussi la chance.

Les oreilles de Pyanfar frémirent. Elle était indécise. Enfin, elle fit demi-tour et le mur des mahendo'sat qui lui barrait le chemin du sas s'écarta pour la laisser passer.

De la chance... Parlons-en!

Ses pensées se bousculaient dans sa tête tandis qu'elle remontait le quai. Son esprit faisait la part entre les ennuis passés et ceux qui l'attendaient. Danger, songea-t-elle en humant une bouffée d'une odeur qui n'était ni celle des mahendo'sat ni celle des stsho – une odeur que, dans ce vaste espace à la température polaire, elle était incapable de... d'identifier.

Des marchandises, peut-être. Ou autre chose. Ce fumet lui faisait plisser les naseaux et lui donnait des démangeaisons entre les omoplates.

Sans se retourner (non, pas ici, à La Jonction), elle continua d'avancer sur les froides plaques métalliques du quai, passant devant les gueules d'accès béantes de vaisseaux d'où émanaient des arômes moins agressifs. Il y avait d'autres navires hani amarrés. Elle en avait lu la liste avant d'accoster : *Soleil d'Or de Marrar, Prospérité d'Ayhar*. Ah oui! Egalement *Vigilance d'Ehrran*. Celui-là! Or-Aux-Dents y avait fait allusion, sans toutefois en citer le nom... les yeux du han sans aucun doute intéressés par autre chose pour le moment mais capables d'enregistrer les déplacements les plus furtifs – une capitaine Chanur se rendant en visite sur un bâtiment mahen, par exemple.

Des dizaines d'autres vaisseaux mahen faisaient relâche : le *Tigimiransi*, le *Catimin-shaï*, le *Hamarandar* – des noms qui lui étaient familiers depuis des années. Et aussi des noms stsho qui l'étaient tout autant comme *Assusti, E Mnestsist, Heshtmit* ou *Tstaarsem*. De l'autre côté de la roue qui constituait La Jonction, par-delà le grand caisson séparant les oxy-respirants des méthaniens, les navires portaient des noms plus étranges – tc'a, chi et knnn... pour autant que les knnn fussent baptisés! *Tho'o'oo* et *T'TTmmmi* étaient des unités tc'a/chi qu'elle avait déjà eu antérieurement l'occasion de lire sur des listes d'escale dans d'autres ports.

Et des kif. Il y avait des kif, cela allait de soi. Pyanfar s'était astreinte à les pointer et à les répertorier avant que *L'Orgueil* eût accosté. Des noms bien connus comme *Kekt* et *Harukk, Tikkukkar, Pakakkt, Maktikkh, Nankktsikkt, Ikhoïkttr*. Des noms qu'elle se rappelait chaque fois qu'elle les rencontrait – c'était la règle qu'elle s'était fixée – pour enregistrer dans sa mémoire leur route, leur poste d'arrimage, leur destination et leur chargement.

Les kif avaient suivi ses déplacements avec tout autant d'intérêt depuis un an, elle en était absolument certaine.

Pyanfar ne s'attarda pas à musarder sur les quais mais se garda bien de manifester une hâte particulière qui aurait pu susciter l'attention. Elle examinait ceci ou cela avec une curiosité parfaitement normale et ce fut avec la même nonchalance affectée qu'elle se dirigea vers la cabine intercom située devant l'alignement de bureaux qui se succédaient au fond du môle. Là, elle pianota le numéro de son accréditif Chanur et forma le code de la passerelle de *L'Orgueil*. Puis attendit. L'appareil siffla et cliqueta sans résultat neuf cycles d'appel durant.

Il y avait un kif sur le quai. Elle repéra sa longue silhouette enveloppée d'une robe sombre. Il était en grande conversation avec un stsho qui agitait avec emphase ses bras livides pour souligner ses propos. Adossée à la cloison de plastique, elle observa ce conciliabule à l'abri derrière l'écran que formaient le trafic, le passage des véhicules de service, et les piétons, pour la plupart des stsho revêtus d'élégantes tuniques aux teintes pastel, auxquels se mêlaient ici et là quelques mahendo'sat au pelage sombre et soyeux. Quelque chose de pas très grand et qui avait des ailes faisait des bonds en direction de la haute et froide voûte du quai.

Seuls les dieux savaient ce que cela pouvait être!

Il y eut enfin un déclic.

– Ici *L'Orgueil de Chanur*, annonça une voix. L'officier de permanence à l'appareil.

– Que les dieux fassent pourrir ta carcasse, Haral! Combien de temps te faut-il pour répondre?

– Je vous écoute, capitaine.

– Qui est sorti?

– Sorti?

– *Je veux qu'on fasse l'inventaire de cette cargaison.* Tu m'as entendue? Que tout le monde s'y mette immédiatement. Les permissions sont supprimées. Si quelqu'un est en bordée, qu'on le ramène. Sur-le-champ.

– A vos ordres, capitaine.

La voix manquait d'assurance. Et la réponse sonnait comme une question.

– Exécution!

– Oui, capitaine. Seulement...

– Seulement quoi?

– *Na* Khym est descendu.

– Dieux et tonnerres! (Pyanfar eut comme une nausée.) Où est-il allé?

– Je ne sais pas. Au marché libre, je suppose. Y a-t-il des difficultés?

– J'arrive. Ramène-le à bord, Haral. Il faut qu'on le trouve.

– Bien, capitaine.

Pyanfar raccrocha violemment le combiné, sortit de la cabine et, pressant le pas, reprit la direction du poste d'amarrage de *L'Orgueil.*

Khym, par tous les dieux! Son compagnon parti tranquillement se promener, persuadé que des papiers en règle étaient garants de sa sécurité... Sur un comptoir stsho où les armes étaient interdites! Comme il l'avait fait dans les stations d'Urtur et de Hoas dans l'espace des mahendo'sat. Parce qu'il était un mâle, qu'il était exempté de tout service à bord et qu'il s'ennuyait à ne rien faire!

Dieux! Ô dieux!

Subitement, elle se rappela le kif qu'elle avait remarqué et, oubliant toute précaution, négligeant toute prudence, jeta un coup d'œil derrière son épaule.

Il était toujours là, toujours en grande conversation avec le stsho gesticulant et il la regardait, inquiétant dans son noir vêtement et visiblement intéressé.

Elle se remit en marche aussi vite que cela lui était possible sans prendre ses jambes à son cou, passa derrière le panneau d'enregistrement éteint du *Mahijiru* (éteint? pourquoi? parce qu'il était en panne?), devant un poste de mouillage, puis un autre. L'atmosphère artificielle stsho était glacée.

Elle était à bout de souffle quand elle parvint, enfin, en vue de *L'Orgueil*. Le navire semblait frappé de paralysie. Les engins de déchargement étaient stoppés et des barils étaient encore en attente sur la rampe. Haral, silhouette rousse aux reflets d'or, revêtue d'une culotte bleue, l'attendait sur le quai. Elle se précipita sur elle aussitôt qu'elle la vit.

– Capitaine... (En s'arrêtant, Haral dérapa et ses griffes crissèrent sur les plaques de blindage.) Nous sommes en état d'alerte.

– Les kif sont lâchés. (Nul besoin d'en dire davantage : Haral aplatit ses oreilles et ses yeux s'élargirent.) Le clan Ehrran a fait relâche ici. Je veux qu'on récupère Khym, Haral. Où a-t-il dit qu'il allait? Quels étaient ses projets?

– Il n'a rien dit, capitaine. Nous étions toutes occupées. Il était avec nous, là, sur la rampe. Et puis, quand nous avons levé les yeux, il avait disparu.

– Que les dieux le fassent pourrir!

– Il n'a pas pu aller très loin.

– Bien sûr. (Pyanfar prit le communicateur portatif qu'Haral lui tendait et l'accrocha à sa ceinture.) Qui est sur la passerelle?

– Personne. C'est moi qui étais de garde. J'étais seule.

– Hilfy a quitté le bord?

– Elle a été la première à descendre.

– Boucle tout et viens avec moi.

– A vos ordres.

Haral fit demi-tour et s'élança au pas de gymnastique.

Pyanfar repartit.

Le Marché, songeait Pyanfar. Le célèbre Marché libre de La Jonction était, et de loin, l'endroit à fouiller en priorité. Fanfreluches, produits exotiques... des foules de babioles exposées à la curiosité des chalands.

Mais peut-être Khym avait-il fait la tournée des restaurants avant d'y aller.

Ou des bars du Cours.

Que les dieux le verminisent! Qu'ils la fassent pourrir, elle, pour avoir eu l'idée saugrenue de le prendre à son bord. A Anuurn, on la traitait de folle. Et, pour l'heure, elle se disait qu'elle l'était.

Elle avait tant de mal à respirer qu'elle avait un point de côté quand Haral la rejoignit.

— Il n'est pas là, dit Hilfy.

C'était la plus jeune de l'équipage de *L'Orgueil*. Elle n'avait qu'un seul anneau à l'oreille gauche, sa barbe n'était encore qu'à l'état de duvet et elle portait la grossière tenue de toile bleue des sansgrade bien qu'elle se nommât *ker* Hilfy et fût l'héritière présomptive de Chanur. Elle se trouva face à face avec Tirun Araun à l'angle de deux travées du bazar de part et d'autre desquelles s'entassaient vêtements et denrées alimentaires, et se trémoussaient les marchands stsho. C'était un assourdissant tintamarre où se mêlaient inextricablement les appels stridents des bonimenteurs, les cris des passants de toutes les races, la musique qui filtrait des bars bordant le marché, c'était un pullulement d'odeurs puissantes noyant les arômes individuels, c'était un débordement de couleurs criardes.

— J'ai fait toutes les travées, Tirun...
— Essayons le Cours.

Tirun, elle, n'était plus une bleusaille. Elle avait

une barbe fournie et une crinière abondante recouvrait ses épaules. Une demi-douzaine d'anneaux cliquetaient à chaque frémissement de son oreille gauche.

– Viens, reprit-elle. Je prends le côté pair, toi le côté impair. Visite tous les bars sans exception. Les dieux seuls savent où il a pu aller!

Hilfy gonfla ses poumons et se mit à l'ouvrage sans plus discuter cet ordre qu'Haral elle-même n'avait posé de question. La seule chose que savait celle-ci était qu'il y avait un pépin. Un très gros pépin. On avait reçu des instructions codées comme quoi tout le monde devait regagner le bord. Et tout de suite. Ses oreilles retombaient et elle devait faire des efforts convulsifs pour les redresser dans l'espoir de distinguer une voix hani dans le vacarme emplissant les tavernes où se bousculaient les coureurs d'espace.

Pas le moindre hani dans le premier bar qu'elle inspecta. Rien que des mahendo'sat ivres qui braillaient et dansaient au son d'une musique à vous faire éclater les tympans.

En sortant, elle croisa Tirun qui sortait du bastringue d'en face. Les deux navigantes se séparèrent aussitôt pour entrer l'une dans le troisième, l'autre dans le quatrième abreuvoir.

Ce bouge-là était fréquenté par les stsho mais, apercevant la révélatrice toison cuivrée d'hani agglutinées lui tournant le dos, devant un jeu de boules, elle se précipita et, se laissant tomber à genoux, s'approcha du rebord de celle-ci. Une navigante hani d'un grade élevé se retourna et la regarda. D'autres yeux se posèrent à leur tour sur elle.

Hilfy, agrippée des deux mains au bourrelet de la table, ébaucha hâtivement une révérence et se présenta :

– Hilfy Chanur *par* Faha. Les dieux soient avec vous. Auriez-vous vu un hani mâle?

D'un bout à l'autre de la table, six paires d'oreilles alourdies de multiples anneaux se couchèrent et se redressèrent dans un mouvement qui trahissait l'état d'ébriété de leurs propriétaires.

– Dieux... qu'est-ce que tu as bien pu boire, petite?

– Pardonnez.

Elle avait commis une erreur. Elle se remit debout et fit mine de battre en retraite mais la navigante galonnée se leva en vacillant et en faisant des moulinets avec ses bras pour conserver son équilibre : titubante, elle empoigna l'épaule d'Hilfy.

– Un mâle hani, eh? Besoin d'aide, Chanur? Où tu as eu cette vision, eh?

Des ricanements sarcastiques, des jurons... quelqu'un fut piétiné. Les autres hani s'approchèrent et se ruèrent en avant. Hilfy se dégagea et décampa.

– Eh! lança derrière elle une voix hani avinée et gutturale.

Une autre s'éleva, une voix stsho, celle-là :

– Payez! pépiait-elle, stridulante. Payez, crapules hani...

– Tu n'auras qu'à mettre la tournée sur le compte du *Prospérité d'Ayhar*, taulier!

– O dieux!

Hilfy atteignit la porte au moment même où surgissaient deux kif. Elle se coula entre eux et l'odeur de moisi que dégageaient leurs robes noires qu'elle effleura au passage lui coupa le souffle.

– Racaille hani! entendit-elle une voix gronder derrière elle, perçant le tohu-bohu des braillards avinés à l'accent kif.

Les lumières du marché l'éblouirent et elle marqua un temps d'hésitation tandis que, dominant la rumeur ambiante, les vociférations des hani lancées à ses trousses lui parvenaient. De Tirun, nulle trace. Le corps plié en deux, elle se rua au grand galop dans le bar suivant, côté numéros impairs. Il était plein de stsho, lui aussi, et aucune, aucune hani n'était en vue. Elle battit précipitamment en retraite et dut se frayer son passage à travers une nouvelle cohue du clan Ayhar qui fit volte-face dans un joyeux désordre.

Toujours pas de Tirun. Coudes au corps, Hilfy pénétra en trombe dans le cabaret mitoyen, un lieu de rendez-vous des stsho, lui aussi. Ce fut alors qu'elle distingua une haute silhouette au pelage cuivré et perçut à travers les pépiements des stsho et les grognements des mahendo'sat une voix hani au timbre grave dont l'égale, jamais, n'avait résonné dans ce port.

– *Na* Khym! s'écria-t-elle avec un intense soulagement. *Na* Khym! (Elle se faufila, toute petite, dans la foule et, parvenue au bar, le saisit par le bras...) Oncle... loués soient les dieux! Pyanfar vous réclame. Tout de suite. Immédiatement, *na* Khym.

– Hilfy? fit-il, le regard vitreux.

Il titubait. Il mesurait une tête de plus qu'elle, avait les épaules deux fois aussi larges et son nez aplati, sabré de cicatrices, se plissait sous l'effet de l'incompréhension.

– Je suis en train d'essayer d'expliquer à ces types...

– Oncle, pour l'amour des dieux...

– Il est là! (La voix hani qui avait prononcé ces mots venait de la porte.) Par les dieux... mais qu'est-ce qu'il fiche ici?

Khym tressaillit et se retourna, le dos au bar, faisant face avec inquiétude à la troupe des navigantes ayhar prises de boisson.

– Eh! lança une autre voix ayhar. Chanur! Tu es folle, Chanur? Qu'est-ce que c'est que cette idée de l'amener ici, hein? Tu n'as donc pas d'égard pour lui?

– Venez, *na* Khym, l'implora Hilfy. (Quand elle tira sur son bras massif, elle perçut la tension qui l'habitait.) Venez, au nom des dieux, *na* Khym! Il y a urgence.

Peut-être comprit-il. Il fut parcouru d'un frisson, un frémissement violent telle une secousse tellurique faisant trembler une pierre vive.

– Dehors, dehors, dehors! gazouilla un stsho sur un ton strident. Hors d'ici! Hors de chez moi!

Hilfy le tira de toutes ses forces et Khym céda. Il se mit en marche, fendant la cohue des hani qui, les yeux écarquillés, s'écartèrent en murmurant, passant devant le noir rempart des mahendo'sat curieux, pailletés d'or.

Une nouvelle et sombre muraille occultait la lumière du dehors. Les robes ondoyantes de deux formes disgracieuses bloquaient la porte.

– Chanur. (C'était un caquètement kif.) Chanur fait sortir ses mâles. Il a besoin d'aide.

Hilfy s'immobilisa quand Khym s'arrêta en exhalant un grognement guttural.

– Non! le supplia-t-elle. Non, *na* Khym, ne faites pas ça. Au nom des dieux, sortons simplement comme si de rien n'était. Il ne faut surtout pas qu'il y ait de bagarre!

– Filez! dit le kif. Filez. Ce ne sera pas la première fois que vous fuirez devant les kif, Chanur.

– Venez, *na* Khym.

Hilfy, empoignant fermement Khym par le coude, le guida vers la porte à travers la foule, au delà des robes bruissantes qu'ils frôlaient au passage, s'efforçant de paraître animée d'intentions pacifiques et de surveiller ce que faisaient ces obscures mains kif sous leurs voiles crépusculaires.

– Hilfy, dit Khym.

Elle leva la tête. Des kif étaient agglutinés dans l'embrasure de la porte.

– Il a un couteau! cria une hani. Attention, petite...

Quelque chose fila à travers les airs, traçant un sillage de bière et de mousse, qui acheva sa trajectoire sur un crâne kif.

– Touché! s'exclama un mahendo'sat avec extase.

Un kif se fendit. Khym se fendit. Hilfy, toutes griffes dehors, lacéra un adversaire. Devant la porte, c'était un enchevêtrement de corps.

Une voix stsho s'éleva, plaintive, dans le vacarme :

– *Yiiii-yinnnnn!* Police, police, police...

– Yaooo!

C'était le mahendo'sat.

– *Na* Khym!

Cette fois, c'était la voix enrouée de Tirun. Elle était incapable de faire une percée à travers le corps à corps qui bouchait la porte.

– Hilfy! s'égosilla-t-elle. *Na* Khym! *Chanur!*

– *Ayhar, aï Ayhar!*

– *Catmin-shai!*

Chopes et bouteilles voltigeaient dans tous les sens.

– Il est sur le Cours! Vite!

C'était la voix d'Haral qui avait jailli de son communicateur de poche. Renonçant à inspecter les boutiques alimentaires bordant le marché, Pyanfar s'élança coudes au corps, passant devant des mahendo'sat et des stsho éberlués qui s'empressaient de lui laisser le champ libre. Elle dut même se jeter de côté pour éviter les zigzags erratiques et imprévisibles d'un véhicule méthanien.

Des sirènes hululaient. Des voyants rouges clignotaient sur les portes étanches fermant le secteur du marché. Pyanfar, dans un dernier effort, se rua en avant, plongea et s'étala, embrassant le sol, au moment même où les valves commençaient à entrer en action. Les battants des caissons se soudèrent avec un claquement sonore et le souffle fit trembler la plate-forme. Le bruit était si assourdissant qu'il dominait le brouhaha et les cris. Pyanfar se releva et reprit sa course sans même un regard en arrière.

Le Marché était en ébullition. Commerçants et pillards s'emparaient par pleines brassées de toutes les marchandises dont ils pouvaient se saisir. La foule encombrait les travées. On entendait des piaillements perçants d'animaux déchirant le vacarme. Une créature noire qui filait à toute vitesse passa juste devant Pyanfar et glapit quand celle-ci lui marcha dessus. La capitaine de *L'Orgueil* sauta par-dessus un comptoir, se fraya tant bien que mal un passage à travers une masse en équilibre instable de bibelots et de colifichets, repéra une travée dégagée et se précipita, ventre à terre, vers le Cours. Elle eut le temps d'entr'apercevoir la foule qui se bousculait, bloquant les issues. De la cohue s'échappèrent des stsho blêmes qui lançaient d'inintelligibles bredouillements. Des mahendo'sat ivres demeuraient plantés là à brailler des insanités. Deux hani surgirent, venant de la direction opposée, se dirigeant droit vers cette masse tapageuse : c'étaient Chur et Geran.

Pyanfar repoussa les badauds sans se soucier des balafres que leur infligeaient ses griffes. Les mahendo'sat reculèrent en poussant des hurlements de rage. La silhouette d'un kif passa devant elle à la vitesse de l'éclair. Elle ne réussit qu'à érafler sa robe. Maintenant, elle était au cœur même de la cohue effervescente. Des panneaux de plastique volaient en éclats, il y avait des fracas de verre brisé, on marchait sur des corps en proie à des soubresauts.

D'autres kif déguerpirent dans un envol de robes noires.

– Khym ! s'égosilla-t-elle en se jetant à corps perdu à leur poursuite.

Haral et Geran la rejoignirent, suivies de Chur et de Tirun. Hilfy, qui arrivait la dernière, se jucha d'un bond sur les épaules de Khym.

A elles toutes, elles l'immobilisèrent, le neutralisèrent jusqu'à ce que les échauffourées prissent fin.

Quelques rires mahen retentirent mais se turent très vite. Prudents, les mahe reculèrent vers la périphérie de la mêlée. Dans le Marché, le chaos allait s'intensifiant : clameurs des pillards, grincements du plastique réduit en miettes, invectives polyglottes et courroucées de la cupidité bafouée.

– Les dieux vous maudissent! gronda Pyanfar en menaçant de ses griffes tous ceux qui étaient à sa portée. Place!

Les mahendo'sat s'écartèrent. Maintenant, elle avait devant elle un petit groupe de spatiennes hani, les oreilles rabattues en arrière. Les membres de l'équipage de *L'Orgueil* se remirent debout, Haral la première, les oreilles plaquées contre le crâne et les traits déformés par un rictus. Khym se releva, Tirun le tenant fermement par un bras et Hilfy par l'autre. Les derniers échos de la bagarre moururent dans le bistrot. Un dernier verre éclata.

– Pyanfar Chanur, laissa tomber une hani au nez camus, sur un ton aussi cinglant que réprobateur.

– Faites rapport à votre capitaine, répondit l'intéressée. Dites-lui que nous avons agi comme il convenait. C'est mon époux. Vous entendez? *Na* Khym *nef* Mahn. Compris?

Frémissements d'oreilles. On voyait le blanc de leurs yeux. La nouvelle de cette folie n'était pas encore parvenue dans ces régions lointaines. A présent, c'était chose faite.

– Bien sûr, dit une jeune hani en battant en retraite. Entendu, capitaine.

– Il vaudrait mieux filer, capitaine, murmura Chur.

On entendait mugir les sirènes. Pyanfar regarda par-delà la foule qui s'éclaircissait, en quête d'autres bars. Des corps piétinés se convulsaient dans l'encadrement de la porte.

Des véhicules arrivaient du quai, surmontés des gyrophares stroboscopiques blancs de la Sécurité.

2

La porte coulissa avec un chuintement, laissant apparaître deux gardes. A La Jonction, ce pouvaient être des oxy-respirants de n'importe quelle espèce sauf des stsho, compte tenu de la méfiance congénitale de ceux-ci à l'égard de la violence. Les stsho engageaient des mercenaires pour toutes les tâches concernant la sécurité. Heureusement – dans les circonstances présentes –, ces gardes étaient des mahendo'sat.

Pyanfar cessa de faire les cent pas dans l'étroite pièce – l'*aire d'attente* –, pour employer l'euphémisme en vigueur chez les stsho. Les autres races avaient des appellations différentes pour désigner ces petites salles dont les portes étanches donnaient sur l'extérieur.

– Où est mon équipage? demanda-t-elle d'une voix de rogomme au mahendo'sat le plus proche tandis que ses oreilles s'aplatissaient instinctivement. Où est-il, au nom des dieux?

– Directeur vouloir entretien, répondit le mahendo'sat en s'écartant d'un pas. Entrer, hani capitaine.

Pyanfar rétracta ses griffes et s'exécuta puisque les choses commençaient enfin à bouger et que les deux gardes n'avaient pas d'autres armes que celles dont la nature les avait dotés et que leur attitude n'avait rien d'agressif. Ces deux-là ne diraient rien. Aucune menace ne les ferait se détourner de leur devoir. Sur ce point, les mahendo'sat étaient d'un loyalisme scrupuleux.

– Par ici, se contentèrent-ils de dire en désignant un ascenseur un peu plus loin.

Ce fut encore un bon bout de chemin. L'ascenseur, partant des entrailles de La Jonction, effectua d'interminables zigzags avant de déposer ses occupants dans une galerie blanche à la décoration pastel. Il y avait ici et là des trouées de lumière dans un apparent désordre. C'était une section stsho qui ne tenait aucun compte des goûts esthétiques des autres espèces : rien que des coloris pastel et des teintes opalines, de vastes découvertes, des cloisons formant des angles insolites, percées d'ouvertures et de niches énigmatiques. Le sombre pelage et le noir jupon des deux mahendo'sat, la culotte écarlate et la fourrure cuivrée de Pyanfar faisaient tache dans ce décor.

Une dernière porte, un dernier couloir aux parois de plastique torturées... Pyanfar redressa les oreilles, ce qui fit sonner ses anneaux et saillir ses griffes; elle prit une profonde inspiration comme si elle se préparait à sauter d'une grande hauteur avant de pénétrer dans une salle baignée d'une lumière laiteuse. Les murs bizarrement contournés étaient une splendeur. Le sol luminescent se creusait çà et là de dépressions capitonnées. Un stsho vêtu d'une tunique arachnéenne l'attendait, un enregistreur à la main. Un autre était assis, serein, au centre de la concavité centrale. Ce *gtst* (les stsho ayant trois sexes simultanément, ni le masculin, ni le féminin, ni le neutre ne convenaient vraiment pour se référer à eux) était paré de couleurs de la plus extrême subtilité, toute une palette de nuances invisibles à des yeux hani, encore que discernables à la limite du champ de vision, miroitantes dans les plissés tirant sur l'ultraviolet. Ses tatouages, tout aussi illusoires sur cet épiderme naturellement opalin, éclataient de reflets verts et mauves. Les plumes aux couleurs nacrées se balançant au-dessus de son front étiré projetaient leur ombre sur des yeux de pierre de lune. La bouche étroite n'était qu'une ligne désapprobatrice et les narines se dilataient et se contractaient tour à tour avec célérité.

Pyanfar s'inclina (une seule fois et brièvement) devant tant d'élégance. Le stsho agita une main alanguie et un serviteur-interprète (ce ne pouvait être que cela) entra et se posta à son côté, ses propres robes d'onéreuses soies stsho flottant au gré d'impalpables brises.

– Ndisthe sstissei asem sisth an zis, dit Pyanfar avec ce qu'il fallait de révérence dans son intonation, lui semblait-il.

Les sourcils emplumés papillotèrent. L'assistant étreignit avec force la traductrice *gtst* et recula, indécis.

– *Shiss.* (Le Directeur lui ordonna d'un geste gracieux de sa main ornée de joyaux de s'immobiliser.) Shiss. Os hitshe Chanur nos schensi noss' spitense sthshosi cisemtshi.

– Je suis loin, en effet, de parler couramment la langue, convint Pyanfar.

Le Directeur exhala un soupir qui venait de loin et ses plumes *gtst* frémirent avec ensemble, indice d'une vive agitation.

– Sto shisis ho weisse gti nurussthe din?

– Etes-vous au courant, traduisit l'interprète avec un temps de retard à la mode *gtst*, de l'émeute qui a éclaté et qu'il a fallu quatre heures pour maîtriser?

– ... Ni shi canth-men horshti nin.

– ... Quarante-cinq personnes sont soignées à l'infirmerie...

Pyanfar, les oreilles toutes droites, arborait une expression empreinte de sympathie.

– Ni hoi shisisi ma gnisthe.

– ... et de nombreux actes de pillage ont été commis.

Les coins de la bouche de Pyanfar s'abaissèrent avec toutes les marques d'une tristesse accrue.

– Je partage votre indignation à l'égard de pareille atteinte à l'autorité stsho. Mon équipage a, lui aussi, souffert du banditisme kifish.

Cette déclaration fut traduite à grand renfort de gestes de mains.

– Shossmemn ti szosthenshi hos! Ti *mahenthesai* cisfe llyesthe to misttheth!

– ... Vous et vos complices et co-conspirateurs mahendo'sat avez fait de grands saccages...

– Spiti no hasse cifise *sif* nan hos!

– ... et impliqué les kif...

– Shossei onniste stshoni no misthi *th'sa* has lles nan *shi* math!

– ... Un navire tc'a a déhalé et pris la fuite au cours de ces désordres. Les chi sont sans nul doute fort perturbés...

– Ha nos thei no llen *knnni* na slastheni hos!

– ... Qui sait si ces faits ne sont pas aussi de nature à exciter les knnn?

– Nan nos misthei hoisthe ifsthen noni ellyestheme to Nifenne hassthe shasth!

– ... Dans les trois heures qui ont suivi votre amarrage, votre équipage et vous avez semé la zizanie entre toutes les espèces de la Communauté!

Pyanfar posa les mains sur ses hanches et abaissa de propos délibéré ses oreilles.

– Autant dire que toutes les victimes d'un crime sont coupables d'incitation au crime! Est-ce là une nouvelle doctrine?

Un long silence suivit la traduction de la réplique de Pyanfar. Puis :

– ... J'ai en tête des documents récemment retrouvés, hani capitaine. J'ai en tête de lourdes amendes et de sévères sanctions. Qui nous dédommagera des dégâts causés à notre Marché? Qui nous indemnisera?

– C'est vrai, dit Pyanfar, le regard dur. Qui oserait accuser les kif – en dehors des hani? En dehors de nous, estimé Directeur? Mais, dites-moi, que se passerait-il sans le trafic hani? Sans les mahendo'sat? Quel serait, dans ce cas de figure, l'attitude des kif à La Jonction? Vous auriez d'autres choses à vous plaindre que de petits larcins, je vous le garantis!

Frémissements de plumes. Des yeux ronds à la prunelle noire qui s'écarquillent.

– ... Vous faites des menaces mais vous n'avez pas de dents. Le *han* ne se plie pas à vos moindres caprices. Et les mahendo'sat encore moins.

» Un vaisseau hani assailli, une capitaine hani retenue, cela ne plaira pas non plus au *han*. Et j'ai oublié de parler de la fermeture du caisson!

» ... Avez-vous assez de confiance en vous pour expliquer au *han* comment une capitaine Chanur a pu subir de telles avanies? Une autre version m'est parvenue aux oreilles. J'ai entendu dire que le *han* ne voit plus d'un aussi bon œil les affaires de Chanur, ces temps-ci.

Pyanfar prit une longue, une très longue inspiration et l'interprète recula d'un pas devant le froncement de son nez.

– C'est là un pari où il n'y a pas d'avantages à retirer, estimé Directeur.

– ... Quel profit y a-t-il à traiter avec Chanur? Nous vous restituerons vos passavants et nous verrons comment vous nous paierez de retour. Où est notre préjudice? Où obtiendrez-vous les fonds, vous qui prétendez être la terreur des kif? Nous vous condamnerons à une amende. Vous n'oserez rien leur prendre.

– Par les dieux, ils ne nous voleront rien hormis ce que nous devrons verser aux autorités stsho!

La pupille des yeux de pierre de lune du Directeur s'élargit et s'assombrit encore.

– ... Vous avez emmené avec vous un mâle de votre espèce. J'hésite à aborder ce sujet délicat mais il est de notoriété publique que les mâles hani se

36

caractérisent par leur instabilité. Cela a sûrement contribué à...

– C'est une affaire qui ne regarde que les hani.

– ... D'autres hani considèrent, cependant, que la situation qui est celle de votre bâtiment est inquiétante et inconvenante.

– Je vous répète que c'est une affaire qui ne regarde pas les hani.

– ... Une représentante du *han* m'a fait part de sa préoccupation. Elle m'a assuré qu'il ne s'agissait nullement d'une nouvelle politique et que le *han* déplore cet état de fait...

– Cela ne regarde ni cette représentante – les dieux la fassent pourrir – ni personne d'autre. Restons-en à la question de la sécurité portuaire, si vous voulez bien.

– ... Les hani n'ont pas estimé judicieux de faire entrer leurs mâles en contact avec des espèces étrangères, contacts pour lesquels ils sont de par leur nature inadaptés et mal préparés. D'autres hani sont scandalisées par une pareille provocation.

– Le port, estimé Directeur. Le port et la sécurité publique.

– ... Vous avez enfreint la réglementation. Vous avez amené cette personne...

– C'est un membre de mon équipage.

– ... Cette personne possède-t-elle une licence?

– Une licence provisoire, oui. En bonne et due forme. Vous n'avez qu'à vous informer auprès de vos services.

– ... Un permis délivré par la station de Gaohn. C'est-à-dire par un allié de Chanur cédant à ses pressions, cela ne fait pas de doute. Cette personne est ici sans notre autorisation...

– Et depuis quand la loi communautaire exige-t-elle une autorisation de séjour pour des navigants appartenant officiellement à un équipage dont la liste est déposée?

– ... Depuis quand un membre d'un équipage

tire-t-il une bordée pendant le déchargement pour faire la tournée des tavernes?

– Il s'agit de mon bâtiment et c'est mon affaire.

– C'est devenu une affaire stsho.

– Ah! vraiment? Cessons de persifler et revenons-en à la question : les kif ont attaqué mon personnel alors qu'il pensait que la loi et la coutume stsho étaient garantes de sa sécurité. Nous avons essuyé un affront. J'ai, pour ma part, subi directement l'outrage d'être détenue durant des heures tandis que les assassins kif faisaient très certainement tout ce qu'il leur plaisait de faire sur les quais sans se soucier de la vie et des biens d'autrui. Et une partie de ces biens sont ma propriété. Qui me donnera l'assurance que mes marchandises en attente de chargement demeureront indemnes alors que nous sommes victimes de cette agression? Je tiens cette station pour responsable de tout ce qui pourrait arriver. Où est mon équipage, estimé Directeur? Et qui réglera les indemnités qui nous sont dues?

C'était peut-être une diatribe un peu trop longue. L'interprète en tordait ses mains *gtst* et bégayait. Il s'inclina comme se penche le roseau en proie au vent quand vint la réponse :

– ... Pourquoi ne pas le demander au mahendo'sat avec lequel vous avez tenu conférence?

Les oreilles de Pyanfar se collèrent contre son crâne. Elle les redressa au prix d'un énorme effort, défroissa son museau et arbora une expression amène.

– Le Directeur fait peut-être allusion au mahendo'sat dont le reçu inexact a été avalisé par cette station si parfaitement tenue?

Nouvel aparté entre le Directeur et l'interprète. La peau de ce dernier, perdant son lustre, devint d'une mortelle pâleur.

– ... Le Directeur dit que *gtst* est au courant de

cette infraction. Le fonctionnaire responsable a été réprimandé.

– Il serait discourtois de ma part de supposer que des personnes plus haut placées ont eu à en connaître. Et stupide de douter de leur loyalisme.

L'interprète hoqueta à plusieurs reprises et traduisit en se tordant encore plus vigoureusement les mains :

– ... Le subordonné en question ne soupçonnait nullement des connivences à un niveau supérieur de la hiérarchie, connivences mises en place par vous et vos acolytes. Ce navire mahen a préféré prendre le départ pendant les désordres qui se sont produits. L'agitation a également gagné les méthaniens. Le Directeur demande... si vous étiez au courant de la chose. Etes-vous consciente des risques qu'il y a à redouter de la part des tc'a et des chi?

– Ce n'est pas mon affaire. Absolument pas.

– ... Le Directeur demande si vous souhaitez prendre possession des marchandises que cette personne a abandonnées.

Pyanfar retint son souffle. Elle sentit ses entrailles se nouer.

– Ce sont des denrées périssables, ajouta l'interprète.

– Je considère, en conséquence, que la station délivrera lesdites marchandises en reconnaissant ses obligations?

– Ce n'est pas aussi simple. Il y a, par exemple, le problème du préjudice que nous avons subi. La cargaison fait l'objet d'une mesure de saisie.

– *Je refuse d'être tenue pour responsable des actes de brigandage commis par les kif!* Vous n'avez qu'à régler cela avec le mahendo'sat avec lequel vous avez traité, vous.

– Je ne peux pas traduire cela, s'exclama l'interprète en roulant des yeux. Je prie l'estimée hani capitaine...

– Dites au *gtst* que si je m'étais comportée comme l'ont fait les kif, il ne me parlerait pas de dommages et intérêts.

– *Ashosh!* dit le Directeur.

L'interprète se tourna vers lui, croisant ses mains *gtst* sur sa poitrine *gtst* et zézaya avec la plus grande douceur, ses yeux de pierre de lune plus écarquillés que jamais :

– Nous parlerons de dommages et intérêts plus tard. Pour le moment, il s'agit de cette marchandise, de cette marchandise périssable...

Pyanfar, jambes écartées, glissa les pouces dans sa ceinture.

– Qui bénéficie, je présume, de la caution personnelle de l'estimé Directeur?

– Il s'agit de quatre conteneurs. Suis-je un vulgaire manutentionnaire pour avoir personnellement ces marchandises sous ma garde?

– Vomissure des dieux! (Se maîtrisant, Pyanfar redressa ses oreilles et reprit en s'efforçant d'employer un ton plus mesuré :) Compte tenu du fait que ce sont des denrées périssables, avez-vous dit, je suppose qu'elles font l'objet d'une surveillance particulière?

L'interprète relaya la question. Le Directeur eut un geste négligent de la main. Ses yeux *gtst,* qui ne cillaient pas, s'étaient soudain durcis.

– C'est une question du ressort de la douane. Le consignataire était si pressé de déhaler que, dans sa hâte, il n'a pas mis les papiers en règle. Il manque des tampons officiels. Avez-vous, hani capitaine, une idée à suggérer pour que ces marchandises ne soient pas vendues aux enchères publiques? Je suis persuadé qu'elles ne sauraient manquer d'intéresser certains adjudicataires très riches et disposant de solides appuis financiers. A moins que l'estimée capitaine Chanur n'en assume la responsabilité à titre personnel.

L'ombre envahit la pièce, obscurcissant tout, hormis l'aimable hochement de tête du stsho.

– ... Par ailleurs, la question des lettres d'espace a été récemment réglée. La station est consternée, tout à fait consternée que sa bonne foi ait été trahie. J'en suis, pour ma part, navré.

– Et si nous parlions de choses que de bons négociants tels que nous deux pouvons comprendre? dit Pyanfar. Comme de l'honnêteté commerciale. De négoce. Supposons que je quitte La Jonction avec mes petits problèmes quelques heures après avoir embarqué ma cargaison et que je garde bouche cousue? Que je ne parle à personne de pots-de-vin ni de mahendo'sat? Souhaitez-vous que nous évoquions certaines éventualités désagréables, estimé Directeur? De désordres fomentés par les kif, par exemple, et que la chose parvienne aux niveaux supérieurs de la hiérarchie? Une autre solution serait que nous parlions plutôt de ce fret et du rapatriement de mon équipage. Que je vous délivre de ces complications – avec mes licences en règle, bien entendu – avant que les choses ne deviennent encore plus onéreuses pour votre station qu'elles ne le sont déjà.

L'interprète tressaillit, se retourna, la main frémissante.

– *Ashosh!* dit le Directeur.

Et il ne se contenta pas de cette exclamation. Des zébrures empourprées ondoyaient sur sa peau de nacre. Ses narines se dilataient et se contractaient à un rythme accéléré.

L'interprète sursauta de nouveau et arrondit ses épaules. Pyanfar n'attendit pas qu'il traduisît :

– Dites au *gtst* qu'il est dans une situation délicate. Du fait des kif, naturellement. Dites-lui cela!

L'autre s'exécuta. L'épiderme du Directeur prit une teinte livide.

– Inacceptable. En laissant aller et venir librement un membre de votre espèce dont l'instabilité est chose notoire, votre équipage a commis une infraction qui, vos facultés perceptives aiguës – encore qu'atrophiées du point de vue imaginatif – ne peuvent le nier, exige réparation.

– Un membre de mon équipage qui est aussi mon époux, ignominie trémoussante!

Les narines du stsho palpitèrent.

– La créance est exigible. Aucun compromis ne saurait compenser les dommages subis.

Pyanfar se contint, essayant de réfléchir, à l'écoute de mots qui lançaient de fins tentacules dans un territoire tout à fait différent. *Or-Aux-Dents, puisses-tu crever... Ç'avait été un coup monté dès le départ...*

Ses oreilles s'aplatirent et l'interprète fit un pas en arrière, ses yeux de pierre de lune *gtst* comme des soucoupes montrant leur blanc. Les plumets du Directeur frémirent tandis qu'il agitait nerveusement les mains.

– Je vous propose un marché, reprit Pyanfar. Nous prenons la cargaison et nous trouverons l'argent pour vous payer.

– A condition que vous signiez une décharge en bonne et due forme.

– Il ne faut pas exagérer, stsho.

– Votre visa est annulé. Annulés également ceux de votre équipage et du hani mâle quels que soient les prétextes que vous avez avancés pour obtenir des permis en faveur de cette personne instable. L'autorisation de faire relâche à La Jonction pour votre vaisseau et pour tous les bâtiments Chanur sera suspendue tant que la créance ne sera pas recouvrée.

– Et cette cargaison?

– Douteriez-vous de notre parole? Je vous en fais cadeau. Eu égard aux dommages que vous avez vous-mêmes essuyés, bien entendu.

Pyanfar inclina la tête. Le *gtst* adressa un signe à son serviteur.

– Sthes!

Ce n'était pas du tout un adieu courtois.

D'autres corridors. Il fallait que Pyanfar signe une décharge dont les termes mêmes la glacèrent. Elle leva les yeux au-dessus du comptoir et le fonctionnaire stsho battit en retraite pour se mettre à l'abri de l'autre côté du bureau en faisant tomber sa paperasserie.

– Cela ira comme ça? demanda-t-elle avec un calme qu'elle jugea digne d'admiration.

Le stsho babilla quelque chose sans cesser de se tenir à distance respectueuse.

– *Gtst* dire encore d'autres signatures, traduisit l'un des gardes.

C'était bien ce qu'elle avait cru comprendre. Elle fronça le nez. Le stsho laissa encore tomber quelques papiers, les ramassa et les tendit au mahendo'sat pour éviter de s'approcher d'elle.

– Décharge douanière, hani capitaine. Vous signer, tout très bien.

– Attendre, hani capitaine. Autorisation appareillage à valider.

La respiration de plus en plus hachée, Pyanfar signa, signa, signa à tour de bras, se bornant à adresser des coups d'œil torves au fonctionnaire stsho et à ses aides qui s'agitaient et se trémoussaient.

– Plus d'autres formalités? s'enquit-elle enfin.

– Non, hani capitaine. Tout réglé.

– Et mon équipage?

C'était la troisième fois qu'elle posait la question mais, ce coup-là, un large sourire fendait son visage.

– A bord vaisseau, hani capitaine. Libéré depuis longtemps. Même chose pour clan Ayhar. Nous à votre navire maintenant aller.

Elle laissa échapper un grognement, puis se dirigea à grands pas vers la porte béante qu'elle franchit avec son escorte mahen qui appela l'ascenseur.

Pas un seul autre mot ne fut échangé. Aucun ne paraissait de circonstance. Elle regardait fixement la porte gris perle, bien que ce fût là un spectacle totalement dépourvu d'intérêt, tandis que la cabine traversait la station en faisant ses méandres.

Elle profita de ce répit pour réfléchir. Et ses muettes et sombres pensées tournaient autour de carcasses de stsho et du cou d'un certain mahendo'sat bien précis qu'elle aurait aimé tordre. Enfin, la cabine s'immobilisa et sa porte s'ouvrit sur le froid et la rumeur des quais.

Elle s'orienta en décochant un rapide coup d'œil au panneau d'affichage le plus proche, un rectangle noir zébré de lumières vertes surplombant le poste de mouillage Nº 14 : *Assustsi*. Elargissant les narines, elle aspira une bouffée d'air glacé chargé des remugles du port : huile et frigorigènes, odeurs de cargaisons et d'aliments, tous les relents composites de La Jonction, semblables aux effluves de n'importe quelle autre station de la Communauté et, en même temps, à nulle autre pareils.

A gauche, le poste du *Vigilance*, Nº 18. Le navire du clan Ehrran. Sans aucun doute, une navigante, plongée jusqu'aux naseaux dans des piles de rapports, était en train de rédiger à l'intention du *han* un compte rendu des événements en les présentant sous le jour le plus néfaste possible. Les dieux seuls savaient ce que cette crapule à peau blême avait déversé au creux d'oreilles complaisantes!

Et eux seuls savaient ce qu'Ayhar allait déclarer pour sauver la mise. Jamais, c'était fatal, jamais Ayhar et *Prospérité* n'assumeraient leurs responsabilités, financières ou autres.

Les ennemis de Chanur au sein du Conseil se jetteraient sur l'occasion.

Pyanfar se remit en marche, ignorant délibérément les deux ombres noires attachées à ses talons.

Les hauts chevalets de levage prenaient un air penché du fait de la perspective incurvée de la station en forme de roue. A mesure qu'elle avançait, le quai se déployait, émergeant de la gangue de l'horizon, et elle finit par apercevoir le poste d'arrimage de *L'Orgueil*.

Il aurait dû y avoir des fûts à quai : elle n'en vit aucun et ses pensées s'assombrirent encore un peu plus. Pourtant, elle ne se retourna pas.

Elle passa devant le poste N° 10, celui où avait été amarré le *Mahijiru*. Il était hermétiquement clos. On avait dégagé et mis le portique en position de repos. Le panneau demeurait opaque. Il ne portait ni le nom ni l'immatriculation du navire en partance.

Panne technique. Elle avait bonne mine, la panne technique !

Collusions et collusions. Des mahendo'sat et des stsho – ces stsho qui prenaient leurs jambes à leur cou avant que le moindre vent commençât à souffler. Et, maintenant, avec le *Mahijiru* au large et Or-Aux-Dents dans l'incapacité de tordre de ses mains le cou du Directeur, le vent dominant empestait-il le kif ?

Il sautait aux yeux, et cela ulcérait Pyanfar, que les stsho avaient eu l'audace de se dresser contre elle, ces stsho qu'elle pouvait écraser d'un revers du bras. Mais elle n'osait pas le faire. C'était là le nœud de tout. Les stsho montraient un visage aux kif, un autre aux mahendo'sat – et un troisième aux hani : il y avait encore un siècle, les hani étaient aux termes de la loi stsho classés comme espèce « non navigante » parce que (encore que ce fût là un fait qu'ils préféraient laisser dans l'oubli) c'étaient les mahendo'sat qui leur avaient donné leurs vaisseaux. *Culture artificiellement accélérée.* L'espace stsho était d'ailleurs toujours interdit aux hani bien qu'il fût frontalier du leur. Les tractations commerciales avaient exclusivement lieu à La Jonction ou en espace non stsho.

Et les hani, qui étaient d'un naturel bienveillant, faisaient preuve de longanimité avec ces dilettantes frétillants qui achetaient et vendaient – de tout. Ils avaient mis Chanur au pied du mur. C'était l'œuvre des stsho. Cela et le reste. Et parce que le *han* menait une politique politicienne, parce qu'il avait des orientations à courte vue et, surtout, parce qu'elle avait elle-même commis la sottise d'espérer autre chose, Chanur traversait une mauvaise passe sur Anuurn même. Les stsho le savaient, bien évidemment, ils le savaient comme les rapaces savent détecter la présence d'une charogne. Ils avaient appris la nouvelle alors même qu'un navire hani comme *Prospérité* l'ignorait. Et ils la lui avaient lancée en pleine face, à elle, Pyanfar, à la première occasion.

Dieux! Penser que le *han* entretenait le fanatisme stsho et le brandissait comme une arme...

« Une représentante du *han* m'a fait part de sa préoccupation... »

Ou – au delà de l'outrage perçait une peur glacée : les stsho avaient des sources d'information indépendantes et manipulaient tout le monde – Or-Aux-Dents, le *han*, les kif même. Ils en étaient bien capables. Des gens intégralement xénophobes et qui vous glissaient entre les doigts comme du verre badigeonné d'huile. Et, depuis quelque temps, ils avaient une xénophobie supplémentaire pour leur occuper l'esprit, un nouveau sujet d'inquiétude : l'espèce humaine dont les hani rampants n'avaient pas la moindre idée des préoccupations et des motivations qui l'animaient.

Crevure d'Or-Aux-Dents, qu'est-ce que le gtst *sait au juste? Quel pot-de-vin lui as-tu donné? Il n'y a rien à faire avec un stsho qui a déjà touché.*

Elle dépassa les bassins Nos 9, 8, 7. Devant *L'Orgueil* pas le moindre signe d'activité. Pas de portiques de chargement, la rampe de cale rentrée. Aucune trace de conteneurs. Elle balaya les docks du regard. Pas de kif en vue. Il y avait peu d'animation. Quelques stsho, une poignée de mahendo'sat. Pas de hani. Si les passants qui se trouvaient dans les environs furent surpris à la vue de ce spectacle exceptionnel – une capitaine hani suivie de deux gardes mahen de la base à la stature impressionnante –, ils n'en montrèrent rien. C'était La Jonction et, à La Jonction, on ne se mêlait pas des affaires du voisin car on savait bien avec quelle facilité les complications risquaient de vous retomber sur la tête. A la limite de la ligne d'horizon incurvée dont seul le tiers inférieur était visible, le grand opercule d'obturation de la galerie marchande était toujours scellé, dissimulant les dommages aux regards indiscrets. La fermeture forcée du bazar constituait un manque à gagner. D'heure en heure, la facture grossissait.

La rampe d'accès de *L'Orgueil*, arrimé au poste N° 6, était béante. Sans même jeter un coup d'œil aux gardes qui l'escortaient et dont elle se faisait un point d'honneur de feindre d'ignorer la présence, Pyanfar sortit son communicateur portatif.

– Haral... j'arrive.

Pas de réponse.

– Haral!

Elle fit l'ascension de la rampe aboutissant à l'écoutille éclairée et glaciale. Elle n'entendait pas de bruits de pas derrière elle mais elle continua d'avancer à pas prudents. Même ici, les kif pouvaient avoir dressé une embuscade. Traquenards et perfidie stsho!

Après le coude que faisait le tube, il y avait un panneau. Fermé. Elle s'y était attendue et elle appuya sur la touche de l'unité de communication fixe.

– Haral! Par les dieux, Haral, c'est moi... Pyanfar. Ouvre-moi.

Le panneau s'ouvrit aussitôt, laissant échapper une bouffée d'air tiède et Pyanfar se retrouva instantanément en terrain familier. Tirun était de faction et Chur surgit, en armes, du poste de commandement au fond de la coursive. Toutes deux étaient couturées de balafres rougeâtres couvertes de gel cicatrisant. Une bande plasmatique était collée en travers du museau de la seconde. Une coupure qui devait être douloureuse.

– Refermez ce panneau, ordonna Pyanfar une fois rentrée. Tout le monde est là?

– Oui, tout l'équipage est présent. Il n'y a rien eu de grave.

Pyanfar s'immobilisa et considéra Tirun.

– Rien de grave! Dieux et tonnerres, ma nièce!

Tirun aplatit ses oreilles.

– Je voulais dire... de notre côté.

– Hum! (Pyanfar se dirigea vers l'ascenseur en compagnie des deux navigantes tandis que, derrière elle, le tambour du sas se refermait avec un sifflement.) Où est *na* Khym?

– Dans ses quartiers.

– Bon.

Toutes les trois entrèrent dans l'ascenseur, Chur appuya sur le bouton et ramena vivement son bras derrière son dos.

Pyanfar lui lança un regard dépourvu d'aménité.

– Qu'y a-t-il encore qui ne tourne pas rond? Que fait Haral là-haut?

– Des quantités de messages ne cessent d'arriver, répondit Tirun.

– Hum!

La cabine prit son essor. Pyanfar demeura plongée dans la contemplation de la porte jusqu'au moment où celle-ci coulissa. Flanquée de ses nièces, elle sortit alors dans la coursive principale et se dirigea vers la passerelle.

– Qui a appelé?

– Surtout les stsho, dit Chur. Nous avons aussi reçu un message du *Prospérité d'Ayhar*. Banny Ayhar demande qu'une conférence soit convoquée au plus vite.

– Il y a également eu des communications mahen sans queue ni tête et ne comportant pas de code de navigation.

Pyanfar adressa de nouveau un regard froid à Tirun. Celle-ci, remarqua-t-elle, avait les oreilles basses et son museau froncé trahissait la tension qui l'habitait. Elle émit un sourd feulement et fit son entrée dans la salle de veille. Haral se porta à sa rencontre et Hilfy – ô dieu! Hilfy! –, installée devant la console, se leva. L'un de ses flancs était bandé. L'oreille droite de Geran, déchirée, était recouverte de plasma.

– Tout va bien, tante? s'enquit Haral. Le central stsho nous a averties de votre arrivée imminente.

– Quelle amabilité de leur part! Ils vous ont fait des ennuis?

– Ils nous ont gardées sous clé pour remplir des formulaires et nous ont relâchées il y a une heure.

– Je vois...

Pyanfar prit sa place devant le poste de contrôle, fit pivoter son fauteuil et balaya du regard les visages solennels des navigantes. Hilfy, sa toute jeune nièce dont les yeux commençaient à peine à blanchir. Haral et Tirun, grandes, les épaules carrées, filles d'une cousine de Chanur, une Ancienne; Geran et Chur, sèches, nerveuses et agiles, filles de Jofan Chanur, sa troisième cousine. Cinq paires d'yeux au regard grave. Elle dévisagea longuement, de nouveau, la fille préférée de son frère Kohan, Hilfy Chanur *par* Faha, son museau avenant balafré et son oreille gauche entaillée. Hilfy, héritière de l'empire commercial de Chanur pendant et vraisemblablement après le règne de Kohan. Une adolescence qui touchait à sa fin. Une fierté effrayante. Comme Pyanfar aurait aimé qu'elle fût en sécurité au domaine! Mais elle garda cette pensée pour elle. Le domaine était loin, bien loin d'ici, et ce qui était en jeu, c'étaient les intérêts de Chanur.

– Je veux une permanence aux communications. Qu'on donne l'alerte si quelque chose aborde, si quoi que ce soit bouge dans la station. Quoi que ce soit, je répète. Je veux être mise immédiatement au courant.

– A vos ordres, dit Haral.

– Tully est de retour.

Oreilles qui pointent. Yeux qui s'écarquillent. Hilfy s'assit.

– Bonté des dieux! s'exclama Chur.

– Le *Mahijiru* est là. Enfin... il était là. Or-Aux-Dents a filé sans demander son reste.

Pyanfar avait d'autres nouvelles à annoncer à ses navigantes. Comme d'avoir été obligée de conclure des accords. Comme d'avoir agi comme une imbécile de capitaine vieillissante qui avait cru un instant pouvoir sortir Chanur du pétrin où elle l'avait mis. En inaugurant des échanges avec les humains – et tout ce que cela impliquait.

– Il allait nous repasser un fût au contenu très particulier. Ne m'en veuillez pas. (Elle agita la main.) Or-Aux-Dents est un excentrique, les dieux nous viennent en aide! Seulement, les stsho profitent de la situation de force qui est la leur. Ce conteneur avait été saisi en douane. Je... je crois avoir arrangé les choses.

Chur et Tirun se laissèrent choir dans leurs fauteuils, oreilles rabattues.

– Je regrette, conclut sèchement Pyanfar. Je regrette, cousines.

– Avons-nous une chance? (C'était au débouché commercial perdu que songeait Haral. Aux chances perdues.) Les mahendo'sat ont-ils pu passer?

– Je ne sais pas. Ils ont simplement appareillé en nous laissant le colis. Mais il y a encore pire. Les kif sont sur l'affaire.

– Dieux! (Geran se pencha sur le dossier du siège de Chur.) La bagarre dans la taverne...

– Organisée d'avance. C'était un coup monté. (La capitaine hani se rappela avec dépit le guetteur kif qu'elle avait repéré sur les quais.) Le but de la machination était de créer un maximum de confusion. Or-Aux-Dents a fichu le camp. Dans quelles circonstances... seuls les dieux le savent. Les messages se bousculaient sur ce quai comme des chi pendant un exercice d'incendie. Peut-être s'agissait-il d'une opération coup-de-poing montée par les kif, peut-être pas. Vraisemblablement, la cible en était les stsho. Il est indéniable qu'on a fait pression sur eux.

– Les kif sont-ils au courant pour le conteneur?

– Ces mahe pourris ont balancé toute une cargaison au milieu des docks, comme s'ils avaient le feu à leurs queues. Seuls les dieux savent qui s'est fait graisser la patte et combien de temps les pots-de-vin suffiront! Khym va bien?

– Un silence. Puis Haral haussa les épaules avec embarras.

– Je suppose.

– Qu'est-ce qu'il a dit?

– Pas grand-chose.

– Ah!

– Qu'il se retirait dans sa cabine.

– Admirable!

Pyanfar se mordit la langue. Son équipage et elle étaient du même sang. Toutes des Chanur. Ayant toutes les mêmes intérêts. Ce qui n'était pas le cas de Khym, mâle du clan Mahn, qui n'était plus dans la fleur de la jeunesse, qui n'avait plus de raisons de vivre, plus d'appartenance. Là-bas, sur Anuurn, son frère Kohan Chanur comptait sur elle. La Jonction en ruine. Les kif en liberté. Les stsho qui le prenaient de haut avec elle. L'Orgueil une fois encore dans une situation scabreuse. Son cœur n'était pas seul à s'être amolli : sa cervelle aussi! C'était la rumeur que, partout, propageaient les hani. Seul son équipage, depuis si longtemps à l'épreuve, ne dirait rien de tel, même maintenant. Et Hilfy non plus, évidemment. Hilfy dont les yeux juvéniles débordaient d'admiration pour elle.

Petite imbécile! soupira Pyanfar en son for intérieur. Puis, s'adressant à toutes :

– Que s'est-il passé pour notre cargaison?

Ce fut Tirun qui répondit :

– A notre retour, les barils entreposés sur le quai n'étaient plus là. Nous avons prévenu la station et porté plainte pour vol. Quant aux conteneurs qui sont à bord, ils sont indemnes.

– Les kif ne perdent pas leur temps. Allumez les réacteurs. Nous continuerons d'utiliser les liaisons de la station mais je tiens à ce que nos faisceaux indépendants soient en service. Et tâchez d'ouvrir l'œil. Ne me demandez pas combien de temps cela va continuer, je n'en sais rien. Contactez les douanes. Je veux savoir où se trouve ce fret à réceptionner.

Personne ne fit allusion à ce que tout cela coûterait, personne ne fit allusion aux mesures de rétorsion que pourraient prendre les stsho, aux licences, aux droits de port ni à l'établissement des itinéraires d'approche tellement onéreux que l'opération se solderait par une perte sèche. Personne ne mentionna le nom de Khym, ce caprice privé qui était depuis longtemps devenu public. Personne ne jeta un regard en arrière. Personne ne discuta. Simplement, les navigantes rejoignirent leurs postes en silence, un silence que, seul, brisa le gémissement des sièges quand elles s'assirent tandis que Pyanfar s'installait devant la console de communication.

Message d'un mahendo'sat non identifié : « J'abandonne les écritures. Je laisse les conteneurs dans le bureau de la station. Bon voyage. Partir en vitesse. Pareil pour vous. »

Pyanfar poussa un long soupir.

Message de *Prospérité d'Ayhar* : « Banafy Ayhar à Pyanfar Chanur. Nous avons un litige entre nous. Je suggère que notre différend ne soit pas ébranlé. Je vous propose de venir à mon bord avec vos témoins. J'attends une réponse immédiate. »

– Dans un enfer mahen, oui!

– Pardon, capitaine?

Pyanfar réussit de haute lutte à garder son calme.

– Réponse à Ayhar : Allez dire cela aux kif.

– Capitaine...

– Transmettez!

Geran baissa la tête et se pencha sur son clavier.

D'autres messages. Provenant pour la plupart des stsho : une douzaine de menaces de poursuites émanant de marchands du bazar en colère. Deux communications injurieuses de navires stsho au mouillage mettant en doute la santé mentale de Chanur. D'autres qui étaient incohérentes. Quatre messages de félicitations anonymes en jargon mahen dont trois avaient été rédigés par un expéditeur en état d'ébriété manifeste, et dont le quatrième proposait son concours à *L'Orgueil*, offre accompagnée de slogans et de divagations religieuses.

Du *Vigilance*, rien.

– Ça vient ce contact avec les douanes, Tirun? demanda Chur.

Quelques instants plus tard, la voix de Tirun s'éleva :

– Capitaine, je suis en liaison avec le responsable de la douane. Il prétend que les documents concernant cette cargaison ne sont pas en ordre.

Pyanfar fit pivoter son fauteuil.

– Le Directeur a réglé ce problème! Dis-le à ce *gtst*.

– Il veut que vous veniez signer le document.

– J'ai déjà signé ces saloperies de papelards!

Tirun transmit la réponse en termes plus choisis.

Yeux d'ambre qui se lèvent. Oreilles qui frémissent.

– Le *gtst* dit qu'il s'agissait d'un congé. Maintenant, ils veulent un désistement libératoire en cas de réclamation du consignateur...

Pyanfar pianota sur son propre clavier : « Ici Pyanfar Chanur. Si je me rends à votre invite, je serai en compagnie de mon équipage au grand complet. Compris ? Et ce sera à vous de vous expliquer avec votre Directeur, espèce de bureaucrate gâteux ! »

Silence à l'autre bout de la ligne.

Elle coupa le contact.

– Tirun et Geran, vous allez vous rendre à ce bureau et vous ne quitterez pas ces barils des yeux pendant le transbordement.

– Les kif, murmura Tirun.

– Que les dieux les vomissent. Ils tiennent les stsho en bluffant.

– J'ai de nouveau la douane, annonça Chur. Je passe la communication sur le 5. (Elle enclencha la touche.) Eh bien ?

– J'ai le programme d'appareillage établi, hani.

– Mettez-vous en tête de liste. Vu ? Je vous envoie mon propre service de sécurité. J'ai déjà été pillée une fois sur cette station pourrie et cela ne se renouvellera pas, comptez sur moi pour ça !

Elle coupa le contact, se carra contre le dossier de son siège, exhala un soupir interminable et dévisagea Tirun.

– Allez-y.

– A vos ordres !

Tirun et Geran se levèrent d'un bond et se précipitèrent vers la porte.

– Prenez des armes et un communicateur portatif ! leur cria Pyanfar. Et tâchez d'agir discrètement, par la pourriture des dieux ! (Elle se tourna vers

Haral.) Je veux que la soute avant soit réchauffée et pressurisée.

– Depuis combien de temps Tully s'y trouve-t-il? s'enquit Hilfy.

Pyanfar jeta un coup d'œil au chronomètre mural.

– Quelque chose comme six heures. Au moins.

– Le système de survivance est-il fiable?

– Après la façon dont Or-Aux-Dents a flanqué la pagaille, va-t-en savoir! (La capitaine fit pivoter son siège et, branchant l'ordinateur, passa en revue le document.)

– Est-ce que cet inventaire est à jour?

– Non, répondit Hilfy.

– Par tous les dieux, j'en ai besoin, ma nièce.

– Je suis dessus, dit Chur. Je le bascule sur l'écran 4, capitaine.

Pyanfar effaça avec effort son froncement de museau et secoua les oreilles. Ses anneaux s'entrechoquèrent. L'expérience, voilà de quoi il s'agissait. La richesse. Des voyages couronnés de succès. Immobile, attentive à toutes les anicroches qui risquaient de se produire, elle surveillait les communications de la station, les écrans de contrôle, prête à enregistrer la moindre bribe d'information que lâcherait le central de La Jonction. Les témoins ambrés indiquaient que les systèmes du navire étaient en état d'alerte.

– La pression s'élève, annonça Haral.

– Perte de masse estimée à 3, capitaine.

Pyanfar bascula sur la banque-mémoire. L'ordinateur de bord rendit son verdict.

– Rectifie, Chur. La bécane enregistre 5.

– Bien compris.

Les cinq segments fusionnèrent pour ne plus faire qu'un. D'autres mémoires entrèrent en jeu. Les résultats s'affichèrent.

Maing Tol. De La Jonction, il fallait dans le

meilleur des cas passer par Urtur et Kita Point pour atteindre Maing Tol.

– Un seul saut est hors de question, laissa-t-elle tomber. Pas avec le fret que nous avons déjà. Inutile d'y songer.

Silence.

– A vos ordres, soupira enfin Haral.

Ses yeux étaient braqués sur les tracés.

– Tante, murmura Hilfy. (La jeune hani, les yeux écarquillés et le casque collé aux oreilles, se tourna vers Pyanfar.) C'est Geran. Elle vous informe que la douane a déjà chargé et sorti ces conteneurs. Et ils sont surveillés par un peloton de sécurité mahen.

– Bonté des dieux! Enfin, une bonne nouvelle! Quel délai?

Hilfy relaya la question. Quand la réponse lui parvint, elle battit des paupières.

– Ils arrivent.

– Où en est la pression?

– Correcte, répondit Haral.

– Capitaine... (C'était Chur.) J'ai une correspondante en ligne. Banny Ayhar. Elle veut vous parler.

– Pourris soient les dieux! (Pyanfar enfonça la touche commandant l'écoute générale.) Ayhar, passez au large! Vous m'avez entendue?

– Qui ai-je en ligne?

– Pyanfar Chanur et que vos yeux périssent! Dégagez mon mouillage. Nous sommes en état d'urgence.

– Quel état d'urgence? Je ne suis pas d'humeur à entrer dans de nouvelles intrigues, Chanur. Vous m'entendez, Chanur...

– Je n'ai pas de temps à perdre avec ces histoires. (Pyanfar fit pivoter son siège et se leva.) Haral, tu te tiens prête à ouvrir la soute. Et dis à Ayhar de dégager. Hilfy, Chur, venez avec moi.

Les deux navigantes sur ses talons, elle enfila la coursive au petit trot et s'engouffra dans le monte-charge menant aux ponts inférieurs. Elle appuya sur le bouton.

A peine la cabine eut-elle amorcé sa descente que la voix d'Haral tomba du haut-parleur encastré au-dessus du boîtier de commande :

– Capitaine, ici Geran. Elles ont repéré des kif à l'extérieur.

Pyanfar inséra une griffe dans la fente et immobilisa la cabine avant que celle-ci eût dépassé l'étage suivant. Le monte-charge s'immobilisa au niveau où se trouvait le sas.

– Hilfy, reste là et garde le tambour ouvert! lança-t-elle en s'éloignant avec Chur.

– Mais, tante... protesta Hilfy en levant les mains tandis que la porte lui claquait au nez.

Pyanfar et Chur n'interrompirent leur course effrénée qu'une fois arrivées dans l'armurerie.

– Haral, libère ce panneau! ordonna-t-elle en passant devant le tableau de transmission, tandis qu'elle se ruait vers le râtelier d'armes.

3

A la sortie du coude que faisait le tubulaire dans lequel elles s'étaient jetées à corps perdu, Pyanfar et Chur se trouvèrent soudain nez à nez avec un trio de hani qui émergeaient du tambour – une capitaine large d'épaules et toute couturée, flanquée de deux membres de l'équipage.

Pyanfar évita la collision de justesse.

– Les dieux vous verminisent... gronda Banny Ayhar, tandis que Chur lançait un juron bien senti.

En même temps retentit le bruit sourd d'un choc.

– Qu'ils vous verminisent, vous! feula Pyanfar en se retournant, indignée. (Chur, recouvrant son équilibre après avoir virevolté, la rejoignit d'un bond.) Je vous avais pourtant dit de dégager d'ici!

– Mais que faut-il donc pour que Chanur entende enfin raison? s'exclama Banny Ayhar. Quand cela va-t-il finir, hein? Vous allez m'écouter, *ker* Pyanfar! J'en ai assez qu'on me fasse droguer...

– Que meurent vos yeux! Les kif en ont après mon équipage!

– Chanur!

Empoignant le bras de Chur, Pyanfar reprit sa course. Le martèlement précipité des pieds des Ayhar, derrière elles, les accompagna jusqu'à la sortie du tubulaire.

– Cha-nur! s'égosillait Banny Ayhar – et l'écho de ses appels se répercutait de wharf en wharf.

Mais Pyanfar, sans même s'arrêter, dévala la coupée, passa devant la rampe de chargement givrée, devant le portique d'ancrage et ses faisceaux de câbles reliant *L'Orgueil* aux relais de la station.

– Chanur!

Loin derrière elles...

Il y avait une singulière absence de circulation sur les quais glacés qui faisaient caisse de résonance, et ce silence même était révélateur. L'indice que quelque chose se préparait, c'était visible. Même d'ici, sous les espèces d'un gros porte-conteneurs qui, quatre postes de mouillage plus loin, s'approchait pesamment de *L'Orgueil*.

Une étrange escorte l'accompagnait : une demi-douzaine de gardes portuaires mahendo'sat tout en noir. Deux hani à la fourrure cuivrée, vêtues de bouffants d'un bleu délavé, étaient juchées sur la plate-forme supportant les grands fûts blancs et une bonne dizaine de kif aux robes sombres suivaient le mouvement en rangs serrés. Et pas le moindre officier des douanes en vue : s'il y en avait un, ou il s'était barricadé dans la cabine de conduite, ou il avait pris ses jambes à son cou pour se mettre à l'abri quelque part.

– Viens!

Mais Chur n'avait nul besoin de cet encouragement. Elle ne lâcha pas Pyanfar d'un pouce, tandis que celle-ci continuait d'avancer d'un bon pas – ni trop précipité pour ne pas constituer une provocation à la bataille, ni trop lent pour ne pas donner l'impression qu'elle redoutait la confrontation. Etreignant fermement la crosse du pistolet caché au fond de sa vaste poche, elle ne quittait pas des yeux le groupe de kif et demeurait sur le qui-vive, prête à déceler une éventuelle silhouette kif en embuscade dans le fouillis des ponts-roulants à sa droite, dans quelque encoignure des bâtiments administratifs à sa gauche.

– Hai! lança-t-elle sur son ton le plus jovial quand elle ne fut plus qu'à un mouillage de la troupe. Hai! Il était temps que vous veniez me souhaiter le bonjour, vermine kif!

Les kif avaient, eux aussi, vu venir les deux hani. Ils s'empressèrent de rompre les rangs pour se déployer tout autour du porte-conteneurs, quelques-uns masqués derrière la masse de celui-ci. Mais un peloton de gardes mahen sautèrent à bas de l'engin et prirent position derrière eux.

Pyanfar fit halte à distance respectueuse et s'écria, narquoise :

– Quelle joie de vous voir! (Les visages des kif, braqués sur elle, débordaient d'hostilité.) Je m'inquiétais. J'avais peur que vous ne m'ayez oubliée.

– Insensée! siffla un kif.

Pyanfar, la main toujours enfouie dans sa poche, sourit. Les oreilles dressées, elle prit la mesure de l'adversaire. Deux kif émergèrent de derrière le porte-conteneurs et elle se déplaça pour ne pas les perdre de vue. Elle perçut leur odeur qui éveilla de vieux souvenirs dans sa mémoire. A voir ces têtes au groin allongé qui l'observaient sous leurs noires capuches, cette peau glabre et grise, plissée comme du vieux papier, ces petits yeux bordés de rouge, ses poils se hérissèrent sur son échine.

– Eh bien, faites quelque chose! les exhorta-t-elle. Lécheurs de pieds! Canailles! Petits carambouilleurs! Akkukkakk vous a-t-il flanqués à la porte? Mais peut-être a-t-il été évincé à son tour?

Il était difficile de déchiffrer la physionomie des kif. Si cette allusion à un chef désormais oublié fit mouche, rien ne le révéla. Seul un visage encapuchonné se leva, le groin de guingois, et décocha à la hani un regard direct qui contrastait avec le comportement habituellement furtif de ses congénères.

– Il n'est plus un paramètre, dit-il tandis que la plate-forme qui gémissait sous le poids de sa charge s'interposait entre eux et quatre autres kif.

Des bruits assourdis retentirent derrière Pyanfar. Du coin de l'œil, elle aperçut quelque chose de cuivré qui se mouvait comme l'éclair. C'étaient Tirun et Geran qui avaient sauté du chariot. Elle se postèrent de part et d'autre de leur capitaine.

– Remontez, ordonna sans se retourner Pyanfar aux deux navigantes venues en renfort. Restez avec la plate-forme. Hilfy est dans le poste de commande inférieur. Embarquez ces conteneurs à bord.

Les gardes mahen avaient changé de place avec circonspection pour être en meilleure position. Pyanfar distinguait à la limite de son champ de vision plusieurs silhouettes sombres.

– Vous portez des armes, reprit le kif de rang le plus élevé.

Il n'avait pas employé le sabir qu'utilisent même les plus intelligents des mahe : il s'exprimait en hani courant et les nuances cachées des mots – *infamante dissimulation d'armes* – étaient perceptibles dans sa phrase.

– Vous avez des difficultés de toute sorte, continua-t-il. Nous ne l'ignorons pas, Pyanfar Chanur. Nous savons aussi ce que vous transportez et de qui vous le tenez. Nous comprenons la situation intérieure délicate à laquelle vous êtes confrontée et nous savons, maintenant, que vous détenez quelque chose qui nous intéresse. Nous vous faisons une offre. Je suis très riche. Je serais en mesure de vous acheter – de vous absoudre de vos erreurs de jugement passées. Risqueriez-vous votre navire? Car, croyez-moi, il sera en péril. Et pour quoi? Pour un mahendo'sat qui, n'importe comment, est perdu.

Elle entendit le grincement du porte-conteneurs qui sortait du champ clos. Il n'y avait plus de danger immédiat. Chur était toujours à ses côtés. Et les six gardes mahen n'avaient pas bougé.

– Quel est ton nom, kif?

– Sikkukkut-an'nikktukktin. Sikkukkut pour les hani curieuses. Vous voyez que je vous ai bien observée.

– J'en aurais juré.

– Un quai public n'est pas le lieu qui convient pour conduire une transaction délicate. Et j'ai des propositions précises à vous soumettre.

– Je n'en doute pas.

– J'ajouterai : profitables. Accepteriez-vous de vous rendre sur mon navire?

– Sûrement pas.

– Dans ce cas, c'est moi qui m'inviterai à votre bord. (Le kif Sikkukkut écarta les bras sous sa cape et un éclat d'or luisit dans l'envol sombre du vêtement de nuit.) Sans armes, bien entendu.

– Désolée, mais vous ne mettrez pas les pieds sur mon bâtiment.

Le kif baissa les bras. Ses yeux cernés de rouge se posèrent sur Pyanfar, limpides et songeurs.

– Vous êtes discourtoise, hani.

– Sélective.

Le groin allongé et grisâtre du kif prit la forme d'un V tandis que la peau se fronçait lentement au-dessus des fentes des narines – comme si une odeur vaguement déplaisante les assaillait.

– Vous redoutez que notre rencontre ait des témoins?

– Non. Je choisis mes relations, c'est tout.

– C'est fort mal avisé de votre part, Pyanfar Chanur. Vous êtes en train de faire bon marché de ce qui pourrait vous sauver – ici et chez vous. Un navire hani a déjà été témoin de... d'événements compromettants, disons. M'aventurerais-je à conjecturer ce qu'il adviendrait de Kohan Chanur – de tout Chanur – si quelque malheur arrivait à *L'Orgueil*? Kohan Chanur, déjà en position précaire, périrait. Son nom serait effacé des mémoires. Les fiefs seraient démembrés. La flotte tomberait entre les mains de certains qui s'empareraient alors du patrimoine de Chanur. Vous avez été fort imprudente, *ker* Pyanfar. Tout le monde le sait. Cette dernière affaire sera votre perte. Et à cause de qui? De quoi? D'un mahendo'sat, de manœuvres et de machinations sur lesquelles on ne s'est même pas donné la peine de consulter les hani que l'on a traitées par le mépris.

Le grincement du chariot s'était éloigné. Un autre son parvint aux oreilles de Pyanfar : le chuintement assourdi du panneau pneumatique de la soute qui s'ouvrait. Puis ce fut la plainte d'un convoyeur qui se mettait en place et s'encliquetait. Des bruits familiers. Elle savait ce que signifiait chaque claquement, chaque tintement.

– Et si nous parlions des manœuvres des kif? demanda-t-elle au fripon. De leurs machinations? Voilà qui ne manquerait sans doute pas d'intérêt!

– Ce n'est pas ici qu'il sied d'en discuter, *ker* Pyanfar. Mais il est certaines choses qui ne sauraient manquer d'intéresser une hani en danger comme vous l'êtes. De l'intéresser fort, quand les incidents qui ont eu La Jonction pour théâtre seront portés à la connaissance du *han*, et ils le seront fatalement. Souvenez-vous de moi. Je suis celui des kif qui pourrait nourrir de bonnes intentions à votre égard, et non de mauvaises. Sikkukkut d'*Harukk*, pour vous servir.

– C'est vous qui avez manigancé ce traquenard, vermine!

Le long groin du kif tressauta tandis que de nouveaux sillons creusaient sa peau parcheminée. Peut-être était-ce un sourire. Quand il sortit une main de sous sa robe, Pyanfar fit un pas en arrière, étreignant plus fortement la crosse du pistolet caché dans sa poche, et dont elle releva le canon, prête à faire feu.

Entre les griffes grises et bosselées de Sikkukkut brillait un objet d'or qu'il lui présenta. Elle le considéra, le doigt crispé sur la détente.

– Ceci est un message. Pour votre... cargaison. Remettez-le-lui, voulez-vous?

– Cette chose est probablement contaminée, porteuse de peste.

– Je vous assure que non. Je l'ai en main, ne le voyez-vous pas?

– C'est alors sûrement un poison sélectif auquel seule la race des hani est vulnérable.

– Rester dans l'ignorance de ce que c'est serait une erreur. Croyez-moi, *ker* Pyanfar, et faites-moi confiance.

Il était dangereux de contrarier les caprices d'un kif, quels qu'ils fussent. Elle vit le dépit de son interlocuteur, l'élégant mouvement du poignet tenant l'objet – c'était un petit anneau d'or – qu'il lui tendait. Elle s'en saisit d'un geste fulgurant.

– Méfiante, *ker* Pyanfar.

Pyanfar fit encore un pas en arrière.

– Chur!

Elle inclina l'oreille et perçut un froissement feutré : Chur reculait.

Sikkukkut leva ses mains sèches, aux paumes couleur de suie, en témoignage de ses intentions pacifiques. Son groin s'abaissa. Dans ses yeux bordés de rouge, rivés sur la hani, luisait une flamme blafarde.

– Nous nous reverrons, dit-il. Je serai patient avec vous, hani déraisonnable, en espérant que vous ne le serez pas toujours.

Pyanfar continua de reculer, Chur à ses côtés, jusqu'à ce que les mahendo'sat fissent écran entre elle et le kif.

– Ne vous retournez pas, leur intima-t-elle.

– Avoir ordres, répondit le chef de détachement. Rentrer navire, hani. Aimables kif partir autre côté.

– Il y a des armes illicites, dit un autre kif d'une voix glacée. Demandez à cette hani.

– Nôtres être légales, rétorqua sur un ton caustique le mahe qui avait peut-être un peu trop entendu parler de collusion entre les mahendo'sat et ces kif.

Il demeura ferme comme un roc. Risquant le tout pour le tout, Pyanfar empoigna en hâte Chur par le bras et battit en retraite tandis qu'un frisson lui parcourait l'échine.

Chur lança un bref coup d'œil derrière son épaule.

– Ils leur barrent la route. Les dieux les fassent pourrir!

– Viens!

Pyanfar s'élança – rapidement mais sans aller jusqu'à prendre le pas de course – en direction du poste de mouillage de *L'Orgueil*, du gémissement du portique de chargement. Un conteneur était suspendu, immobile, au-dessus du quai. En bas, trois hani vociférantes et excitées s'en prenaient à ses navigantes.

– Ayhar! hurla Pyanfar. Raclures des dieux, hors d'ici!

Elle se rua en avant et bouscula sans ménagements les intruses. Surprise par cet assaut, Banny Ayhar chancela. Ses yeux s'arrondirent et la stupéfaction se peignit sur son épais visage sabré de cicatrices.

– Impudente sans oreilles! gronda-t-elle. Je vous interdis de lever la main sur moi!

Pyanfar était consciente de ce qu'elle avait fait. La grue grinçait avec son fardeau immobile qui se balançait au bout de sa flèche. Tirun, Chur et Geran se massèrent autour d'elle tandis que les deux navigantes ayhar prenaient position de part et d'autre de leur capitaine. Les pensées se bousculaient dans la tête de Pyanfar : le *han*, les alliances, le jeu des influences...

– Mes excuses. (Les mots avaient du mal à sortir – ils lui restaient en travers de la gorge.) Mes excuses, Ayhar. Et maintenant, quittez mon mouillage. Vous m'avez entendue?

– Vous mijotez quelque chose, Pyanfar Chanur. Vous avez encore fourré votre nez dans je ne sais quelle histoire. Les dieux seuls savent ce que vous complotez avec les mahendo'sat. Qu'il soit bien entendu, Chanur, qu'Ayhar restera en dehors de toutes vos obscures manœuvres. Vous savez ce que cela nous coûte? Ce que votre dernière et extravagante opération nous coûte : les navires du *han* interdits de séjour à La Jonction, notre mouillage de Gaohn bombardé et que les dieux s'emplument si l'indemnité mahen compense...

– Nous nous reverrons à Anuurn, Banny, et nous reparlerons de tout cela en buvant une coupe ou deux.

– Une coupe ou deux! Bonté des dieux, Chanur!

– Geran! Tirun! Chargez-moi ces barils!

– Nous n'en avons pas encore fini. Ne vous en allez pas, Chanur.

– Je n'ai pas le temps, Ayhar.

– Pourquoi êtes-vous donc si pressée?

C'était une autre voix hani. Doucereuse. L'impudence de l'équipage d'Ayhar! Pyanfar se retourna, ouvrant déjà la bouche pour lancer un juron.

Une autre capitaine hani était là, sa crinière et sa barbe cuivrées élégamment frisées. Un cercle d'or entourait son bras, sa ceinture était en or et son bouffant de soie noire était vierge de toute passementerie.

Les couleurs d'un clan de Franc-Alleu. C'était une représentante officielle du *han*.

– Rhif Ehrran, du *Vigilance d'Ehrran*, capitaine, se présenta-t-elle. Auriez-vous des difficultés, Chanur?

Les battements du cœur de Pyanfar s'étaient ralentis et étaient douloureux. Le sang lui montait aux oreilles.

– Ce sont des problèmes de nature privée, répondit-elle en contrôlant sa voix. Je vous prie de m'excuser, capitaine, mais j'ai une urgence – interne.

– Je suis ici pour une autre affaire, dit l'agent du *han*. Mais vous l'avez presque reléguée au second plan, *ker* Chanur. Verriez-vous quelque inconvénient à m'expliquer ce qui se passe?

Pyanfar pouvait tout mettre dans les mains de la Ehrran, refiler l'enfant à la représentante du *han*.

Lui livrer Tully. A cette pécore dont les oreilles, bien que bardées d'une demi-douzaine d'anneaux, étaient encore intactes! D'une réserve glaciale comme ses semblables. Un enregistreur ambulant, insensible à la provocation et théoriquement neutre.

– Je rentre chez nous. Je réglerai le problème moi-même.

Les narines d'Ehrran se dilatèrent, puis se comprimèrent.

– Que vous a donné le kif, Chanur?

Pyanfar eut l'impression qu'une bouffée de vent glacé la cinglait. Le grincement de la grue qui hissait un conteneur lui parvint, assourdi.

66

– J'avais perdu un anneau pendant cette bagarre. Il me l'a rapporté. (Le mensonge qu'elle proférait l'écœurait. Comme l'écœurait la crainte que la Ehrran provoquait en elle, sachant fort bien qu'elle la suscitait.) C'est donc cela, le travail du *han*? Se livrer à des inquisitions? Recueillir des ragots?

Pyanfar avait marqué un point. Les oreilles d'Ehrran s'aplatirent, puis, derechef, pointèrent en avant.

– Vous êtes quasiment sortie des limites du domaine privé, Chanur. Vous êtes responsable de tout ce gâchis : à vous de remettre les choses en ordre. S'il y a des répercussions du côté des stsho, c'est sur moi que cela retombera. Me suis-je bien fait comprendre?

– A merveille. (La respiration de Pyanfar était saccadée.) Maintenant, verriez-vous un inconvénient à ce que je m'occupe de mes affaires, capitaine?

– Vous vous êtes mise dans un bien mauvais cas, Chanur. Ecoutez mon conseil : débarquez votre passager quand vous aurez rejoint Anuurn.

Ehrran fit demi-tour et commença à s'éloigner. Le cœur de Pyanfar avait presque cessé de battre. Mais c'était de Khym que la représentante du *han* avait parlé! Elle s'en rendit compte une fraction de seconde plus tard et l'affront la paralysa presque. Elle décocha un coup d'œil à Banny Ayhar, un seul mais lourd de reproche. Avoir fait intervenir une Ehrran dans un différend d'ordre privé!

– Je n'y suis pour rien, dit Ayhar.

– Dans un enfer mahen, oui!

– Il n'y a pas moyen de discuter raisonnablement avec vous. (Ayhar leva les mains dans un geste d'impuissance et fit mine de repartir mais à peine eut-elle fait deux pas qu'elle s'arrêta : elle n'avait encore pas dit tout ce qu'elle avait à dire.) Il serait grand temps que vous arrêtiez les frais, Pyanfar

Chanur. Avant d'entraîner pour de bon la ruine de votre frère.

Pyanfar en demeura bouche bée, si désorientée qu'elle ne put que regarder, les yeux ronds, Banny Ayhar reprendre son chemin, définitivement cette fois, encadrée de ses deux navigantes. Quand elle se fut ressaisie, il était trop tard pour répliquer : elle aurait dû crier, ce qui eût été un aveu d'impuissance.

Le premier conteneur retomba bruyamment dans son cadre en haut de la rampe. Avec une adresse née d'une longue expérience, Tirun et Geran mirent en position leur chargeur, soulevèrent l'élingue et la fixèrent aux cliquets mouvants qui s'enfonçaient dans la soute de *L'Orgueil*, baignée d'une lumière actinique. Chur, à côté du grutier vexé, le houspillait pour qu'il presse le mouvement.

– Chur! l'appela Pyanfar en se dirigeant vers le tubulaire d'accès.

La navigante se précipita, laissant le personnel du port à sa besogne, tandis que la capitaine de *L'Orgueil* escaladait la rampe en courant presque.

Une représentante du *han* qui se mêlait de leurs affaires...

L'occasion de se débarrasser de Tully en le remettant aux mains de celle-ci – et elle l'avait laissée passer.

Dieux! O dieux!

Les deux hani s'engouffrèrent dans le sas et suivirent le petit couloir aboutissant au monte-charge. La porte de celui-ci se referma avec un sifflement quand Pyanfar actionna la commande et la cabine plongea à destination de l'anneau périphérique du bâtiment – la section réservée aux passagers.

Du communicateur tomba la voix d'Haral :

– Vous l'avez?

– Il n'y a que les dieux qui le savent, répondit Pyanfar qui faisait un effort sur elle-même pour conserver un calme apparent. Aie l'œil sur ces kif, compris?

– On dirait que leur groupe s'est dispersé pour de bon.

– Hum!

Enfin, une bonne nouvelle. Mais Pyanfar demeurait quand même dubitative.

Il y eut un déclic quand Haral coupa le contact. La cabine heurta le plancher de l'anneau de rotation. La secousse fut suivie d'un brusque cahot quand elle bifurqua pour rejoindre les cales.

– Vous savez quel est le bon conteneur? s'enquit Chur d'une voix pantelante en se cramponnant à la main courante.

– Dieux, non! Tu t'imagines qu'Or-Aux-Dents a collé une étiquette dessus? Il n'a pas pu se servir d'un petit. Pas pu, non plus, nous l'envoyer directement. Il a été obligé de se fier aux stsho. Les dieux fassent pourrir ce cinglé de mahe!

La cabine accéléra jusqu'à sa vitesse maximale, s'immobilisa une seconde fois avec tout autant de brutalité et sa porte s'ouvrit sur une vaste caverne brillamment illuminée, un entrelacs de voies que surplombait la plate-forme de surveillance où le monte-charge s'était arrêté. La respiration des deux hani se transforma immédiatement en nuages de vapeur. L'humidité de l'air qui venait d'envahir la soute recouvrait d'une fine pellicule de givre les fûts qui attendaient et les machines. Le froid des plaques métalliques brûlait la plante de leurs pieds nus. Les rafales qu'envoyait la soufflerie n'apportaient qu'un piètre soulagement à leur épiderme et à leurs muqueuses nasales dépourvus de toute protection.

Pyanfar se pencha au-dessus de la rambarde et scruta les ténèbres.

– Hilfy? appela-t-elle.

Hilfy-Hilfy-Hilfy, répéta l'écho.

– Tante?

Une silhouette engoncée dans une combinaison thermique ouatinée, tache blanche à peine perceptible dans l'ombre portée du premier conteneur qui s'insérait dans son logement au fond de la soute, était accroupie, très loin au-dessous du chevalement de commande.

– Tante, je n'arrive pas à ouvrir ce maudit couvercle! Il a un verrouillage de sécurité.

– Les dieux fassent rôtir cette fripouille!

Dédaignant le placard de service contenant les combinaisons, Pyanfar dégringola les marches, pieds et poitrine nus. L'air ambiant lui embrasait les poumons, lui frigorifiait les côtes. Elle entendit le claquement de la porte du placard.

– Apporte ses combinaisons! cria-t-elle à Chur.

Sous l'éclat des lampes, son haleine était une nuée laiteuse.

Quand elle atteignit les rails de chargement brasillant de luisances d'étain dans la pénombre, un deuxième conteneur s'encastra avec un bruit métallique dans son berceau tandis que s'élevait le sifflement de la dépressurisation. Hilfy se précipita sur le fût et actionna le clapet d'ouverture. Les cadrans témoins indiquant les conditions régnant à l'intérieur du récipient brillaient sur le couvercle.

– Celui-ci aussi est verrouillé, dit Hilfy avec découragement en haussant la voix, une voix déjà assourdie par le masque protecteur qu'elle portait, pour dominer le fracas du troisième baril que recrachait le tapis roulant. Or-Aux-Dents nous a-t-il donné une clé-code?

– Les dieux seuls savent ce qu'il a fait! Si cela se trouve, elle est en possession des stsho.

Pyanfar fut prise d'un frisson convulsif au moment où, arrivant en trombe, Chur lui fourra dans les mains l'une des combinaisons thermiques. Mais, sans y prêter attention, la capitaine suivit des yeux le récipient éjecté par le système hydraulique que happa le berceau suivant, tout en songeant à la perfidie dont les stsho étaient capables. Repoussant d'un mouvement d'épaules Hilfy, elle se substitua à celle-ci pour essayer d'actionner le levier d'ouverture du couvercle – mais sans plus de succès.

– Tonnerre des dieux, gronda-t-elle.

Elle s'efforça maladroitement d'ajuster le masque anti-froid dans la fente duquel ses griffes refusaient de se glisser. Sous ses pieds, les tôles étaient comme du fer rouge. Elle lança un regard impuissant à Chur qui, elle, avait réussi à mettre son masque et lui présentait la combinaison thermique qu'elle avait laissée choir.

– C'est que ce sera le dernier, voilà tout.

– Et s'il y a une clé? dit Hilfy qui claquait des dents au risque de les briser en dépit de son harnachement. Et si les stsho la connaissent?

– Le quatre arrive! hurla Chur par-dessus le fracas assourdissant des machines tandis que le quatrième conteneur libéré dégringolait la conduite.

Les trois hani se précipitèrent. Elle l'atteignit la première et, ramassée sur elle-même, secoua en vain le levier.

– Verrouillé!

– Dieux et tonnerres!

Pyanfar sortit d'un geste brusque le pistolet de sa poche et fit feu, visant le mécanisme d'ouverture, puis, avançant à grands pas dans la travée, elle tira sur les autres barils. Les témoins de maintenance s'éteignirent les uns après les autres. La fumée du plastique brûlé s'éleva en tourbillons grisâtres dans la lueur actinique, fusionnant avec la vapeur de leur haleine.

– Prenez des chalumeaux s'il le faut mais faites-moi sauter ces couvercles, ordonna Pyanfar.

– Ça vient! cria Chur qui s'escrimait sur le couvercle fumant.

Hilfy, devançant la capitaine, bondit pour l'aider.

Le baril contenait du poisson, une avalanche de poisson séché dont l'odeur infecte se répandit dans l'atmosphère gelée. Le suivant, quant à lui, était rempli de fruits secs. Le troisième...

– C'est lui, dit Chur en repoussant le flot tiède des shishu nauséabonds car un second couvercle blanc était apparu au travers de la cargaison éventrée.

Se laissant tomber à genoux, elle abaissa le clapet d'un coup sec, puis tira de toutes ses forces sur le couvercle. Elle bascula en arrière quand celui-ci céda.

Une sorte d'insecte lové dans son alvéole leva un visage blême que protégeait un masque respiratoire au milieu de la vapeur qui fusait au contact de l'atmosphère environnante. Avec un cri étouffé, Tully se contorsionna pour se dégager. L'odeur de l'air chaud qui se congelait et de la sueur humaine était presque aussi méphitique que celle des poissons et des fruits. Toujours agenouillée, Chur l'empoigna par les épaules et l'arracha au magma de poissons et de fruits où il était enlisé.

Haletant, les yeux fous, il parvint à se mettre debout, agitant les bras comme des fléaux.

– Tully... dit Pyanfar. (Elle songea qu'il était aveuglé par les projecteurs. Il semblait à demi noyé dans la chaleur qui, jusque-là, baignait son étroite prison.) Tully, par tous les dieux, c'est nous!

– Pyanfar! fit-il dans un cri – et il se jeta dans ses bras. Pyanfar...

Pataugeant au milieu des fruits à l'odeur pestilentielle dont il était captif au grand dam de son cylindre et de ses tuyaux respiratoires arrachés, il pressa son corps fumant contre elle. Son cœur battait si violemment que Pyanfar le sentait cogner contre sa poitrine.

– Doucement. (Les instincts du chasseur... Son propre cœur tentait de synchroniser son rythme à celui du cœur de l'humain.) Fais attention, Tully.

(Malgré tout, elle gardait ses oreilles droites. Se dégageant avec précaution de son étreinte, elle le repoussa. L'épouvante se lisait dans le regard hagard de Tully.) Tu es en sécurité. Tu m'entends? En sécurité, Tully! A bord de *L'Orgueil*.

Il balbutia quelque chose dans sa langue. De l'eau lui coulait des yeux et se congelait sur ses joues.

– Avoir... avoir...

Se détournant de Pyanfar, il revint au conteneur et se mit à fouiller au milieu des tuyaux respiratoires enchevêtrés et des fruits écrasés. Quand il se redressa, il étreignait une volumineuse enveloppe qu'il tendit à Pyanfar en chancelant sur ses jambes.

– Or-Aux-Dents...

Il dit encore quelques mots mais presque inaudibles.

– Il va geler sur place! s'exclama Chur qui jeta sur les épaules de Tully que protégeait seulement une mince chemise l'une des combinaisons thermiques.

Ce fut peut-être seulement à ce moment qu'il reconnut les autres car il cria : « Chur! » et fit un pas en avant hésitant pour la serrer à son tour dans ses bras. Maintenant que la température glaciale faisait s'évanouir le peu de chaleur corporelle qui lui restait, il grelottait visiblement.

– Hilfy! bredouilla-t-il comme celle-ci ôtait son masque.

Il voulut marcher vers elle, mais ses jambes refusèrent de le porter et il s'écroula presque avant que Chur et Hilfy eussent eu le temps de le retenir.

Assis sur les plaques de métal glacées qui le brûlaient, il répéta, marmonnant comme un débile : « Hil... fy », soutenu par la jeune hani.

– Remettez-le debout! ordonna Pyanfar sur un ton cinglant. Et, par les dieux, conduisez-le à l'ascenseur.

De la main qui tenait l'enveloppe que lui avait remise Tully, elle fit signe aux autres de lui emboîter le pas car ses pieds étaient en passe de se geler et les vêtements humides de l'humain, dont les cheveux se givraient, commençaient à devenir durs et raides.

Après l'avoir remis sur ses pieds, les deux navigantes auxquelles il s'accrochait l'entraînèrent le long de l'interminable travée jusqu'à l'escalier de la plate-forme. Soutenu par Chur et Hilfy, poussé par Pyanfar, il gravit tant bien que mal les échelons métalliques. Arrivé en haut, il eut une défaillance qu'il surmonta grâce aux hani qui le portaient presque.

– Tiens bon.

Pyanfar atteignit la cabine, appuya elle-même sur le bouton et maintint ouverte la porte par laquelle s'échappaient un semblant de chaleur et une clarté aveuglante. Hilfy et Chur halèrent Tully à l'intérieur du caisson dont les parois, déjà, se couvraient de givre.

– Papiers, marmotta Tully en levant la tête.

– Je les ai.

Pyanfar referma la porte et la cabine démarra en flèche. Chur et Hilfy se serrèrent contre l'humain, lui faisant un étau de leurs corps, quand, au bout de la ligne droite, la cabine prit son essor.

– Vous l'emmènerez à l'infirmerie, dit Pyanfar. Réchauffez-le et, par les dieux, récurez-le!

A ces mots, Tully haussa la tête. Sa magnifique crinière dorée, toute mouillée maintenant que la glace fondait, se collait en mèches gluantes sur sa peau au-dessus des yeux. Il dégageait une atroce odeur de poisson, de fruits et de peur humaine.

– Ami.

C'était le plus beau mot qu'il avait à offrir. Ce mot et ce regard terrifié. Dans son émotion, Pyanfar, tendant le bras, lui tapota l'épaule, toutes griffes dehors.

– Bien sûr. Ami.

Dieux! Nager dans l'incertitude! Et être allé aussi loin sans autre assurance qu'une espérance!

– Avoir... Pyanfar, avoir... (Ses dents qui claquaient ne faisaient rien pour améliorer l'élocution du rescapé.) Venir voir vous je... Besoin... besoin...

La cabine s'immobilisa au niveau des ponts inférieurs et la porte s'ouvrit avec un chuintement.

– Occupez-vous de lui, dit Pyanfar. Et hâtez-vous. J'ai une autre besogne à vous confier. Compris?

– A vos ordres, répondit Chur.

– Pyanfar! hurla Tully comme les deux navigantes l'entraînaient au-dehors. Papiers...

– J'entends.

Elle lui montra l'enveloppe tandis que la porte se refermait en coulissant.

« Je les ai », murmura-t-elle pour elle-même. Quelque chose lui revint soudain en mémoire. Elle plongea une main dans sa poche et palpa l'anneau qui y était niché à côté du pistolet. Un anneau fait pour être mis au doigt, pas aux oreilles. Seuls les mahendo'sat et les stsho, qui n'avaient pas d'ergots à l'arrière de leurs griffes non rétractiles, portaient des bagues. En revanche, ils possédaient une jointure de plus que les hani. Et que les kif – sans parler des tc'a, des knnn et des chi.

La main humaine était morphologiquement identique à la mahen. Tully avait naguère été captif des kif. Elles l'avaient délivré. Et il ne l'oublierait pas de sitôt!

Etranger maudit des dieux! A peine quelques minutes de contact avec lui, et elle tremblait comme une feuille!

Voilà l'effet qu'il lui faisait.

– Comment va-t-il? s'enquit Haral quand elle arriva sur la passerelle, les pieds encore douloureux.

– Ça ira. Il est secoué mais comment le lui reprocher?

Pyanfar, en dépit de l'état de saleté où elle était, prit place sur son siège, veillant à ce que ses pieds brûlés par le froid ne fussent pas en contact avec le sol. Haral, dans sa tenue immaculée, fut assez diplomate pour ne pas froncer le museau.

– Tu es au courant de l'histoire ehrran? s'enquit la capitaine.

– Plus ou moins.

– Ils vont recevoir un rapport gros comme ça sur nous, à Anuurn, ma main à couper! Où sont Tirun et Geran?

– Elles évacuent tout ce poisson et tous ces fruits. Classés comme fret avarié et considérés comme détritus bons à jeter.

– Ah!

Se carrant contre son dossier, Pyanfar rompit d'un coup de griffe le sceau de plastique de l'enveloppe et la déchira.

– Qu'est-ce que c'est?

– Quelque chose qui vaut une fortune.

L'enveloppe ventrue révéla son contenu : plusieurs liasses de papiers et trois disquettes. Pyanfar lut les étiquettes et poussa un profond soupir à la vue du document qu'Or-Aux-Dents avait remis aux bons soins de Tully : un gribouillis mahen virtuellement indéchiffrable, une signature imprimée et, en haut, une inscription manuscrite libellée selon l'alphabet universel aux lettres torturées : *Autorisation de radoub.*

... *réparations de premier ordre...* parvint-elle à décrypter. Que le reste fût à strictement parler illisible n'avait rien de réconfortant.

Le second document était composé de nombreux feuillets couverts d'une écriture ressortissant à un alphabet étranger. Elle les examina avec appréhension.

La seule conclusion à laquelle elle parvint était qu'il devait être d'origine humaine.

Quant au troisième, il était dactylographié. Le texte en était le suivant :

Salutations. Chagriné devoir partir, laisser à vous ceci je. Tumulte beaucoup sur quai, kif, ennuis, stsho fous, grosses complications me donner. Expédier je conteneur douane, pas confiance grande en stsho Stle stles stlen. Il cette station Personnage, cœur faible, cervelle beaucoup. Si vous, Stle stles stlen ceci lisez, promettre je votre cœur arracher et manger pour repas dernier.

Tully gros ennuis. Bâtiment mahen Ijir trouver son navire, humain lui faire venir. « Conduire à Pyanfar », il sans arrêt répéter. « Pyanfar. » Non autre chose savoir dire. Alors emmener il. Personne obstinée, ce Tully.

Je sais il demander aide hani. Connais aussi le han comme vous connaître : beaucoup politique, beaucoup parleries, beaucoup rien faire. Han à vous beaucoup ennuis causer rapport affaire époux. Pardonnez je dire mais c'est vérité. Vous stupide, Pyanfar. Donner salopes hani jalouses occasion mordre chevilles vôtres. Traduction correcte? Je savoir quoi faire vous. Trop longtemps vous aller extramondes, acquérir idées étrangères, idée que mâle hani peut-être valeur avoir. Vous parfois insensée. Vous savoir Chanur ennemi personnel avoir, savoir nombreuses hani non aimer mahendo'sat, avoir cervelle petite, non aimer changer coutumes, furieuses embargo stsho. Quoi vous chercher? Temps gagner? Combattre tout le monde en même temps? Espère vous devenir raisonnable, un jour leurs cœurs manger.

Mais plus tard. Non maintenant. Vous faire han gros gâchis commettre. Savoir je. Savoir vous. Vous aller han, han tout tourner en politique. Plutôt aller voir Personnage mahen en bonne amitié, enregistrer message Personnage. Mais codé, regrette je. Nous tous un peu inquiets.

A présent, donner mauvaises nouvelles. Kif traquer vous. Vieil ennemi Akkukkak mort, sûr et certain, mais autre canaille ambitionner succéder Akkukkak comme chef. Nouveau hakkikt *prendre pouvoir. Nom : Akkhtimakt. Penser je ancien lieutenant Akkukkak. Mêmes méthodes abjectes de provocation. Vouloir il prouver lui supérieur Akkukkak. Comment cela réussir? Se venger sur* knnn *pas bonne idée. Sur humains – autre chose. Sur vous et sur je, pareil. Navire au mouillage. Nom :* Harukk. *Sous commandement capitaine Sikkukkut. Crapule extra. Prétendre être ennemi de cet Akkhtimakt. Vouloir proposer marché. Cela nombreux jours morts augurer.*

Vous contacter grande promptitude. Personnage mahen. *Papiers en règle. Faire vous marché extra avec* mahendo'sat, *cette fois. Vous fret important obtenir. Oublier reste cargaison. Vous riche devenir. Je promettre. Ennemis* hani *vous non toucher.*

Souhaiter je chance à tous. Affaire avoir je à traiter en espace stsho. *Mettre choses au point.*

Or-Aux-Dents. Ana Ismehanan-min a Hasanan-nan. Je donner vous nom ancestral mien.

Pyanfar leva la tête, oreilles aplaties.

– Que dit cette lettre? lui demanda Haral sur un ton qui dénotait la plus vive appréhension.

– Or-Aux-Dents nous souhaite bonne chance. Il nous assure de son aide. Il a soudoyé les stsho. Il y a bien quelqu'un qui a fait mettre ces papiers en règle pour nous attirer ici et que les dieux me croquent s'il s'agit d'un accident! (Elle se mordilla une griffe crasseuse. Cela sentait le poisson et l'humain. Elle cracha avec dégoût et glissa les documents dans son bac.) Dis à Tirun et à Geran d'évacuer la cargaison. Que Chur s'y mette aussi. Et qu'elles fassent vite.

– La totalité des marchandises?

Pyanfar décocha un coup d'œil en coin à Haral. Il y avait là un problème, certes. Mais qui ne se posait pas dans les termes que la navigante avait formulés.

– La totalité. Appelle Mnesit. Tu leurs diras d'envoyer un agent pour identifier ce qui est à eux. Dis aussi à Sito de brader tout ce qui peut l'être et de créditer notre compte.

– Mais ils vont nous voler comme au coin d'un bois, capitaine! Nous n'avons pas de garanties. Et le fret promis par Urtur... la première affaire intéressante de l'année! Si nous déclarons forfait...

– Mais, par tous les dieux, que veux-tu que je fasse d'autre, Haral?

Il y eut un silence embarrassé. Haral baissa les oreilles et se contraignit à les redresser.

Donc, on se préparait à fuir. A passer par pertes et profits un chargement représentant quelque chose d'énorme pour Chanur dont la situation financière était, pour l'heure, critique, et tout cela en se fiant à la promesse d'un mahendo'sat... pour la seconde fois! Jamais encore, Haral Araurn n'avait contesté les ordres de sa capitaine.

– Je vais prendre un bain.

– Que doit-on faire de la cargaison attendue? demanda Haral d'une voix soumise.

– Tu la proposeras à Sito. Et ce qu'il ne voudra pas, consigne-le. Pour le cas où, si les choses s'arrangent, nous revenons ici.

Selon toute vraisemblance, les stsho n'auraient rien de plus pressé à faire que confisquer tout le fret qui serait dans l'entrepôt. Pyanfar s'abstint de le préciser : toutes les deux le savaient parfaitement. Elle se leva et quitta le poste de commande. Pas très bien assurée sur ses jambes. Tout ce qu'elle voulait, c'était se récurer. Et que l'ordre du monde se maintienne. Et que...

... les dieux savaient quoi!

Retrouver sa jeunesse, peut-être. Que les choses soient moins compliquées qu'elles ne l'étaient.

Il y avait quand même un détail qui la tourmentait et qu'il fallait régler avant même de prendre son bain, avant que d'autres préoccupations ne lui fassent oublier ce souci.

Elle alla sonner à la cabine 110, un peu plus loin que la sienne, donnant sur la coursive qui conduisait à la passerelle de commandement. Pas de réponse. Elle réitéra, rongée par un sentiment de culpabilité qui lui mettait les nerfs à fleur de peau.

– Khym?

Elle sonna encore et encore tandis que les sombres pressentiments qui l'avaient déjà assaillie une dizaine de fois durant ce voyage au long cours d'une année revenaient à la charge. L'idée qu'il s'était suicidé, par exemple. Elle sonnait, on ne répondait pas, elle ouvrait et c'était pour constater que son mari avait finalement choisi l'option qu'elle redoutait depuis des mois...

Sa mort serait une solution, la réparation de leurs deux vies. Elle le savait, elle savait qu'il le savait aussi et elle se sentait terriblement fautive – au point que ses oreilles se plaquèrent contre son crâne.

– Par tous les tonnerres, Khym!

La porte s'ouvrit brutalement. Khym était là, la dominant de sa haute taille, la crinière encore emmêlée – il sortait du sommeil. Ses oreilles, ses pauvres oreilles que les chirurgiens de Gaohn Station avaient remodelées avec tant de soin et d'esprit d'invention qu'elles avaient presque retrouvé leur état normal... La gauche était déchirée et il avait fallu la replasmer. Il avait été beau, jadis. Et il l'était encore dans sa décrépitude irréversible.

– C'est toi?

– Bonté des dieux!

Pyanfar vida brusquement ses poumons et, passant devant lui, entra dans la cabine. Quel désordre! La literie était maculée de petites taches de sang. Des disquettes et des gamelles s'empilaient sur le bureau.

– Il faut me ranger tout ça. (L'immémorial sermon sur la sécurité qui était l'A.B.C. de l'astronavigation et qu'elle était obligée de répéter inlassablement.) Bonté des dieux, Khym, il ne... il ne faut pas laisser traîner les choses comme ça.

– Excuse-moi. Je regrette.

Il était sincère. Comme toutes les fois précédentes.

Elle le regarda, regarda ce qu'il était devenu et le vieux fonds de tendresse qu'elle avait pour lui était soudain une douleur lancinante. Il était le père de son fils et de sa fille, tous deux frappés de la malédiction de l'extravagance. Khym ex-Mahn, qui avait été le seigneur Mahn quand il avait un fief d'appartenance. Vivant dans la mort alors que, si elle n'avait pas été là, elle, il serait mort décemment chez lui comme mouraient tous les suzerains atteints par l'âge. Et comme mouraient aussi les jeunes qui se révélaient incapables d'assumer leur succession – ou qui partaient à l'aventure dans des réserves exclusivement ouvertes aux mâles telles que le Sanctuaire ou l'Ermitage, chassant dans les collines, combattant d'autres mâles et périssant de leur main quand la lutte était par trop inégale. *Churrau hanim.* L'amélioration de la race. Les mâles étaient ce qu'ils étaient. Les trois quarts d'entre eux étaient condamnés et les survivants, si brève que fût leur existence, devenaient des hobereaux choyés et dorlotés, luminaires de la vie des hani.

Il avait été si beau! Les yeux clairs, lumineux comme des soleils... et assez astucieux pour tirer sa révérence à ses sœurs et à ses épouses plus souvent qu'à son tour. Toute hani lui aurait offert son amour pour ses exploits sur Gaohn quand il avait donné l'assaut à ce bastion des kif, vieux suzerain dépassé et romantiquement chevaleresque dans l'éternelle tragédie des mâles...

Mais il avait survécu. Il avait déambulé dans la base, regardant avec émerveillement les navires, les étoiles, tout ce qui était pour lui nouveauté exotique. Et il avait trouvé une nouvelle raison de vivre. Pyanfar ne pouvait pas le renvoyer à Anuurn! Ni maintenant ni jamais.

– Ça a été une belle bagarre.

Il fronça son museau.

– Ne me traite pas avec cette condescendance, Py.

– Il ne s'agit nullement de cela. Je suis venue te dire que ce n'a pas été ta faute. Comment cette échauffourée a commencé, je m'en moque. Tu n'y étais pour rien. C'étaient les kif qui avaient tout machiné et n'importe qui aurait pu tomber dans un piège. Moi, Haral... n'importe qui, je te dis. Mais nous avons un autre problème. (Pyanfar croisa les bras et s'accota au rebord de la table.) Tu te souviens de Tully?

– Je m'en souviens.

– Eh bien, figure-toi que nous avons un passager imprévu. Pas pour longtemps. Nous l'emmenons à Maing Tol. Un petit service que nous rendons aux mahendo'sat. (Les oreilles de Khym qui s'étaient timidement redressées s'aplatirent à nouveau et Pyanfar en eut le cœur serré.) Par les dieux, ne sois pas comme ça! Tu connais Tully. Il n'est pas encombrant. Tu te rendras à peine compte de sa présence. Je ne voulais pas que tu sois pris au dépourvu, c'est tout.

– Je ne suis pas « comme ça » pour reprendre ton expression. J'ai quand même un peu de cervelle, figure-toi. Qu'est-ce que c'est que ce « petit service » à rendre aux mahendo'sat? Dans quel guêpier t'es-tu encore fourrée? Et pourquoi?

– Ecoute, il s'agit juste d'une affaire à traiter. Nous faisons aux mahendo'sat une bonne manière qui nous rapportera gros. Peut-être cela nous ouvrira-t-il de nouveaux débouchés commerciaux. Peut-être y gagnerons-nous le répit dont nous avons si cruellement besoin à l'heure qu'il est.

– Comme la dernière fois!

– Je suis fatiguée, Khym, et je n'ai pas envie de tout t'expliquer de bout en bout. Disons que c'est la faute d'Or-Aux-Dents. Je veux prendre un bain. Je veux... les dieux seuls savent ce que je veux! Je suis venue pour te mettre au courant, c'est tout.

– Ce complot des kif... cela a-t-il quelque chose à voir avec cette histoire?

– Je ne sais pas.

– Comment ça, tu ne sais pas?

Des étrangers et des choses étrangères. Khym était un planétarien. Un rampant.

– Plus tard. J'ai la situation en main. Ne t'inquiète pas. Tout ira bien.

– Pour sûr!

Elle se prépara à se retirer.

– J'ai été remarquable, Py. Ils m'ont arrêté et je n'en ai même pas tué un seul. N'est-ce pas sensationnel!

L'amertume du ton de Khym la fit s'arrêter net.

– Ne sois pas sarcastique. Cela ne te va pas.

– Je n'ai tout de même tué personne. Ils n'en revenaient pas.

Pyanfar fit volte-face.

– Que les dieux fassent crever ces stsho fanatiques! s'exclama-t-elle, les poings sur les hanches. Que t'ont-ils dit?

– Ceux du bar ou ceux du bureau?

– Les deux.

– Ceux du bureau n'ont pas daigné m'adresser la parole. Sous prétexte que je n'étais soi-disant pas un citoyen. Ils voulaient que l'équipage me fasse taire. Ils voulaient user de la contrainte. Les navigantes ont refusé. Voilà jusqu'où j'ai été forcé de les laisser aller!

Pyanfar revint sur ses pas et, allongeant une griffe, remit en place une mèche de la crinière de son compagnon. Il la dépassait d'une tête et avait une carrure autrement plus imposante que la sienne. Au moins, on l'avait retapé depuis le jour où elle l'avait trouvé, n'ayant plus que la peau sur les os, caché dans un trou de haie à la limite du domaine de Chanur. Il avait voulu mourir, puis avait souhaité la voir une dernière fois là, dans l'enceinte du Fief, alors que leur fils le pourchassait pour le tuer et que Kohan n'eût pas demandé mieux que d'en faire autant – s'il n'avait pas été Kohan. Il l'avait ignoré des jours et des jours. Dieux! Les ragots qui avaient couru : un mâle protégeant un mâle!

– Ecoute-moi, dit Pyanfar. Les stsho sont xénophobes. Ils possèdent trois genres différents et ils se mettent en Phase de Repli afin d'acquérir une nouvelle psyché quand ils sont acculés dans une impasse. Nul, hormis les dieux, ne sait ce qui se passe dans leur tête. Tu t'es suffisamment baladé pour savoir qu'on ne peut prévoir ce qu'un stsho fera ou dira demain. C'est sans importance. Tu m'entends?

– Tu empestes le poisson. Et je ne sais quoi d'autre encore.

– Pardonne-moi.

Elle rabaissa sa main.

– C'est l'humain, n'est-ce pas?

– Oui.

Il plissa le nez.

– Je ne le tuerai pas, lui non plus. Tu vois, Py? Je suis digne de ta confiance. Alors, peut-être accepteras-tu de m'expliquer pour une fois de quoi il retourne au juste.

– Ne me demande pas cela.

– Tout le monde croit que j'ai l'esprit dérangé. Par les dieux, Py, tu arrives avec ce genre de nouvelles! Ne tue pas l'humain, s'il te plaît. Et tant pis pour les kif. Tant pis si cette station maudite des dieux intente une action en justice...

– Ils ont parlé de poursuites?

– C'est venu dans la conversation. Py... je n'ai pas

pour habitude de fourrer mon nez dans les affaires de Chanur. Mais la comptabilité, cela me connaît. Je sais ce que tu as investi dans ce voyage. Je sais que tu as contracté un emprunt auprès de Kura pour la remise en état du navire...

– Ne te fais pas de souci pour ça.

Elle lui tapota le bras, se dirigea vers la porte, puis s'immobilisa, la main sur la commande d'ouverture, et fit de nouveau volte-face pour dire à Khym un mot gentil qui atténuerait la brutalité de ses propos. Mais ce fut un regard maussade et chargé de colère que croisa le sien.

– Mon opinion ne compte pas pour grand-chose, je le sais, dit-il.

– Nous reparlerons de tout cela plus tard. J'ai à faire.

– Bien entendu!

– Ecoute-moi. (Elle fit un pas en arrière et brandit une griffe vers la poitrine de Khym.) Je vais te dire quelque chose, *na* Khym. Tu as raison. Nous sommes en pleine pagaille. Nous manquons de personnel et tu as décidé d'être de ce voyage pourri au cours duquel tu ne t'es pas fait beaucoup d'ampoules...

Les yeux de Khym se durcirent.

– L'idée est venue de toi.

– Non. C'est toi qui l'as eue. Par attrait de la nouveauté. Mais ce n'est pas Mahn, ici. Tu es sur un navire qui n'est pas un plaisancier et où l'on doit mouiller sa chemise. Il faut te faire une raison : il n'est pas question que tu te prélasses sur des coussins avec une douzaine de concubines pour veiller sur ton bien-être. C'est fini, ça. Tu es dans un nouvel univers. Tu ne peux pas avoir les deux. Tu ne veux pas qu'on ait sur toi des idées préconçues mais tu ne demandes pas mieux que de fainéanter et de te faire servir. Eh bien, tu m'en vois désolée mais je n'ai pas le temps. Personne n'en a le temps. Ce monde est un monde qui bouge et si le soleil se lève tous les matins, ce n'est pas pour te chauffer le cuir. Mais travailler pourrait avoir ce résultat.

— Est-ce que tu m'as entendu me plaindre? (Il avait les oreilles basses et une moue de dégoût lui étirait les lèvres.) Je parle de politique.

— Quand tu connaîtras l'extérieur, tu pourras en parler. Après les incidents qui ont eu lieu dans le bar, tu es remonté à bord et tu t'es enfermé dans ta cabine, hein? C'est admirable! Tout bonnement admirable! Si l'équipage a sauvé ta peau, les dieux la fassent pourrir, ce n'est pas seulement parce que tu es un mâle. Mais tu t'es cloîtré dans cette cabine sans en bouger et tu n'as rien fait d'autre.

— Je m'y sens suffisamment à mon aise.

— Je n'en doute pas. Tu te pomponnes, tu manges et tu dors.

— Que veux-tu que je fasse d'autre? De la manutention sur les quais?

— Exactement! Comme le reste de l'équipage. Tu n'es plus le seigneur Mahn, Khym.

Il était dangereux d'avoir dit cela. Comme ce qui avait précédé. La souffrance faisait grimacer Khym. Jamais elle n'avait été si cruelle avec son époux. Et le plus consternant était sa réaction. Ses oreilles s'affaissèrent. Il était dompté. Il ne manifestait ni colère ni violence.

— Mais que suis-je donc censée faire de toi, dieux et tonnerres, Khym?

— Me ramener chez nous, peut-être.

— Non. Il n'en est pas question. Tu as voulu qu'il en soit ainsi.

— Faux. C'est toi qui voulais en remontrer au *han*. Moi, je voulais voir une fois l'extérieur — c'est tout.

— Dans un enfer mahen, oui!

— C'est peut-être le cas, maintenant.

— Ils ont raison, alors?

— Je ne sais pas. Ce n'est pas... naturel. Ce n'est pas...

– Tu ajoutes foi à ces insanités? Tu te figures que les dieux t'ont fait perdre la raison? (Khym gratta son nez camus, se détourna et adressa un coup d'œil lugubre à Pyanfar.) Tu le crois, Khym?

– Tout cela te coûte trop cher. Dieux, Py... tu joues le sort de Chanur, tu risques la vie de ton frère pour que je reste vivant. C'est aberrant! Totalement aberrant. On ne peut pas échapper au temps. J'ai vécu les années que j'avais à vivre. Les jeunes aux dents longues sont plus forts que moi.

– C'était un jour où tu n'étais pas en forme.

– Je n'ai pas pu faire face. Je n'ai pas riposté, Py. L'heure a sonné. C'est l'âge. Il mit la main sur Mahn. C'est ainsi que vont les choses. Crois-tu que tu peux changer cela?

– Tu n'as pas compris la nécessité d'un nouveau combat. Tu as perdu le domaine en te chamaillant à tort et à travers. Tes glandes l'ont toujours emporté sur ta cervelle.

– Peut-être est-ce la raison pour laquelle j'ai perdu. Peut-être est-ce à cause de cela que je suis ici. Toujours à fuir.

– C'est peut-être aussi parce que tu as toujours su que c'était absurde et ne servait à rien. Te rappelles-tu nos conversations? Qu'est devenu le mari qui regardait les étoiles et me demandait où j'étais allée, ce que j'avais vu, à quoi ressemblait le monde extérieur?

– A l'extérieur, le monde est identique à ce qu'il est à l'intérieur. Pour moi. Je suis dans l'incapacité d'en sortir. Elles ne me le permettront pas.

– Qui ça?

– Tu le sais très bien, Py. Si tu avais vu leurs visages...

– Les visages de qui? Des stsho?

– Ceux des Ayhar.

– Ces maudites ivrognesses?

– Me trouver dans cette taverne... C'était la dernière chose à laquelle elles s'attendaient. Et c'est ce que le tenancier m'a dit : « N'approchez pas, sortez d'ici, on ne reçoit pas les fous dans ma maison. »

– Que ces vomissures des dieux pensent ce que bon leur semble!

– Vraiment? Leur ai-je appris quelque chose? D'abord, le stsho ne voulait pas me servir. Et j'ai bu deux verres. Rien que pour leur prouver que je n'aurais pas une crise de folie furieuse. C'est alors que la bagarre a commencé. Quel avantage cela pourra-t-il t'apporter? A toi et à Kohan?

– Kohan est assez grand pour se débrouiller tout seul.

– Tu exiges trop de lui. Non, Py, quand nous reviendrons, je débarquerai.

– Et que feras-tu?

– Je me rendrai au Sanctuaire. Je chasserai un peu.

– ... pour être la cible de toutes les jeunes brutes qui s'entraînent dans le but de détrôner leur papa par la force, c'est ça?

– Je suis vieux, Py. Je n'ai plus la rapidité que j'avais autrefois. Il est temps de l'admettre.

– En voilà des niaiseries! Quand tu remettras le pied sur Anuurn, ce sera avec un anneau à l'oreille, je te le promets.

Il sourit et, les oreilles toutes droites, exhala un rire sarcastique.

– Tu souhaites que, là-bas, j'aie la vie brève, non?

– Tu ne débarqueras pas!

– Dans ce cas, je mendierai sur le quai jusqu'à ce qu'on m'offre le passage.

– Martyr! Que les dieux te verminisent!

– Permets-moi de rentrer, Py. Renonce à tes projets. Tu ne peux pas changer ce qui est. On ne te laissera pas le changer. Quoi que tu essayes, quelle que soit la grandiose folie dont tu es partie prenante, renonces-y. Immédiatement. Pendant qu'il est encore temps. Je ne suis pas digne que tu te donnes tout ce mal.

– Bonté des dieux! Tu crois que le soleil tourne autour de ta petite personne, n'est-ce pas? Il ne t'est jamais venu à l'idée que je n'ai pas que toi à penser? Que je me suis lancée dans une entreprise qui n'a rien à voir avec toi?

– Non, c'est parce que tu es désespérée. Et c'est ma faute, Py. Ma faute à moi. (Il poussa un léger soupir étranglé.) Et la facture est lourde.

– Tu sais sur quoi est basé le pouvoir du Système? lui demanda Pyanfar après un instant de silence. La victoire est promise aux jeunes. Tant pis si les trois quarts d'entre eux périssent. Tant pis si les domaines courent à la ruine lorsqu'un petit écervelé prétend s'imposer à ceux qui en savent plus long que lui et essaye de prouver qu'il est le patron. Les jeunes ont toujours confiance en eux-mêmes. Et les nez-gris se retirent – ils se retirent alors qu'ils ont rendu le domaine prospère et florissant. Ils s'avouent vaincus et le Fief va à vau-l'eau avec un nouveau seigneur à la barre. D'autres espèces, les mahendo'sat, par exemple, transmettent leur expérience à leurs cadets, ils forment leurs successeurs...

– Ce ne sont pas des hani. Tu ne comprends pas ce que l'on éprouve, Py. Tu ne peux pas comprendre.

– Kohan t'a bel et bien tenu pour quantité négligeable.

– Bien sûr. Et sans difficulté. Je n'étais pas grand-chose. D'ailleurs, il continue de m'ignorer. Pourquoi crois-tu que je suis ici?

– Parce que j'en ai décidé ainsi, moi! Parce que Kohan est trop âgé et trop malin : il sait qu'il vaut mieux patienter jusqu'à ce que je cède. Et, par les dieux, la prochaine fois qu'un de ces petits morveux viendra lui porter défi, nous lui arracherons les oreilles! Pour commencer.

– Dieux de bonté! Tu ne peux pas lui faire ça, Py...

– Le laisser survivre? Qu'est-ce que tu paries? Si ce n'est pas moi, ce sera Rhean. Ou même Faha, sa femme. Sans parler de ses filles. Voire – qui sait? – un fils... un jour.

– Tu plaisantes.

– Non.

– Py, tu te souviens de la fable de la cabane? On arrache le bardeau qui ne tient plus et cela a pour effet d'en détacher un autre...

– Les fables, c'est bon pour les petits enfants.

– ... et puis encore un autre. Et, en un rien de temps, la baraque s'effondre sur toi. Si tu engages une bataille comme celle-là au sein du *han*, seuls les dieux savent ce qui en résultera pour nous.

– Peut-être qu'alors les choses iront mieux. Y as-tu pensé?

– Je ne peux pas accepter de pactiser avec des étrangers, Py. Cela me rend fou de rage. Non, je ne le supporte pas. Et je souffre, Py! Je souffre! C'est biologique. Nous sommes faits pour nous battre. C'est comme ça depuis des millions d'années. Notre système circulatoire, nos glandes...

– Et moi, tu crois que je ne suis pas dans une rage folle? Tu crois que je n'ai pas eu envie de tuer de ma main quelques kif? Mais j'ai gardé mon sang-froid, les dieux en sont témoins!

– Tu as été mieux partagée par la nature, Py, voilà tout.

– Tu as peur! (Les yeux de Khym s'élargirent sous l'outrage.) Tu as peur et tu t'es amolli, poursuivit Pyanfar. Tu as peur parce qu'un mâle n'est pas supposé être capable de faire ce que tu fais. Et tu te sens coupable parce que tu redoutes que cela ne porte atteinte à ton statut de masculinité. Tu as été trop gâté, pourri par une mère qui t'a élevé dans un cocon douillet au lieu de te frotter les oreilles quand tu piquais une colère, comme elle le faisait pour ta sœur. Ce n'est jamais qu'un fils, pas vrai? Inutile d'espérer qu'il vaille sa sœur. Qu'il pique donc ses crises et qu'il reste hors de la vue de son père. Voilà qui le rendra respectable. Et que jamais, au grand jamais, il ne se fie à un autre mâle. Qu'il se repose sur sa sœur. Ce n'est pas vrai?

— Laisse ma famille en dehors de cela, veux-tu?

— Ta sœur n'a jamais fait quoi que ce soit pour t'aider. Et tes vauriennes de filles...

— Si, ma sœur m'a aidé.

— Jusqu'à ce que tu perdes la partie.

— Qu'aurais-tu voulu qu'elle fasse? Dieux! Tu te rends compte de ce que ça a été pour elle? Vivre dans la demeure de Kara et moi qui pars à l'aventure comme si j'étais encore...

— La pauvre! Comme je la plains! Pourris, j'ai dit. Tous les deux – chacun à votre manière. (Les oreilles rejetées en arrière, Khym paraissait plus jeune, ses cicatrices étaient moins apparentes.) Tu veux avoir les avantages que je possède et les privilèges dont tu bénéficiais. Eh bien, sache qu'il y a incompatibilité entre les premiers et les seconds, Khym. Et je t'offre ce que j'ai. N'est-ce pas suffisant? A moins que tu n'ambitionnes d'être classé dans une catégorie à part?

— Mais, Py, par tous les dieux, je ne peux pas travailler comme manutentionnaire sur les quais!

— En public, tu veux dire?

— Je travaillerai, soit, mais à bord. (Ce ne fut pas un soupir qu'il poussa mais une bourrasque.) Dis-moi ce que je dois faire.

— D'accord. Commence par te nettoyer. Ensuite, tu te rendras à la salle de veille et Haral t'apprendra à lire le capteur. Il ne lui faudra pas plus de cinq minutes. (Elle se mordit la lèvre : elle n'avait pas eu l'intention de faire preuve d'autant de méchanceté.) Tu le surveilleras. Nos vies dépendront de toi, ne l'oublie pas.

— Ne me donne pas de...

– ... de responsabilités? Tu préfères un gentil petit boulot répétitif?

– Que les dieux te recrachent, Py!

– Tu t'en sortiras très bien. (Pyanfar fit demi-tour et, d'un coup de pouce, enclencha la touche de commande de la porte.) Je n'en doute pas une seconde.

– C'est une vengeance, rien de plus. Pour les événements de la taverne.

– Non. Ce sera l'occasion pour toi de payer la facture de cette incartade, comme nous le ferions toutes.

Sur ces mots, Pyanfar sortit et le chuintement de la porte qui se refermait prit des allures de point final.

4

Au moins, Tully tenait debout – il paraissait être redevenu lui-même, c'est-à-dire qu'il tenait à se récurer, même si, pour ce faire, il vacillait tant soit peu sur ses jambes et se cognait aux murs de la salle de bains en parlant tout seul (peut-être pensait-il qu'on le comprenait) et exigeant plus généralement de procéder à ses ablutions intimes hors de la vue de femelles, même si elles appartenaient à une espèce différente. Hilfy ne savait plus où donner de la tête, écartelée entre les appels d'Haral retransmis par le haut-parleur général, les objurgations frénétiques de Chur dans la salle d'opérations au fond de la coursive (Tirun et Geran étaient dans les soutes occupées à vider les conteneurs, avec les chocs et le tintamarre répercutés par les tôles qui accompagnaient fatalement la manœuvre) et la salle d'eau barricadée à l'intérieur de laquelle s'escamotait une paire de pantalons bleus appartenant à

Haral et d'où s'échappaient des nuages de vapeur et une indescriptible puanteur d'odeur humaine inextricablement mêlée à celle des fruits, du poisson et du désinfectant.

– Ça va? s'enquit Hilfy quand un bras glabre se coula par l'entrebâillement de la porte pour se saisir prestement du bouffant qu'elle présentait à l'humain. Dépêche-toi, Tully. Nous avons d'autres problèmes. Fais vite. Compris?

Un incompréhensible bredouillement lui parvint en guise de réponse tandis que la porte se refermait comme si Tully s'était appuyé contre la commande après s'être approprié le pantalon. Comme elle jetait un regard désespéré autour d'elle, elle vit sortir au petit trot de la salle des opérations une Chur frétillante qui brandissait deux communicateurs portatifs. Un troisième était accroché à sa ceinture.

– Prends-en un, dit-elle à Hilfy. La traductrice est branchée.

– Loués soient les dieux!

Elle frappa de nouveau la porte à coups de poing et, lorsque celle-ci s'entrouvrit, Chur fit vivement passer au passager un communico et son écouteur par l'ouverture.

– Tully, dit Hilfy dans l'appareil. (Elle fit une grimace en ajustant la pastille auditive.) Tully? Tu m'entends, maintenant?

– Oui, répondit la voix aux intonations métalliques de la traductrice reliée au communicateur. Qui parler?

La syntaxe de la traductrice était loin d'être parfaite.

Chur prit le relais :

– Tully, c'est Chur qui parle. Hilfy et moi avons d'autres occupations. Nous ne pouvons pas nous éterniser là. Dépêche-toi. Nous devons encore t'installer dans ta cabine.

– Impératif parler Pyanfar.

– La capitaine est surchargée de travail, Tully.

– Impératif parler. (La porte s'ouvrit. Le passager portait un pantalon hani qui lui allait à peu près mais tout juste et lui non plus n'avait pas de chemise. Son épiderme imberbe était rouge tellement il faisait chaud dans la salle d'eau, sa crinière et sa barbe ruisselaient.) Impératif parler, venir ≠ ≠ parler Pyanfar.

– Tully, nous avons de gros ennuis, dit Hilfy. La situation est très grave. (Elle le prit par un bras, Chur par l'autre, et toutes deux l'entraînèrent de force sans se soucier de ses protestations.) Des ennuis avec la cargaison, des ennuis de toutes sortes.

– Kif. (Tully se raidit et se figea sur place.) Kif être ici?

– Nous sommes toujours à quai. (Hilfy l'obligea à avancer.) Nous sommes mouillés à La Jonction, et aussi en sécurité qu'il est raisonnablement possible de l'être. Viens.

– Non, non, non. (Il se retourna, lui empoigna les bras de ses mains aux doigts dépourvus de griffes, puis la lâcha et secoua Chur.) ≠ Non. ≠ ≠ ≠.

Hilfy eut un hochement de tête quand la statique grésilla. La traductrice n'avait pas accroché ces quelques mots. A moins qu'ils ne fussent absents de sa banque-mémoire.

– Hilfy, Chur... mahen ≠ prendre ≠ navire ≠ humain. Je apporter documents de ≠. Ils demander ≠ hani arrêter ces kif. Danger. Non sécurité ≠ La Jonction.

– Que veut-il dire? (Les oreilles de Chur s'abaissèrent, puis se relevèrent.) Tu as compris quelque chose?

– Convaincre hani combattre ces kif, insista Tully.

– Bonté des dieux! s'exclama Hilfy.

– Ami, répéta-t-il en hani, ce que la traductrice,

qui ne badinait pas avec le charcutage de la pro-
nonciation correcte rendit par une éructation.

Dans les étranges yeux bleus de l'humain lui-
saient la peur et bien des secrets.

– Ami.

– Bien sûr.

Hilfy sentit une boule glacée se former dans son
ventre en entendant le fracas qui montait des
soutes. Brusquement, la lumière se faisait en elle.
Leur tante, désespérée par la menace de faillite qui
planait sur Chanur, ne leur avait pas simplement
fait prendre le risque d'embarquer un passager
illégal. C'était encore plus grave.

Tully apportait plus que la possibilité de voir
s'ouvrir le marché humain. Un débouché qui leur
sauverait la mise.

Mais les complications avec les kif, des pactes
conclus avec un mahendo'sat qui n'était pas le
négociant qu'il prétendait être...

Et les Rhif Ehrran pendues à leur basques depuis
le début; Chur l'avait mise au courant de tout.

Le *han* les aurait, leurs oreilles!

Pyanfar se munit de son communicateur qu'elle
accrocha au mur de la cabine de douches. Un jour
comme celui-là, elle n'attendait rien d'autre que des
calamités.

Et ce fut le premier appel. Elle se précipita, toute
mouillée, la crinière, la barbe et le pelage couverts
de mousse de savon.

– Capitaine...

C'était la voix d'Haral.

– Des difficultés?

– *Na* Khym est ici. Il dit que vous lui auriez
assigné la tâche de surveiller les écrans capteurs.

– Montre-lui ce qu'il a besoin de savoir.

Un silence de mort, puis :

– A vos ordres, capitaine. Désolée de vous avoir
importunée.

Pyanfar se remit sous la douche pour se débarrasser de toute cette mousse. Elle rejeta sa crinière en arrière et la lissa, aplatit les oreilles, ferma les yeux, se boucha les narines, leva la tête, et s'abandonna une petite seconde à la volupté de recevoir le jet d'eau en pleine figure. Elle éternua, plaça la manette en position séchage, fit bouffer sa crinière et sa barbe. Une chaleur délicieuse...

Le bip du communico retentit pour la deuxième fois.

– Tonnerre des dieux!

Abandonnant à regret l'air chaud, elle tâtonna, mouillée et grelottante, pour trouver la touche de réception.

– Pyanfar. J'écoute.

– Capitaine. (C'était encore Haral.) Un pli kifish vient d'arriver par courrier. L'expéditeur est un certain Sikkukkut. Il vous est adressé personnellement.

– Ouvre-le.

– Il vous propose une association, annonça Haral après un long silence.

– Bonté des dieux!

Le choc que ressentit Pyanfar lui fit oublier le froid.

– Il dit qu'il veut vous parler face à face. Il dit... dieux! – il donne des informations précises. Le nom des vaisseaux qui, selon lui, seraient à notre poursuite. Il dit que nous avons des ennemis communs. Et, là, il emploie une expression kifish – *pukkukkta*.

– Pourrissent les dieux! Le mot *pukkukkta* change de sens selon le contexte! Fais traiter cela par l'ordinateur linguistique. En totalité. Et ce n'est pas le moment de s'endormir, là-haut!

– A vos ordres, capitaine. Pardonnez-moi!

– C'est bon.

Pyanfar éternua derechef, coupa le communicateur et reprit place sous le séchoir.

Bip. Bip.

Retour à l'instrument.

– Pour l'amour des dieux, Haral...

– Je suis navrée, capitaine, mais... Il semble que nous soyons l'objet de poursuites judiciaires. Six actions en justice ont été intentées contre nous et la station nous fait savoir qu'elle ne peut nous donner l'autorisation de départ sans...

Pyanfar ferma les yeux l'espace d'une seconde. Se dominant, ce fut de sa voix la plus posée qu'elle répondit :

– Mets-toi en rapport avec le maître de station. Tu diras au *gtst* de donner les ordres en conséquence.

– Avec votre permission, j'ai essayé, capitaine. Il ne reçoit aucun appel. Le bureau du maître de station dit qu'il est indisposé. Le mot employé était *gstisi*.

Crise de personnalité !

– Ce sans-cervelle à la peau blême ne nous fera pas le coup de la Phase de Repli ! Porte une contre-plainte contre cette racaille et que tout soit paré pour que nous déhalions en manuel, une fois le fret débarqué. Que tout le monde s'y mette, en bas. Et envoie un message au directeur pour l'avertir que si *gtst* n'arrange pas cette histoire, je donnerai à sa nouvelle personnalité des raisons de se tracasser comme elle n'en a encore jamais eues.

– Bien compris, capitaine.

Pyanfar enfila un de ses plus beaux bouffants – celui en soie verte agrémenté de bandes orange moirées, mit un ceinturon décoré de boucles de bronze, fixa la perle à son oreille et jeta son dévolu sur le plus superbe et le plus lourd de ses bracelets. L'anneau étranger qu'elle avait fourré dans son pantalon rouge était posé sur la tablette. Elle réfléchit, le glissa finalement dans sa poche, reprit le revolver, fixa le portatif à sa ceinture et sortit précipitamment, griffes contractées et tête baissée, pour rejoindre la passerelle.

– Capitaine... (Cette fois, la voix d'Haral venait de sa ceinture.) Capitaine, j'ai le maître de station en ligne.

– J'arrive.

Elle pressa le pas et s'engouffra par la porte béante au fond de la coursive. Haral se retourna. Khym était à son poste devant le capteur de droite dont les clignotements éclairaient par intervalles sa moue désabusée de martyr consciencieux.

Haral tendit la transcription à Pyanfar.

– Un autre individu s'est substitué au *gtst* qui s'est volatilisé et a pris le commandement des opérations. Je crois que c'est le dernier avatar d'un changement de personnalité. Le nouveau Directeur exige le paiement intégral. Il dit que nous avons empaumé son prédécesseur, que nous avons précipité une crise *gtst* qui n'aurait pas dû intervenir avant une vingtaine d'années et il est décidé à toucher son argent. Il a l'intention de confisquer toutes les marchandises débarquées.

– *Les dieux fassent pour*... (Voyant les oreilles attentives de Khym s'aplatir en arrière au son de sa voix, elle ravala le juron qui lui montait aux lèvres et lut le bordereau de créance.) Quatre cents millions...

– Neuf cents avec les frais de justice. Je crois que c'est là le nœud du problème. Quelqu'un de haut placé s'est constitué partie civile et *gtst* a été contraint d'agir.

– Il n'est pas difficile de deviner qui sont les plaignants!

– Dieux! Les kif? C'est possible. (Haral frotta son museau balafré et leva les yeux en fronçant les sourcils.) Vous envisagez d'appareiller sans autorisation?

– Peut-être.

– Dans ce cas, ils nous mettront sur la liste noire.

Nous ne pourrons faire relâche dans aucun port stsho, toutes les installations stsho nous seront fermées. Nous serons frappées d'interdit.

– Il en ira de même si nous payons.

– A vos ordres, capitaine, fit Haral sur un ton maussade. (Redressant les oreilles, elle ajouta :) Capitaine, on pourrait leur offrir notre bénéfice. Un dépôt de garantie, en quelque sorte. Avec la promesse de leur en donner davantage au prochain voyage. Les dieux seuls savent comment nous réglerons les affréteurs mais à chaque jour suffit sa peine. Et nous aurons, n'importe comment, un procès sur le dos dès que nous aborderons l'entrepôt de Sito.

– C'est une idée à creuser. (Pyanfar passa ses griffes dans sa crinière pour la remettre en ordre. Son regard se posa sur la large échine de Khym et elle secoua la tête comme si elle avait reçu un coup brutal.) Elles ont fini, en bas?

– On dirait.

– Que leurs yeux se liquéfient! (C'était aux stsho qu'elle pensait. Le grondement des tapis roulants s'était brusquement tu et cela faisait comme un vide. Elle suçota et mordilla le bout de ses moustaches.) *Pukkukkta.*

– Pardon, capitaine?

– *Pukkukkta.* Quelle signification l'ordinateur a-t-il trouvé à ce mot?

– Quelque chose comme « échange de services ». (Haral s'empara d'un morceau de la bande imprimante et le tendit à Pyanfar.) Ou comme « revanche ». Voici le texte. Il a été transmis par les filières normales.

Le message était le suivant :

Salutations, chasseur Chanur. Prenez garde à Parukt, Skikkt, Luskut *et* Nifakkiti. *Méfiez-vous plus que de tout autre d'Akkhtimakt de* Kahakt. *Ceux-ci sont ambitieux, celui-là l'est plus que tous les autres. Moi, Sikkukkut, je suis avec vous en* pukkukkta *dans* cette cause et je m'exprime par des mots qui définissent précisément les kif et posent par conséquent des ambiguïtés pour vous au niveau de la traduction.

Moi, Sikkukkut, suis au courant pour ce qui est de votre passager et vous dis pareillement ceci : le plus sage serait de me remettre ledit passager. Alors, vous gagneriez richesses. Mais moi, Sikkukkut, sais qu'il a une valeur sfik pour la chasseuse Pyanfar et sera défendu. En conséquence, moi, Sikkukkut, dis au sfik de Pyanfar Chanur de communiquer ce message au passager. Moi, Sikkukkut, parlerai avec lui en temps voulu.

Abritez-vous à mes côtés, chasseuse Pyanfar. Ensemble, nous accomplirons belle pukkukkta et le prix en sera moindre aujourd'hui que demain.

A votre signal, moi, Sikkukkut, me rendrai sur le quai où nous trouverons un endroit tranquille pour parler.

Pyanfar froissa le papier en boule.

– Canaille de kif! Il veut Tully. Tully, pas autre chose. Cela lui ferait acquérir le statut personnel qu'il vise. (Elle regarda Khym qui écoutait sans rien dire mais baissait les oreilles.) Expédiez un conteneur pris au hasard au *Harukk*. Prévenez-les et prévenez les stsho.

– Aux kif? balbutia Haral tandis que Khym se retournait.

– Un cadeau à l'intention du capitaine du *Harukk*, le dénommé Sikkukkut. Et que ce soit lui que les stsho assignent en dommages et intérêts.

Une lueur, à la fois songeuse et malicieuse, s'alluma dans le regard d'Haral. Celui de Khym n'exprimait que la confusion.

– Personne n'intente de poursuites contre les kif, fit-il observer.

– Non, et personne ne portera plainte contre eux. Maintenant, que Sikkukkut et la station se tracassent en se demandant ce que recèle ce conteneur, si cela a de la valeur ou pas. S'il le refuse, il se rongera les sangs. Et s'il l'accepte, il n'y trouvera que des marchandises banales. Les kif ont fort peu le sens de l'humour quand leur prestige est en jeu. Leur *sfik*, comme ils disent. Et, que les dieux en soient témoins, s'il charge un de ses congénères d'effectuer la réception, il ne lui restera plus qu'à se creuser la tête : l'autre aura-t-il ou n'aura-t-il pas conservé par devers lui une partie du contenu du baril ? Les kif n'ont pas confiance les uns dans les autres. C'est là une chose dont ils sont incapables.

– Mais... commença à objecter Khym.

– Nous n'avons pas le temps de discuter. Exécution, Haral.

– A vos ordres. (L'interpellée prit place devant le communicateur, ficha la pastille auditive dans son oreille et appuya sur une touche, ce qui fit s'éteindre le signal lumineux en train de clignoter.) C'est encore Tully, capitaine. Cela fait une bonne douzaine de fois qu'il appelle. Il parle à tous les coups d'une liasse de papiers. Il veut venir pour parler de ces documents avec vous.

– Dieux !

Pyanfar fourragea distraitement dans sa barbe et balaya la passerelle d'un coup d'œil circulaire. Ses yeux se fixèrent sur le dos massif de Khym surveillant consciencieusement son écran. Histoire de lui prouver quelque chose, à elle. Avec opiniâtreté. Avec un entêtement buté.

Se rendant compte soudain de l'orientation que prenaient ses pensées, elle les chassa de son esprit. Mâle et mâle – dans le même espace. Les vieilles idées avaient du mal à mourir. *Il n'est pas un hani, au nom des dieux. Et ils sont à bord du même vaisseau !*

– Dis-lui de monter, Haral. Et rassemblement général dès que l'on aura fermé les soutes. Préparez la manœuvre pour l'appareillage. Et transmets ce message.

– A vos ordres.

Haral enclencha les autres canaux et sans plus de

préambule débita d'une voix rauque en stsho :
« Centre de contrôle de La Jonction. Ici bâtiment
hani *l'Orgueil de Chanur*, poste d'amarrage N° 6. En
réponse à votre notification concernant la cargaison, je vous informe que le conteneur immatriculé
sous le numéro 23 500 a déjà été expédié au poste 29
où est mouillé le *Harukk*... »

— Contacte Sikkukkut, dit Pyanfar derrière elle.
Annonce-lui qu'un chargement à lui destiné est
entre les mains des stsho.

Khym se retourna précipitamment.

— Tu ne peux pas te permettre d'abandonner
cette cargaison, pas plus aux stsho qu'aux kif!
Pyanfar...

— Capitaine, rectifia-t-elle en croisant les bras sur
sa poitrine, le regard fulminant. Tu es sur le pont et
quand on s'adresse à moi, on dit « capitaine »!
Surveille-moi cet écran!

Khym tremblait de la tête aux pieds. Le soupir
qu'il exhala était aussi brûlant que le souffle d'un
haut fourneau. Il se tourna à nouveau vers le
panneau de contrôle!

— Hum! murmura Pyanfar, ses pires craintes
réduites à néant.

— Le maître de station veut vous parler, capitaine,
lui dit Haral. Je crois que c'est l'interprète *gtst* qui
est en ligne.

— Je le prends. (Pyanfar prit place devant l'appareil, se mit sur écoute et enfonça la touche cligno-
tante.) Ici Pyanfar Chanur. Auriez-vous une question
à me poser, estimé Directeur?

La réponse lui parvint :

— Le Directeur vous fait savoir que votre menace
arbitraire ne suffira pas. Nous avons une décharge
signée de vous, reconnaissant vos responsabilités
mais cette pièce ne couvre ni les poursuites ni les
amendes dont vous êtes passibles. Nous désirons
être payés sur-le-champ.

— Vraiment? (Les babines de Pyanfar se retroussèrent comme si elle avait le Directeur en face d'elle.) Dites de ma part au *gtst* Directeur en néophase qu'il est une canaille, un menteur et un forban.

Une pause, puis :

– Cette exigence est légitime. Les quatre cents millions de dommages doivent être versés et l'action judiciaire éteinte...

– Demandez donc aux kif de passer à la caisse!

– Si *L'Orgueil de Chanur* appareille sans que la dette ait été réglée, ce sera en violation du traité et les demandes de réparation seront directement adressées au *han*. Et ce message serait plus facile à transmettre qu'à l'accoutumée.

Pyanfar se mordit les lèvres. Pour un stsho, cette vieille crapule ne manquait pas d'une certaine perspicacité.

– ... votre réponse.

– Négocions. D'un côté, nous engagerons des contre-poursuites. Si nous sommes déboutées, nous nous pourvoirons en appel devant les tribunaux de Llhie nan Tle, de Tpehi, de Llyene. La procédure durera des années et, pendant ce temps, *gtst* demeurera légalement comptable des biens nous appartenant frappés de saisie, et ce pendant tout le temps que le litige restera pendant.

– Cela pourrait être acceptable.

– D'un autre côté... d'un autre côté, estimé Directeur...

– Hâtez-vous d'en venir à cet autre côté.

– Si la demande de règlement était formulée en termes différents et si La Jonction se portait garante de l'extinction de toutes poursuites présentes et à venir, nous pourrions trouver les fonds nécessaires.

– Veuillez répéter. Est-ce là une offre de règlement?

– La station assume l'entière responsabilité financière des poursuites présentes et à venir ainsi que des compensations consécutives aux troubles de l'ordre public qui se sont produits, renonce à tout droit de saisie de notre cargaison, procède aux opérations commerciales avec nos commissionnaires sur la base des taux d'échange officiels pratiqués par elle et nous remet un devis global pour les réparations des dégâts soufferts par *L'Orgueil.*

— Veuillez répéter, Chanur capitaine. La traductrice a compris « réparations des dégâts soufferts » par le navire.

— Elle a parfaitement compris.

Un temps mort, puis :

— Cela paraît entaché d'illégalité.

— Absolument pas. Nous témoignerons sous serment que *L'Orgueil* a subi des avaries du fait des troubles. De quelle nature? Cela importe peu. Je suis convaincue que vous avez le talent nécessaire pour rédiger un procès-verbal que nous pourrons signer conjointement.

— S'il vous plaît... s'il vous plaît... cette traduction doit être fidèle et précise.

— Soit. Vous tirez un trait sur tous vos griefs, vous nous donnez le feu vert pour déhaler et vous mettez le chiffre que vous voulez sur votre facture pourrie. Je vous retrouve sur le quai avec un bon de crédit dans un quart d'heure.

— C'est un subterfuge. Il est de notoriété publique que Chanur est en état de cessation de paiement.

— Vos informations datent, estimé Directeur. Une créance dont Chanur était porteur vient justement d'être honorée.

Silence prolongé.

— Alors? interrogea Pyanfar.

— Veuillez m'excuser, estimée Chanur capitaine. Cela demande réflexion.

— Par les dieux, vous allez me donner le feu vert pour appareiller!

Nouvelle pause.

— De la discrétion, je vous prie.

– L'estimé Directeur dialoguerait-il avec moi sur un canal qui ne serait pas brouillé? L'estimé Directeur n'est pas un sot. Il ne serait pas à l'avantage de *gtst* d'en appeler au *han*, sous quelque forme que ce soit. Cela aurait pour effet certain de geler les fonds en litige.

Pyanfar se tourna vers Haral avec un geste furieux et lança dans le micro d'ordres : « *Renonciation légale* », puis ses yeux se posèrent sur Khym, jadis seigneur Mahn, et elle lui fit signe sans cesser d'écouter d'une oreille les balbutiements effarés du stsho. *Vas-y!* formèrent muettement ses lèvres.

– Ecoutez, je vous ai dit de nous facturer la somme qu'il vous plaira. Je ne remettrai pas les pieds dans ce bureau, il n'en est pas question. C'est vous qui allez venir jusqu'au quai et vous me signerez une décharge relative à tous dommages.

Une activité fébrile régnait à sa droite. L'imprimante de l'ordinateur d'Haral crachait des formulaires et Khym, penché sur l'épaule de l'opératrice, lui soufflait corrections et libellés.

Par les dieux, l'ex-suzerain de Mahn et ex-conseiller juridique se retrouvait dans son élément!

Le sourire aux lèvres, elle interrompit le babillage du stsho :

– Résumons-nous simplement, dit-elle au Directeur, naguère nommé Stle stles stlen. Vous signez notre papier, nous signons le vôtre, vous régularisez nos lettres d'espace, nous vendons notre cargaison au tarif maximum et vous pourrez dès lors prouver au Haut Directeur à Nsthen que vous avez obtenu pleine et entière réparation. D'accord? Dans le cas contraire, force vous sera de signaler que les dégâts n'ont pas été indemnisés. A vous de choisir.

– Le Directeur vous transmet l'expression de sa profonde désolation *gtst* pour les calomnies insensées dont Chanur a fait l'objet. *Gtst* vous dépêche immédiatement les documents en question et expé-

die en sus un cadeau à votre intention en réparation de ce malentendu.

– En retour, Chanur exprimera sa gratitude au
Directeur dont la perspicacité lui a fait dépister ces
viles diffamations. (Pyanfar chercha rapidement
dans le bac de données les formulaires appropriés,
les recopia, s'empara de celui que lui présentait
Haral – dûment imprimé dans les deux langues, le
stshoshi et l'hani, et prêt à être signé.) Oui, notre
vive reconnaissance lui est acquise. (Elle coupa le
contact et feuilleta les bordereaux, en quête des
clauses clés.) Pas d'échappatoires possibles?

– Renonciation entièrement libératoire, répondit
Khym.

– Espérons-le. (Elle rassembla tous les papiers et
actionna le mécanisme de pivotement du fauteuil.)
Ne quitte pas ce capteur des yeux, Khym, tu m'as
comprise?

– Vous avez besoin d'une escorte, capitaine?

– Toi, Haral, ne bouge pas d'ici. Dis à Hilfy de
m'attendre devant le sas. Je n'ai aucun besoin de
protection face aux stsho, ces déchets des dieux, et
je veux que tu restes aux commandes. Parce qu'on
ne sait jamais...

Elle bondit sur ses pieds et se dirigea vers la
porte.

Elle faillit se heurter à Tully qui arrivait en toute
hâte.

– Pyanfar!

– Je regrette, Tully, mais je n'ai pas le temps.

Elle le repoussa – ou essaya. Il l'empoigna par le
bras.

– Nécessaire parler! Pyanfar!

– Je te répète que je n'ai pas le temps, Tully.
Haral... Occupe-toi de lui.

– Non ≠ écouter je ≠ partir ≠!

Pyanfar se dégagea. L'humain tenta de lui happer
de nouveau le bras mais en vain. Il se précipita
alors pour la rattraper dans le hall.

– Pyanfar!

Elle s'engouffra dans l'ascenseur, referma la porte et mit le communicateur en marche.

– Haral! Qu'on entrave Tully et qu'on le bourre de drogue en prévision du saut. Toi, ne quitte pas les commandes!

Une série d'ordres dont l'enchaînement logique n'était pas des plus évidents!

Dieux... Tully et Khym tous deux au même niveau du bâtiment! Haral retenue par...

L'ascenseur s'arrêta lorsqu'il eut atteint le pont inférieur et la porte coulissa. Tirun, Chur et Geran attendaient. La voix d'Haral retentit dans la coursive :

– Qui est libre, en bas?

– On remonte, dit Pyanfar aux trois navigantes, les papiers serrés dans sa main. En vitesse, compris?

Leur fourrure était crottée, maculée de transpiration, et elles sentaient la sueur.

– Enfermez Tully quelque part!

– A vos ordres.

La porte se referma et la cabine entama son ascension. Pyanfar s'engagea à grands pas dans la coursive. Hilfy était en faction devant le sas, les oreilles à demi couchées et ses yeux étaient cernés de blanc. Leurs regards se croisèrent.

– Calme-toi, petite. Nous avons seulement affaire aux stsho, cette fois.

Mais Pyanfar avait gardé son pistolet dans sa poche. S'en être munie lui paraissait maintenant avoir été une bonne idée.

Le calme régnait à présent sur la partie du quai où était arrimé *L'Orgueil*. Un silence fantomatique. Les gigantesques portes donnant sur le bazar étaient toujours closes, le panneau de charge était fermé, la bande de roulement du fret remisée et désactivée. Pas un seul conteneur n'était visible. Ne demeuraient que les portiques, les énormes arrivées d'air encastrées dans les manchons de ventilation à côté des flexibles d'aspiration et d'évacuation d'eau mais ils étaient obstrués. Le faisceau des capteurs, les sept câbles de haute tension et les lignes de communication étaient tout ce qui reliait désormais *L'Orgueil* à la station. Plus le tubulaire d'accès, la rampe de coupée, la sonde et les dragues qui, derrière la cloison à triple épaisseur, renforçaient le propre grappin d'acier armé du navire.

Ce n'était pas énorme par rapport à l'élévateur de charge large comme un camion. Pas énorme pour retenir le bâtiment maintenant que celui-ci était désassemblé. Un navire pouvait, si besoin en était, déhaler en arrachant les dragues avec les dégâts que cela impliquait en espérant que les valves et les vannes de la station se refermeraient. Jamais les kif, si téméraires fussent-ils même quand leur propre vie était en jeu, ne s'étaient eux-mêmes risqués à une pareille manœuvre, mais il n'était pas exclu que, dans leur paranoïa, les stsho fussent capables d'envisager de telles éventualités.

Pyanfar jeta un coup d'œil en coin à la sonde du poste de mouillage tout en roulant dans sa tête des idées désordonnées.

Songeant, par exemple, à se lancer dans la piraterie.

Songeant à ce qu'une hani poussée au désespoir pourrait faire si elle perdait le pari qu'elle avait risqué sur le mahendo'sat et le *han*, s'il ne restait plus rien à quoi se raccrocher. Son équipage demeurerait loyal et que le *han* aille dans un enfer mahen si Kohan Chanur mourait...

Dieux bons! Cette pensée la glaça. Avoir une idée pareille était le signe de l'âge qui venait.

Voilà ce que c'était que d'avoir un mâle à bord. L'esprit voyait les choses sous un angle différent. On rêvait de *traque*, de *couvain* et de *massacre des intrus* au lieu de capituler courtoisement devant le *han* sur lequel reposait la civilisation.

Arracher les bardeaux, comme disait Khym.

Des navires hani sillonnant les profondeurs de l'espace communautaire avec des mâles à leur bord et l'état d'esprit qui en découlait chez les navigantes. Des bagarres sur les quais, des rixes opposant les Maisons, des équipages en conflit avec d'autres équipages, des hanis nées dans l'espace et qui n'avaient jamais posé le pied sur le sol d'Anuurn – et sans Ermitage à proximité.

Dieux! Mais qu'est-ce que je fais ici? Elle était là, avec Hilfy, un pistolet dans sa poche, en train de regarder s'approcher le véhicule officiel stsho qui s'était engagé sur le quai, annoncé par un vrombissement en sourdine. Voilà où elle en était arrivée! Pour le moment, le chemin qu'elle avait suivi pour se trouver dans cette situation lui échappait. Mais celui qui l'en ferait sortir...

Un kif lui proposait alliance – et, fugitivement, cette offre lui parut tout à fait alléchante. Elle commençait à être à court d'amis.

Le véhicule arriva à la hauteur des deux hani. Son bourdonnement se tut pour reprendre sur un autre registre lorsque la portière coulissa et qu'émergea le pied chaussé de rose de l'actuelle « persona » de Stle stles stlen. L'interprète jaillit par l'autre issue et contourna précipitamment l'engin dans un envol éblouissant de tuniques aux couleurs de l'arc-en-ciel afin de prêter main-forte au Directeur.

Stle stles stlen (ou quel que fût son nouveau nom *gtst*) sortit et agita une main *gtst* au poignet flasque et aux doigts effilés.

– Shoss, laissa-t-il tomber.

Un papier surgit du plus profond des falbalas de l'interprète. *Gtst*, ses yeux couleur de lune écarquillés papillotant nerveusement, le brandit.

– Prends, ordonna Pyanfar à Hilfy.

Elle affecta l'attitude hautaine que comprenaient

les stsho : c'était aux assistants qu'il appartenait d'échanger et d'étudier la paperasserie.

– La facture s'élève à 1,2 milliard de crédits, lut Hilfy d'une voix étranglée.

– C'est à peu près ce que j'avais prévu. Montre.

Hilfy tendit le document à Pyanfar. La lecture passa à l'échelon supérieur : Stle stles stlen saisit les décharges dans ses mains nacrées. Le bruissement des feuillets se poursuivit un bon moment sur le fond sonore des coups sourds et des sifflements des filins du pont élévateur.

– C'est parfait, dit enfin Pyanfar.

– Hesth. (Stle stles stlen ajouta en hani :) Où est l'argent ?

La capitaine de *L'Orgueil* lui présenta le bordereau approprié. Le stsho s'en saisit. Il leva sa tête *gtst* et ses yeux *gtst* s'élargirent encore.

– Alors ? demanda Pyanfar, les oreilles dressées, l'expression assurée et aimable.

– C'est une puissance extravagante, traduisit l'interprète.

– Naturellement. Et je suis sûre que l'estimé Directeur souhaitera signer cette copie. Je conserverai l'original.

– Estimée amie hani, fit Stle stles stlen.

– Vous avez un stylet ?

Son interlocuteur prit d'un geste vif celui que lui présentait l'interprète et le lui donna en personne. Si *gtst* avait eu des oreilles apparentes, elles auraient pointé en avant.

Pyanfar signa. *Gtst* signa. Les documents changèrent de mains. Chur et l'interprète cosignèrent. Des marbrures roses faisaient rougir l'épiderme opalin de Stle stles stlen.

Gtst leva des yeux *gtst* chargés d'adoration, agita une main *gtst* et de ses robes arc-en-ciel inépuisables, l'interprète fit surgir un petit coffret souvenir que Stle stles stlen offrit lui-même à son interlocutrice.

– Veuillez accepter ce modeste présent.

– Je suis sensible à votre générosité. (Pyanfar glissa l'objet dans sa poche.) Mon manifeste est dans vos archives. Je vous prie de choisir une caisse de miel d'Anuurn pour votre table.

– La hani est munificente.

– Je serai en tête de la liste des départs?

– Bien sûr. (*Gtst* fit une courbette frétillante.) Dans les meilleurs délais.

Il regagna son véhicule, s'arrêta, la regarda en ouvrant tout grands les yeux, puis disparut à l'intérieur.

L'interprète veilla à ce qu'il fût bien installé. La portière remonta et, enveloppé d'arcs-en-ciel, il se hâta de rejoindre la place qui lui était dévolue.

La voiture vrombit de nouveau, fit demi-tour et s'en fut.

– Tante... murmura Hilfy.

Pyanfar se retourna, s'attendant qu'une navigante eût mis le pied sur le môle.

C'était un kif qui s'interposait entre elles et le sas. Sa main se crispa mais, prudemment, elle n'alla pas jusqu'au bout de son geste en l'enfonçant dans sa poche. Elle demeura immobile, les jambes raidies, tandis que, derrière elle, Hilfy, qui avait sans aucun doute mis en marche le communico fixé à sa ceinture, chuchotait :

– Haral, au nom des dieux... Haral... il y a un kif sur le quai...

Une main s'agita, soulevant l'ourlet des noires robes du kif, il avança d'une allure dégagée comme pour aller à la rencontre de quelque vieil ami.

– C'est vous, Sikkukkut?

– C'est étrange. Je suis capable de distinguer les hani les unes des autres.

– Quittez mon bassin d'arrimage.

– Je suis venu pour connaître les suites de mon message... l'anneau. A-t-il été bien remis à votre passager?

– J'ai oublié. En toute franchise, j'ai oublié.

– Se pourrait-il qu'il n'ait pas été en état de le recevoir? Qu'il ait été... accidenté lors du chargement, par exemple? J'en serais peiné.

– Je n'en doute pas. Laissez-moi passer.

– Votre navigante est en train de demander de l'aide, n'est-ce pas?

– J'escompte bien que vous ne resterez pas à traîner ici pour en avoir le cœur net.

Une vague de rides ondula le long du groin effilé du kif.

– Ainsi, vous prenez le large? Méfiez-vous de Kita Point.

– Merci de l'avertissement.

De nouvelles rides plissèrent le groin de Sikkukkut.

– C'est tout naturel. Pour quitter La Jonction, les routes de navigation sont en nombre si réduit! Sauf pour ceux qui bénéficient de l'autorisation des stsho. Sauf pour nous qui pouvons aller où il nous plaît. Je me demande où est le *Mahijiru*.

– Vous ne le savez donc pas? Voilà une bonne nouvelle.

– Votre *sfik* causera votre perte, hani capitaine.

– Mon ego, vous voulez dire? Viens, Hilfy.

Pyanfar se mit en marche en direction de *L'Orgueil*, faisant en sorte de demeurer hors d'atteinte du bras démesuré du kif. Mais celui-ci se mit en travers du chemin des hani.

– Nous appartenons tous les deux à la race des prédateurs, chasseuse Pyanfar. (Son long museau imberbe se fronça.) Mais, à ce jeu, les kif vous surclassent.

– Seulement, les hani y sont plus habiles. (Elle s'était arrêtée, la main dans sa poche.) J'ai un pistolet.

Le long nez sombre de Sikkukkut se grêla de sillons qui s'effacèrent aussitôt.

– Le problème, c'est que, étant une hani, vous

n'oserez pas vous en servir tant que vous n'aurez pas la preuve que je suis armé. Voilà l'embûche pour une espèce que ses hôtes ne craignent pas.

– Cela s'appelle être civilisé, canaille sans oreilles!

Un reniflement sec qui était la façon de rire des kif.

– Les stsho nous mangent dans la main. Vous ne voulez pas faire alliance avec moi?

– Dans un enfer mahen, oui!

Il leva les deux mains, paumes ouvertes.

– Je ne cherche pas la provocation.

Pyanfar étreignit plus fermement son pistolet pour ne pas être prise au dépourvu mais le kif fit demi-tour et sa haute silhouette encapée de noir s'éloigna de la démarche majestueuse caractéristique de l'espèce.

– *Sfik*, marmonna Hilfy, qui était la linguiste de l'équipage. Cela veut dire quelque chose comme « amour-propre » ou « honneur » – à supposer que ce kif en possède si peu que ce soit.

Pyanfar regarda le dos de Sikkukkut sans oublier de jeter un coup d'œil aux alentours pour s'assurer qu'il n'avait pas quelques compères embusqués sur le môle. Elle ne vit personne.

– Sa bouche parle peut-être hani mais son cerveau est kif à l'état pur. En avant. Ne restons pas là.

– J'ai un pistolet, dit Hilfy en reculant docilement. Venez, tante. Allons-nous-en.

– Hum!

Pyanfar pivota sur elle-même, prit Hilfy par le bras et toutes deux gravirent en hâte la rampe d'accès – pour se trouver brusquement nez à nez avec Tirun et Chur qui émergeaient du tambour à ce moment précis.

– Bonté des dieux! s'exclama-t-elle quand son cœur se fut remis à battre.

– Si j'ai bien compris, vous avez eu quelques complications? dit Tirun.

– C'est terminé.

La capitaine en tête, la petite troupe s'engouffra dans le sas et, une fois en sécurité, Chur ferma le tambour.

– Les kif? s'enquit alors Tirun.

– Les kif, confirma Pyanfar.

Quelque chose bougea à sa gauche et elle tourna vivement la tête : c'était Geran. En compagnie de Tully.

– Nécessaire parler, fit celui-ci.

– Geran, au nom des dieux, j'avais donné l'ordre qu'on s'occupe de lui.

– C'est que c'est urgent, capitaine.

– Tout est urgent. Qu'on exécute les consignes!

– Tante...

Hilfy affichait cet air qu'elle prenait quand quelque chose ne tournait pas rond.

– Avoir papiers, haleta Tully. Avoir...

– Donne-moi un écouteur, veux-tu? (Hilfy sortit de sa poche une pastille auditive que Pyanfar se ficha dans le creux de l'oreille.) De quels papiers s'agit-il, Tully?

– Avoir papiers. Papiers dire humains devoir combattre kif ≠ ≠ besoin hani.

– Saleté de traductrice! Je n'ai rien compris.

– Humains forcés combattre kif.

Un étau glacé serra soudain les entrailles de Pyanfar.

– Pourquoi, Tully?

– Faire kif ≠. Amie, Pyanfar. Amener humains beaucoup combattre kif.

L'étau glacé le devenait de plus en plus.

– On dirait qu'il n'y a pas qu'un seul navire dans la course, commenta Tirun.

– Ils réclament de l'aide, enchaîna Hilfy. C'est pour cela qu'il est venu. Voilà ce qu'il veut dire, à mon avis. Sa mission n'a rien à voir avec des échanges commerciaux.

— Dieux! (Les yeux de Pyanfar se posèrent sur le visage à l'expression avide de l'humain et sur celui, tendu, des quatre navigantes qu'animaient les mêmes pensées.) Les kif le savent-ils, Tully?

— Savoir peut-être. (Il exhala un profond soupir et leva les mains comme s'il voulait que sa supplique fût entendue sans le truchement de la machine à traduire.) Faire long voyage pour vous trouver. Kif... kif fomenter troubles ≠ une fois combattre ami Or-Aux-Dents.

— Or-Aux-Dents? (Prononcer le nom du mahen-do'sat laissait un goût de fiel dans la bouche de Pyanfar.) Que suis-je donc censée faire de toi?

— Aller Maing Tol. Aller Anuurn.

— Tonnerre des dieux, Tully! Nous sommes empê-trées jusqu'au cou avec les kif!

Il y avait du désespoir dans les yeux clairs de l'humain rivés aux siens.

— Combattre, dit-il. Faire bataille, Py-an-far.

Pyanfar aplatit les oreilles, les redressa et scruta ses navigantes. Leur physionomie reflétait leurs craintes. Elles attendaient qu'elle leur apportât une réponse aux questions qu'elles se posaient.

— Nous devrions le confier au *Vigilance* et en informer les kif, murmura-t-elle.

Personne ne dit rien. Elle imagina les conséquen-ces que cette façon d'agir auraient pour elle. Les kif pourchassant le navire d'une représentante du *han*... ce serait l'éclatement de la fragile Commu-nauté.

Ou bien Ehrran abandonnant l'humain sur une station stsho où nul ne lèverait le petit doigt pour empêcher les kif de se conduire en maîtres et de faire ce qui leur convenait.

Et les kif étaient capables de faire n'importe quoi s'il y avait plus à gagner en agissant qu'en s'abste-nant d'agir.

– Qu'allons-nous faire de lui? demanda Tirun.

– Or-Aux-Dents dit qu'il faut le conduire à Maing Tol.

– Capitaine... si nous faisons ça, les pantalons noirs nous essorilleront! Pardonnez-moi, capitaine.

Une fois encore, on discutait ses ordres. Pyanfar dévisagea Tirun – une cousine, une vieille camarade, une Chanur qui jouait sa vie, elle aussi.

– Tu veux qu'on le livre à Ehrran, Tirun?

Tirun baissa les oreilles. Elle réfléchissait à plein régime.

– Nous pourrions expédier un autre conteneur au *Vigilance*. Cela déconcerterait cette crapule de kif.

L'idée ne manquait pas d'attrait mais Pyanfar ne s'y arrêta pas :

– Non, laissa-t-elle tomber, songeant que les conséquences seraient les mêmes. Nous ne pouvons pas prendre ce risque. Venez. (Elle saisit Tully par le bras et l'entraîna vers l'ascenseur, puis le lâcha.) Occupez-vous de lui. Allez lui chercher ses drogues et rendez-vous sur la passerelle.

– Partir? s'enquit l'humain qui la suivait comme son ombre. Pyanfar... aller Hoas?

– Urtur, répondit-elle au moment où elle atteignait la cabine. (Elle se retourna. Chur et Hilfy immobilisaient Tully. Tirun actionna la commande et maintint la porte de la cabine ouverte.) Nous allons rallier Urtur. Vite. Toi, va prendre tes drogues et ne viens pas te fourrer dans nos pieds. Compris?

– Vu.

Tully se laissa entraîner sans résistance. Pyanfar prit place dans la cabine, suivie de Tirun qui enclencha les boutons. Sa cousine lui décocha un regard chagrin – ce fut tout.

– Je sais, dit la capitaine – deux mots qui résumaient tout.

Elle sortit le coffret du stsho de sa poche et

l'ouvrit tandis que la cabine se catapultait vers le haut. Il ne contenait qu'un billet. Qui disait : *Méfiez-vous d'Ismehanan-min.*

Autrement dit, Or-Aux-Dents.

Elle tendit le message à Tirun.

La porte de la cabine coulissa. Elles sortirent et débouchèrent dans la coursive supérieure.

5

Le silence régnait sur la passerelle, un silence, un calme pesants, compte tenu de la situation : Khym, débordant de questions informulées, et une poignée de navigantes exténuées. Personne ne pipait mot. Six paires d'yeux étaient rivées sur Pyanfar. Tous attendaient d'elle qu'elle leur exposât un plan d'une habileté magistrale.

1,2 milliard de crédits... Hilfy ne paraissait pas encore revenue du choc.

– Nous avons quelques petits problèmes, commença la capitaine en se laissant choir dans son fauteuil, face à l'équipage. Je pense que le mieux serait de prendre possession des lettres d'espace autorisant l'appareillage que les stsho nous ont promises avant qu'ils ne changent d'avis. Chur, Hilfy, vous êtes sûres que Tully restera tranquille, qu'il est bourré de drogues et qu'il ne se mettra pas dans nos jambes?

– Oui, capitaine, répondit Chur.

– Je ne vous garantis pas que ce voyage sera une croisière d'agrément. Et nous allons devoir foncer ferme. Nous mettons le cap sur Urtur. Nous sommes à vide et un seul saut suffira pour y arriver. Quand nous émergerons, il nous faudra dresser les oreilles et savoir exactement où nous en sommes. Les dieux veillent à ce que nous ne nous retrouvions pas nez à nez avec les kif! Quelqu'un a des questions?

Silence.

Pyanfar sortit un tube de courrier de la pochette du fauteuil prévue à cet effet.

– Chur!

– Capitaine?

– Qu'on envoie ça par le pneumat. Et vite.

Chur s'empara du cylindre, fit demi-tour et quitta la passerelle dans un crissement de griffes. Ainsi, cela aussi était prévu! Si Stle stles stlen ne faisait pas intercepter tous leurs messages, que pourrisse son épiderme nacré!

– Maintenant, regagnez vos postes. Khym!

Pyanfar se leva et, tandis que les navigants s'installaient à leurs places, elle prit Khym par le bras et l'entraîna dans la coursive où ils pourraient parler sans témoins.

– Cette fois, je te conseille de prendre des tranquillisants, lui dit-elle. Comme Tully. Il y en a encore dans l'armoire à pharmacie en haut.

Les oreilles de Khym s'affaissèrent.

– Je n'en ai pas besoin. Je ne...

– Ecoute-moi. Cette manœuvre rend les navigantes les plus expérimentées elles-mêmes malades à crever. Le G est l'équivalent d'une attraction planétaire. Nous allons mettre les turbo sous tension...

– Je ne resterai pas bouclé dans ma cabine! Ecoute... tu as insisté pour que je sois présent dans la salle de veille, pour que je travaille. Tu disais...

– Tu ne resteras pas sur la passerelle.

– Il y a les sièges destinés aux observateurs.

– Non.

– Je t'en supplie, Py. (Le registre de la voix de Khym était tombé dans les graves et ses yeux d'ambre s'élargissaient.) Capitaine... Tu auras droit à un anneau, disais-tu. Tu l'as dit devant tout l'équipage, par les dieux! Je ne te créerai aucune difficulté, Py. Aucune.

Maintenant, c'étaient les oreilles de Pyanfar qui retombaient. Elle avait le cœur gros.

– Ce n'est pas un simple saut de puce d'un port à l'autre, par tous les dieux!

– Je fais partie de l'équipage. C'était bien cela que tu voulais dire, non?

– Ce n'est pas une question de...

– La fierté est la fierté, Py. J'ai mon amour-propre. Tu m'as assigné ce poste et, par les dieux, tu ne m'en feras pas partir. Ou alors, c'est que tu penses que l'équipage ne sera pas d'accord?

De la faiblesse d'esprit, voilà ce que c'était!

– Soit. Je t'affecte au panneau d'observation N° 11. Tu regarderas Geran surveiller son capteur et si tu es malade pendant les passages en tension, par les dieux, il y a des sacs sous le pupitre. Ce qui se passera d'autre, je ne veux pas le savoir. Si tu n'as jamais fait l'expérience d'un changement de vecteur sous haute vélocité avec quelqu'un en train de rendre tripes et boyaux, tu ne sais pas ce que c'est qu'un joli gâchis. Tu as saisi? (Elle lui enfonça une griffe acérée dans le bras et le nez de Khym se fronça.) En plus, ça brouille les écrans.

Il regagna la salle de veille sans mot dire et Pyanfar l'y suivit. Il prit place au premier poste d'observation à côté de Geran. Celle-ci lui lança un bref coup d'œil. Bien qu'elle ne trahît pas ses sentiments, son expression laissait deviner sa consternation. Khym tâtonna pour attacher maladroitement les harnais. Il n'était pas nerveux, non. Il dut seulement s'y reprendre à trois fois pour boucler sa ceinture de sécurité.

Pyanfar s'installa à sa console, débloqua d'une main le frein du siège rotatif et actionna le moteur d'un mouvement souple. Ce ne fut qu'après avoir effectué ces diverses opérations qu'elle comprit pourquoi elle faisait ainsi étalage de sa virtuosité.

Elle avait contraint Khym à venir sur la passerelle pour une raison précise et s'était brusquement montrée hargneuse et revêche quand elle l'y avait vu. Et elle en avait conscience.

Dieux!

– Paré pour dégager la sonde, annonça Haral.

– Chur est toujours en bas. Hilfy, avise le *Vigilance* qu'un message va lui parvenir.

– Bien compris. (Un temps mort.) Elles accusent réception. C'est tout.

Rhif Ehrran n'était guère encline aux papotages superflus, il fallait quand même mettre cette vertu à son actif.

Le message de *L'Orgueil* était le suivant : « Les kif sont à nos trousses. Ils ne reculeront devant rien, ils n'hésiteront même pas à attaquer une déléguée du *han*. Evitez d'attirer l'attention. La station constitue un risque. Ceux qui nous menacent sont encore plus périlleux. Nous prenons un maximum de mesures d'évitement. Impossible de fournir d'explications. »

Il serait bon d'avoir pris le large quand cette dépêche parviendrait à Ehrran.

Des chocs sonores retentirent à l'avant. C'était le langage du vaisseau, fait de claquements et de cliquetis aussi révélateurs que le clignotement des témoins lumineux : les sondes télescopiques étaient rentrées, les soupapes scellées. Les grappins d'arrimage se détachèrent de la carène de la station.

– Portiques dégagés, dit Haral qui s'affairait à opérer la mise en œuvre des différentes étapes de préparation à l'appareillage.

– Où est Chur?

Le communicateur entra dans la danse.

– Elle arrive, fit savoir Tirun. Tout est en ordre.

– Passe-moi la liste des unités en partance.

Tirun la transmit à Pyanfar.

Sur ce tableau figurait le *Prospérité* de Banny Ayhar. Destination Urtur *via* Hoas Point. Le *Soleil d'Or de Marrar* également.

Les commérages allaient affluer sur Anuurn aussi

vite qu'un navire marchand aux cales pleines à craquer pouvait rallier la planète et y apporter le rapport d'Ehrran.

Un vaisseau stsho, le *E Mnestsist* sous les ordres du capitaine Rhus flisth'ess avait, lui aussi, pris l'espace une demi-heure plus tôt. Destination Urtur *via* Hoas.

Tous les bâtiments quittant La Jonction pour rejoindre l'espace mahen-hani étaient, de même, obligés de passer par Hoas pour rejoindre Urtur. A moins que leurs soutes ne soient vides. Dans ce cas, il était possible de rallier Urtur d'une seule traite. Le plan de vol de *L'Orgueil* indiquait : Urtur *via* Hoas. Ce qui était un mensonge.

Il y avait d'autres destinations possibles depuis La Jonction : Nsthen dans l'espace stsho, autorisée exclusivement aux stsho et aux méthaniens; le port frontalier tc'a de V'n'n'u; le port tc'a de Tt'a'va'o, lui aussi réservé aux seuls stsho et méthaniens; le port kif de Kefk, l'unique couloir kifish conduisant à La Jonction; l'escale de Kshshti dans les Territoires contestés. Les messages pouvaient partir de La Jonction de bien des façons – c'était la raison d'être même de la base.

Et un message lumique à faisceau étroit pouvait être capté par un navire au large tel que le *E Mnestsist* avant qu'il eût eu le temps d'amorcer son saut. Il lui serait encore possible d'opérer un réalignement vectoriel pour peu qu'un Stle stles stlen ait une information *gtst* à faire relayer.

Le félon! Le fourbe!

Les coordonnées de départ de *L'Orgueil de Chanur* étaient laissées en blanc sur la liste. Il devait appareiller avant le *Prospérité* et le *Soleil d'Or*.

Voilà qui n'allait pas améliorer l'humeur de Banny Ayhar!

Et aucune unité kifish n'était en instance de déhalage.

– Pas moyen de savoir quels départs ont été

ajournés, murmura Pyanfar. Il n'y aurait rien d'impossible à ce qu'une embarcation bourrée de kif déhale dix minutes après nous. Les dieux seuls savent ce qu'une station qui n'arrive pas à maintenir ses panneaux d'affichage en marche à quai est capable de faire pour modifier des appareillages non signalés moyennant finances... Mets la tension, Haral. Point zéro pour déhaler.

– Moteurs sous tension.

La rumeur lointaine des pompes à compression s'éleva. Le *whumpf* de l'entrée en action de l'énergie électrique était normalement suivi du fracas du déverrouillage du cylindre mais, cette fois, le clapet demeura fermé. On n'aurait que le G de poussée. C'était plus sûr comme cela. Plus sûr en cas de déplacements brusques.

Pyanfar entendit derrière elle des pas précipités. Quelqu'un se laissa vivement tomber dans un fauteuil.

– Chur est en ligne.

La voix de celle-ci jaillit du communicateur, dominant le bruit :

– Message expédié.

– La barre sur le 1.

Pyanfar allait se charger de la manœuvre. Elle pianota sur les touches de son clavier. Laissa le dispositif de sécurité automatique bloqué pendant la séparation. L'ordinateur de bord indiquait le coefficient de masse du bâtiment et la puissance maximale à développer pour qu'il reste dans les paramètres autorisés. Les cales étaient vides. Le témoin de poussée était au plus bas. Si elle avait été à son niveau ordinaire, *L'Orgueil* aurait été secoué comme une boîte de conserve dans laquelle on lance un coup de pied.

– Tante... (C'était la voix d'Hilfy qui sortait du communicateur.) J'ai une question.

– Je t'écoute.

– Cette facture...

– Eh bien quoi, cette facture?

– Les mahendo'sat la paieront?

– Oui...

– Ils sont au courant?

– Je vais te dire quelque chose, petite. Il y a deux raisons majeures pour que nous fassions le parcours en un seul saut, cette fois. L'une d'elles, ce sont les kif.

– Par les dieux, tante...

– Tirun, c'est toi qui apprends à cette enfant à blasphémer?

– Comment la paierons-nous?

– C'est fait. Or-Aux-Dents l'a payée. Simplement, il ne le sait pas encore. Attention pour le réalignement vectoriel. Nous ne sortirons pas comme nous l'avons fait la fois précédente. Nous respecterons la réglementation à la lettre – au moins jusqu'à ce que nous soyons plein large.

Le navire atteignit la limite de la zone I, encadré par deux vecteurs : la rotation de la station et sa propre poussée. La queue en avant, il franchit l'invisible ligne de démarcation. Pyanfar alluma un dixième de seconde le réacteur bâbord pour infléchir la trajectoire de façon que la proue soit à peu près dans l'axe de rotation et donna les instructions de cap à l'ordinateur.

– Mais, tante...

L'ordinateur effectua la seconde mise à feu de correction.

– Conservez cette direction. Vous m'écoutez toutes? Il y a une petite question à mettre au point avec les mahendo'sat. Ils paient la facture pour les dommages du bar. Vous entendez? Haral, cap zéro deux. Et fais panoramiquer les caméras bâbord.

– Vous voulez jeter un coup d'œil sur ce vaisseau kifish?

– Le premier à droite, cousine. Geran, tu t'en occupes.

– Ça y est. Vous avez l'image sur le 4.

L'image qui apparut sur le quatrième écran de la console était nette et claire. Elle montrait l'extérieur de La Jonction, une partie de son tore, les énormes chiffres des panneaux d'affichage des mouillages, çà et là occultés par les navires, nez tourné vers la station.

– Panoramique, ordonna Pyanfar.

Se profilèrent tour à tour sur l'écran la silhouette biscornue d'un bâtiment de commerce stsho, celle, lisse et inquiétante, d'un kif, plus effilée qu'elle n'aurait dû normalement l'être, puis un vaisseau hérissé d'aubettes turbo aux dimensions insolites et ceinturé de nombreux réservoirs.

– Ces caissons exploseraient comme un rien, commenta Pyanfar. Hilfy, Khym. Regardez bien.

– C'est un croisseur de chasse, dit Hilfy.

– Ce n'est certainement pas un bâtiment commercial, en tout cas. Un chasseur kif, les dieux le maudissent! Il s'agit du *Harukk*, pas besoin de chercher son immatriculation.

Elle bloqua les systèmes de sécurité sur AVERTISSEMENT SEULEMENT et mit toute la sauce.

Sous l'effort de l'accélération, son coude se plaqua contre la butée et le verrou qui bloquait sa main de façon que celle-ci demeurât à portée du tableau de commande entra en action. C'était un mécanisme dernier cri. Et il marchait. Depuis l'affaire de Gaohn, elle avait fait équiper *L'Orgueil* de toutes les aides de protection convenables. Les consoles étaient munies de poignées, d'accessoires autobloquants, de supports. Elle avait aussi fait discrètement l'acquisition d'armes à feu supplémentaires.

– Il n'y a pas que le kif, articula-t-elle péniblement en dépit de l'intensité de la pesanteur. J'ai une autre raison pour vouloir presser un peu le mouvement... J'aimerais arriver avant qu'un certain chèque soit présenté à la banque.

– Pourrons-nous l'honorer? demanda Tirun par le truchement du communicateur. Plus tard?

– Hum! C'est toujours le problème d'Or-Aux-Dents.

– Mais de quoi s'agit-il? demanda Khym.

Silence. Un silence que brisaient seulement les grondements des propulseurs. Oh! l'interminable martyre de l'accélération...

– De quoi s'agit-il? répéta-t-il.

– Juste un petit arrangement financier. Arrime bien ton estomac. Nous arrivons au stade N° 2. Et ça va décoiffer, je te préviens.

– Pyanfar...

– Je t'expliquerai plus tard. Haral, mets toute la puissance!

– Capitaine, j'ai repéré un autre navire qui quitte son mouillage, annonça Chur, les yeux rivés sur son écran capteur.

– Qui est-ce?

– Je ne peux pas encore le dire. La station reste muette.

L'Orgueil n'était pas encore assez loin et n'avait pas une vitesse suffisante pour que la vélocité lumique fasse obstacle aux contacts – pour être hors de portée de ce bâtiment kif à la carène profilée.

Cette unité-là pouvait appareiller avec un jour de retard et les attendre, embusquée à la périphérie d'Urtur. Pas question que les choses se passent de cette façon! Pyanfar réfléchit, ne respirant que par intervalles du fait de l'accélération. Se lancer à la poursuite d'un navire aussi rapide n'avait pas de sens.

Non, ce n'était pas un kif qui avait pris l'espace, elle l'aurait parié. Il n'avait pas à se presser, il était capable de deviner leur route à l'estime.

– Ce bâtiment est *knnn*!

– Oh! Bonté des dieux!

– Que se passe-t-il?

C'était Khym qui avait posé la question.

Les knnn. Des méthaniens. Dangereux et imprévisibles dans leurs mouvements. Personne n'avait envie de chatouiller les knnn.

Et un incident avec les kif était capable de les énerver. N'importe quelle sorte d'incident.

– Que se passe-t-il?

(Encore Khym.)

– Ce serait trop long à expliquer, grommela Pyanfar. Garde tes questions pour plus tard, Khym. Nous avons autre chose à faire que satisfaire ta curiosité pour le moment.

– Je reçois quelque chose, dit Hilfy.

Du communicateur jaillit un lamento démentiel, une mélopée qui faisait savoir à l'univers et à ses congénères ce que les knnn jugeaient bon de leur dire.

A moins que le knnn ne chantât seulement pour son plaisir personnel, exprimant une pensée aussi obscure que le reste de sa logique.

– Gisement par zéro deux sur quatorze.

Le bâtiment était en équerre par rapport à eux. Cela n'avait pas de sens. Les navires knnn obéissaient à des lois différentes.

– Haral...

– Capitaine?

– Ça va être à toi de jouer. On dégage. Tu me donnes deux impulsions.

Il y eut une première secousse, brève mais d'une violence qui leur déchira les tripes et les mit au bord de la nausée quand les aubettes passèrent au niveau énergétique supérieur. Les instruments se réétalonnèrent et les témoins de charge s'illuminèrent comme pris de panique. Pyanfar aligna le relèvement sur Urtur.

– Pas de changement en ce qui concerne le knnn, dit Chur.

Et ce fut la seconde impulsion.

– A 1 pour la gouverne! Attention! Préparez-vous

126

pour le saut. Restez calées sur ce maudit knnn jusqu'à la dernière seconde.

Les mouvements des knnn répondaient à leur propre logique. Ces créatures noires à la toison crêpue, plantées sur de longues jambes filiformes, savaient fabriquer de bons vaisseaux, des vaisseaux capables de manœuvres qui auraient été la mort sans phrases pour des oxy-respirants. Personne ne pouvait communiquer avec les knnn, excepté les tc'a reptiliens à l'épiderme parcheminé dotés d'un cerveau multimatriciel. Nul, en dehors d'eux, ne pouvait dialoguer avec les knnn. Jadis, ces derniers s'emparaient de tout ce qui leur faisait envie, ils attaquaient les transports en plein espace pour les piller, fonçaient sur les premières stations existantes. C'était avant l'arrivée des hani. Les tc'a assimilèrent la notion d'échanges commerciaux – pour autant qu'il leur restait quelque chose à échanger après les raids knnn. A présent, ils surgissaient de manière fulgurante dans les secteurs méthaniens, déposaient un objet quelconque – ce pouvait être n'importe quoi – et repartaient aussi rapidement avec ce qu'ils désiraient – et qui pouvait, aussi, être n'importe quoi.

Les tc'a faisaient face. Les chi aussi, pensait-on, mais ces espèces de bâtonnets jaunes aux déplacements saccadés étaient encore plus fous que les knnn. D'ailleurs, l'idée qu'ils se faisaient eux-mêmes des transactions commerciales était quelque peu fumeuse, pour le moins. Les dieux savaient comment ils administraient leurs planètes! Pas les extérieurs, en tout cas.

– Attention! Saut dans cinq minutes.

– Que fait le knnn?

– Il ne bouge pas. Il vient juste de mettre ses pulseurs en action.

– Je veux des informations plus précises. Quatre. Le compte à rebours continue.

– La mise en charge des pulseurs se poursuit. Nous sommes en temps différé...

Autrement dit, pendant la phase de vélocité lumique qui retardait la transmission des données, le knnn pourrait faire ce que bon lui semblerait.

– Putréfaction!

Pyanfar enclencha la commande de saut.

... chute...

... cul par-dessus tête

... sens dessus dessous

... redressement...

Retour au présent immédiat – et l'estomac qui veut encore à toute force se retourner comme un gant...

L'abomination de la mi-course. Tous les sens étaient brouillés. Il fallait une heure pour que les doigts se referment sur les curseurs, les instruments étaient des lumières ondoyant lentement pendant la durée d'un jour subjectif sans aboutir à aucun résultat particulier...

Puis le figement, le centrage, l'atroce netteté aussi redoutable que les molles incertitudes précédentes avec la fascination sans fin qu'exerçaient les angles des consoles, les couleurs, les textures. L'esprit risquait de s'égarer au milieu des détails infinis du rebord d'un pupitre.

Pyanfar déglutit péniblement. Elle avait la gorge sèche et, dans la bouche, ce goût de cuivre lié à la contraction temporelle. Elle fit jouer ses mains qui n'avaient pas bougé pendant quelque trois semaines en temps local. Trois, deux jours, indiquaient dubitativement les chronomètres. Le corps réagissait. Il perdrait ses poils et les peaux usées s'écailleraient par plaques dans l'heure qui suivrait comme si l'entropie était restée en suspens pendant l'équivalent d'environ trois jours. Les drogues qui avaient été administrées à Tully cesseraient d'avoir de l'effet avec ce que cela aurait ultérieurement comme conséquences sur les intestins et les reins, les sucres sanguins qui feraient des boucles et des descentes en piqué, obscurcissant les sens, les brouillant et faisant se gondoler l'estomac.

Bip.

Pyanfar abaissa brutalement la manette de délestage.

Deuxième plongée dans l'hyper-espace et deuxième émergence pour casser la vélocité.

Troisième renouvellement de l'opération.

Pyanfar était secouée de nausées. Elle serrait les dents. Ce goût de cuivre était encore plus agressif dans sa bouche.

Bip.

– C'est la confirmation de la balise d'Urtur, dit Haral. Je lis le cap : zéro-neuf-deux.

Les alarmes automatiques tintèrent dans la tête de Pyanfar – les souvenirs qu'elle avait gravés dans sa mémoire trois semaines auparavant.

– Geran! Attention aux kif! Avons-nous de la compagnie?

– Je vérifie.

Trois jours subjectifs s'étaient écoulés depuis le départ de La Jonction. La douleur lui sciait les épaules.

– Khym... ça va?

En guise de réponse, un gargouillement inintelligible. En tout cas, il avait l'air d'être vivant.

– Je reçois la balise d'Urtur. (C'était Haral.) Tirun... Décryptage!

– Bien compris.

La balise émettait en permanence pour donner aux navires qui émergeaient la position exacte des objets croisant à l'intérieur du système pour autant que celle-ci était connue. Les couloirs d'approche qui leur seraient affectés seraient communiqués aussitôt que le ressac temporel aurait indiqué leur présence au robot d'Urtur, pour le moment hors de leur portée, quand ses ordinateurs auraient calculé une route à leur intention.

– Signale à la balise que nous sommes en trafic. Et fais le point stellaire.

Les mains de Pyanfar tremblaient. L'équipage ne devait pas être en meilleur état. Elle rêvait de boire, imaginait des torrents de liquides glacés, des déluges de saveurs. Et même des boissons tiédasses. Saumâtres. N'importe quoi du moment que c'était un breuvage.

– Point sur Kirdu, annonça Haral. Affirmatif. Etablissement d'un itinéraire Maing Tol *via* Kita Point.

– Message transmis, laissa tomber Hilfy.

– Dans combien de temps le signal de la station nous parviendra-t-il?

– D'ici environ deux heures, répondit Tirun. Soit à 2 h 31. La balise n'indique pas de bâtiment dans son balayage. Elle ne nous accroche pas.

A nouveau, Hilfy :

– J'ai un signal de la station, tante... un signal codé. Nous avons un message en attente. Restez à l'écoute.

– Hum! (Pyanfar eut l'impression d'être étreinte par un étau glacé.) Passe-le-moi sur le N° 1.

La balise robot avait reçu une stimulation envoyée par le système d'identification de *L'Orgueil* – quelque chose comme un faisceau culbuteur. Après l'avoir analysée, elle cracha l'appel destiné au navire, stocké dans ses mémoires. Un moyen de communication onéreux. Très onéreux.

Le palpeur ne les avait toujours pas pris en compte. L'image n'était pas un balayage direct. Elle était générée par ordinateur et l'ordinateur s'obstinait à ignorer leur présence dans le système d'Urtur.

– Il y a une méprise, dit Haral. Cette idiote de balise s'entête à nous donner un cap sur Kshshti. Elle veut à toute force nous diriger sur Maing Tol. Redemande-lui une route, Hilfy. Elle est devenue folle.

– Bien compris.

Un message s'inscrivit sur l'écran N° 1 et Pyanfar actionna l'imprimante. La machine commença à bourdonner et les feuillets de s'accumuler dans le réceptacle. Des brochettes entières de numéros de code. De nouveaux codes. Les leurs... Le texte était le suivant :

Ana Ismehanan-min à bonne amie. Vous signale troubles graves Kita Point. Balise vous donner nouveau cap. Suis en consultation avec autorités Urtur. Super bien.

Vous diriger sur Kshshti. Proche espace kif, je savoir, mais kif trop nombreux à Kita. Vous rallier Kshshti un seul saut, pas de problème; non arrêter pleine crasse comme Kita. Kshshti donner vous autorisation code. Hasano-ma.

Vous bien débrouiller. Penser super-rapide, je savoir. Non kif rattraper.

– Espèce d'abruti !

Pyanfar avait le souffle presque coupé. Elle arracha le feuillet mais des numéros de code continuaient de se succéder sur l'écran et l'imprimante s'obstinait imperturbablement à cracher du papier.

– Message de la balise, annonça Hilfy avec un calme impavide. Le fanal d'alarme nous enjoint d'accuser réception et de prendre le nouveau cap en compte.

Pyanfar éteignit l'écran. Nullement impressionnée, l'imprimante continua de ronronner et vomit encore un serpentin.

Second message. Encore des codes : *Station Urtur vous avise modifier votre cap. Urgence absolue. Le balayage du système ne vous accroche pas. Vous êtes protégés par balise qui ne capte pas votre image. Faites vite.*

– Il ne s'agit pas d'un défaut de fonctionnement de la balise, murmura Pyanfar. Les consignes sont réelles. Ce salopard d'Or-Aux-Dents est en combine avec Urtur. Ils nous dirigent sur Kshshti.

– Kshshti est à moitié kifish, protesta Geran. Si nous nous y rendons...

– Si Kita nous est interdite, on peut y aller en un seul saut. Sur ce point, il a raison. Au moins, nous ne serons pas quelque part en pleine mélasse avec les kif qui... Appelez les archives. Je veux savoir de quels moyens d'intervention ils disposent à Kshshti.

– Je cherche, répondit Chur. Voilà... Ils ont deux chasseurs prêtés par Maing Tol. D'après les relevés, il y a dix pour cent d'appels stsho, seize tc'a/chi, trente-deux kif, cinquante et un mahendo'sat. Je n'ai aucune certitude que ces chasseurs soient vraiment là. Il est seulement dit qu'ils sont basés à la station.

– Bien.

Pyanfar se mordilla les moustaches et contracta ses oreilles tandis que la balise accusait réception et que les témoins du communicateur clignotaient. Tick-tick. Tick. Tick-tick-tick. Haos... c'était encore une possibilité. Kura aussi. Les stsho. Le *han*.

– Eh bien, on y va. Je ne vois pas ce qu'on pourrait faire d'autre. Si cela continue comme ça, les circuits de la balise vont finir par claquer.

– Nous sommes dans le noir, dit Haral.

Ce qui était une litote. *L'Orgueil* était maintenant solidement collimaté sur l'étoile : un changement de vecteur, et ce serait le cirage. Il faudrait une drôle de santé pour récupérer une vélocité supérieure à celle qu'une étoile était prête à leur conférer.

– Nous n'avons pas le choix, n'est-ce pas? Prévenez Tully. Nous ne pouvons pas temporiser davantage.

Hilfy relaya la réponse de l'humain :

– Tully est d'accord. Il dit qu'on peut y aller.

– La cause est entendue.

Pyanfar s'empara de la dernière copie imprimée.

Et la regarda fixement. Ce n'étaient pas les données restituées par l'ordinateur auxquelles elle s'attendait. Cette fois, pas de code. Le texte était rédigé en clair. Et en parfait hani.

A navire hani L'Orgueil de Chanur : Evitez Kita. Akkhtimakt y a posté des guetteurs. Vous ne sortirez pas vivants de cette région de l'espace. Ne soyez pas insensés.

Un frisson parcourut Pyanfar.

– Hilfy!

– Tante?

– Tu as lu le message Nº 3?

Une pause. Hilfy fouillait dans le réceptacle.

– Qui a expédié ça? s'étonna-t-elle.

Sa voix était tout à la fois calme et rauque.

– Quelqu'un qui n'a pas perdu de temps.

– Accrochez-vous, ça va danser, ordonna Haral.

Les aubettes entrèrent en action. Une trépidation qui donnait le vertige annonça la formation d'une bulle dans leur hyper-espace. Une ondoyante surface. C'était comme si l'on regardait à travers une pellicule d'huile.

Quand elle se dégagea, Haral commença à virer de bord dans leur espace réel – impitoyable martèlement de coups de bélier provoqués par les corrections de poussée des directionnels et des maîtres pulseurs. Cela vous portait au cœur et l'intensification gravifique mettait à mal les entrailles déjà rudement éprouvées des membres de l'équipage.

Un long, un très long moment s'écoula. Les pulseurs atteignirent le point zéro et continuèrent de cracher l'énergie.

– Nous venons de passer le nul.

Torture sans fin des corps martyrisés. Puis :

– Nous sommes en approche.

– Vas-y quand tu seras prête, commanda Pyanfar.

Les poussières d'Urtur n'avaient pas encore frôlé la coque mais ce secteur faisait invariablement se redresser les poils sur l'échine de Pyanfar.

Les palpeurs de la station étaient neutralisés. Un vaisseau non signalé pouvait à tout moment émerger dans le système et entrer en collision avec la station d'Urtur, c'était un risque pour tous les autres astronefs...

Que redoutait-elle? La présence de kif à l'intérieur du système?

— Attention à la mise à feu.

La voix d'Haral était éraillée par la fatigue.

— Veux-tu que je te remplace?

— Il faut que j'aligne. Attention à la manœuvre!

Nouvelle pulsion, nouvelle nausée. Désorientation. Vertige. Pendant un instant, on n'était ni ici ni ailleurs. Une lampe rouge comme une tache de sang scintillait sur le tableau de bord.

— Aubette 2 en rouge, balbutia Pyanfar. Stoppez tout!

— Nous sommes à un cheveu de V.

— Qu'est-ce qui se passe? demanda Khym d'une voix blanche. Quelque chose de détraqué?

— Le régulateur de la clavette d'aubette. (Pyānfar battit des paupières pour accommoder sa vision. Chacun de ses os était douloureux.) Le bâtiment n'aime pas trop ces soudains changements d'avis. Tirun, je veux qu'on vérifie cette aubette.

— Bien compris. (D'après le timbre de sa voix, Tirun était au bord de l'épuisement. Mais elle n'émit pas la moindre protestation.) J'aimerais bien savoir pourquoi le clapet d'interruption n'a pas fonctionné.

— Procède à un examen interne.

— Tonnerre des dieux! Urtur n'est pas un lieu de promenade rêvé!

— Nous avons des difficultés? demanda Khym.

— Juste un petit problème mécanique. Le régulateur aurait dû couper l'aubette pour éviter que ça claque. Je crois que c'est là où ça a cafouillé. Ce n'est qu'un incident technique sans gravité.

Mais c'était quand même une défaillance. Quelque chose avait fait claquer le dispositif. Et le saut qui les amènerait à Kshshti serait long. Très long. Le matériel serait soumis à rude épreuve. Et si cette aubette rendait l'âme...

– Quel est notre temps de transit?

– Quarante-huit heures avant le prochain saut, répondit Haral.

– D'ici là, nous aurons localisé le pépin.

Oppressée, Pyanfar, pour mieux pouvoir respirer, actionna la commande de son siège pour le faire reculer et lui fit effectuer un quart de tour. Elle vit alors Khym, la tête collée contre son appuie-nuque qui, ménageant son souffle, l'observait avec une curiosité glacée. Il n'avait pas été, il n'était pas malade. Et il était manifestement bien résolu à ne point l'être.

Elle devina quelle lutte il devait mener contre lui-même pour tenir le coup.

– Tully veut monter, dit Chur.

– Très bien. Qu'il monte.

Pyanfar était comme engourdie, étrangère aux calamités – celles de La Jonction et celles qui les attendaient. Elle jeta un coup d'œil en coin aux écrans qui renvoyaient tous l'image que captait le palpeur extérieur de *L'Orgueil*. Haral l'avait basculée – par réflexe ou après réflexion mais la panique n'y était pour rien. Cela faisait tout simplement partie des procédures de routine.

Spectaculaire, Urtur l'était indiscutablement : un gigantesque œuf au plat, encore agrandi par le capteur, dont le jaune était une étoile à l'incandescence infernale flamboyant au centre du disque lenticulaire de poussières qui l'entourait. Des planètes traçaient de sombres orbites à travers ce disque. Les mondes du système étaient pour la plupart des géantes gazeuses auxquelles venaient s'ajouter quelques planétoïdes grêlés de cratères enfouis sous la boue.

Non, ce n'était pas l'endroit idéal pour se promener. Les particules errantes ne mettraient guère de temps à transpercer la combinaison la mieux renforcée.

Le système d'Urtur appartenait aux mahendo'sat qui s'y livraient à toutes sortes d'activités typiquement mahen, par exemple forer des trous dans la poussière en quête d'indices en vue de découvrir à quoi Urtur ressemblait – cela par pure curiosité, curiosité qui était la raison d'être d'une multitude d'agissements propres à l'espèce. Mais, gens pratiques, les mahendo'sat tenaient à la disposition des méthaniens la planète Elaji, pour eux une plaisante oasis avec ses nuages constamment striés d'éclairs, ses météores qui traversaient toutes les minutes une atmosphère déjà transformée en serre chaude par les impacts précédents. Les oxy-respirants prenaient des photos de la surface. Les tc'a, à la recherche de métaux rares, creusaient avec enthousiasme des mines et maintenaient une industrie dans cet enfer.

Les knnn aussi.

Au fait, où est donc passé notre knnn à usage personnel? se demanda Pyanfar en scrutant l'image médiocre que renvoyaient les capteurs.

Avaient-ils aussi bloqué le balayage? Etaient-ils hors de portée des détecteurs?

Peut-être étaient-ils partis. Peut-être qu'ils avaient bel et bien perdu la piste.

Elle n'en croyait rien. Quand on ne trouvait pas un knnn, cela signifiait simplement qu'on ne l'avait pas repéré.

L'Orgueil effectua une correction de cap mineure, une légère poussée par bâbord. Le transit par Urtur pour tout navire traversant l'amas de poussières en diagonale consistait à déceler le hiatus le plus favorable dans la nuée de débris, à présenter la surface des aubettes le plus réduite possible au mitraillage des particules durant le passage à l'écliptique.

L'Orgueil avait déjà eu largement son content d'avaries, les dieux en étaient témoins!

– Mets le vaisseau sur son itinéraire et nous pourrons passer quelque temps en pilotage automatique. Tu t'occuperas des vérifications techniques quand tu auras quelque chose dans le ventre, Tirun. Qui est de cuisine?

– Moi, répondit Hilfy.

– Alors, file à la coquerie. (Et Pyanfar ajouta sans réfléchir :) C'est toujours au plus jeune membre de l'équipage que reviennent les corvées supplémentaires. Tu lui prêteras main-forte, Khym.

Ce dernier se borna à lui décocher un regard oblique, un regard noyé. Hilfy fit pivoter son fauteuil, déboucla son harnais et se mit debout. Khym se leva alors à son tour. Il titubait comme un ivrogne et dut se retenir un instant au dossier de son siège.

Du travail! Eh bien, il était servi!

Et ce fut sans se retourner, sans proférer une plainte, que l'ex-seigneur de Mahn suivit Hilfy pour aller à la corvée de cuisine.

Pyanfar vida lentement ses poumons, se remémorant le temps de leur jeunesse, la suzeraineté de Mahn, ses champs, la demeure au printemps.

Khym était maintenant un vieil hani fatigué qui essayait de tout recommencer. De repartir de zéro. Dans une dimension qu'il avait la plus grande peine à comprendre.

– Il va y avoir pas mal d'affréteurs qui vont s'étrangler de rage, murmura Tirun. Tu te rappelles les commandes urgentes de ce courtier?

– Je te parie qu'Ayhar va vivement mettre la main dessus, répliqua Chur.

Pyanfar détacha ses ceintures de sécurité et se

mit debout. Ses articulations étaient douloureuses et elle avait le dos en feu.

Elle s'étira mais se figea brusquement sur place. Observant un silence spectral au milieu du bruit blanc des machines de *L'Orgueil*, Tully se tenait sur le seuil de la porte, un bras appuyé contre l'encadrement, pieds nus, vêtu en tout et pour tout d'une simple culotte de navigante. Il était blafard et paraissait grelotter. A présent, plus d'*amie*, plus de *Py-anfar*. Rien que ce regard abattu d'animal acculé se demandant si quelqu'un avait le temps de penser à lui.

– Je sais, dit-elle. On va te donner à manger.

– En sûreté? (L'humain connaissait suffisamment la navigation pour pressentir que *L'Orgueil* avait une défaillance – et qu'il était seul et en savait trop long.) Navire? (Il fit un geste hésitant.) Cassé?

– Nous en avons le contrôle. Tout va bien. Il n'y a rien à craindre. (Les yeux pâles fixés sur elle battirent.) Les réparations seront bientôt faites.

C'était la peur, habituelle et patiente, qu'elle avait en face d'elle, qui la dévisageait. Obéissant au signe qu'elle lui adressait, Tully avança jusqu'au bout de la salle, jetant des coups d'œil furtifs aux écrans détecteurs. De nouveau, il riva son regard sur Pyanfar.

– Parler. (Il avait acquis quelques notions d'hani et elle s'était accoutumée à son élocution bredouillante. La traductrice crachotait inutilement ses parasites.) Parler, s'il vous plaît. Nécessaire.

– Le moment est peut-être venu de faire un brin de causette, en effet.

Une intense sensation de malaise envahit Pyanfar. Les choses avaient pris un tour anormal. Les mâles, leurs sautes d'humeur et leur vieil ami Tully avec cette étrange mobilité dans le regard, cet air bouleversé. Avait-il peur d'elles autant qu'il avait peur des kif? Ou la soupçonnait-il avec réprobation de mentir? Ou n'agissait-il depuis le début que dans un but intéressé?

Elle dégageait une odeur fétide. Instinctivement, elle se mit à penser à un bain, aux mâles, aux querelles, à mille choses folles – des impacts à cette vitesse, l'aubette qui semblait intacte sur les écrans de Tirun mais était détériorée à l'intérieur, ce qui pouvait avoir des conséquences extrêmement graves. Urtur. Accoster avec, vraisemblablement, des kif un peu partout à la ronde. Et inutile d'espérer la moindre assistance. Urtur ne disposait pas des forces militaires qu'il eût fallu pour repousser une quelconque attaque. *Pauvre humain stupide, ne sais-tu pas que nous pourrions tous trouver ici notre fin? Ils sont capables de surgir à l'improviste et de s'emparer de ce qu'il leur plaira, à commencer par toi...*

– Allez! dit-elle aux navigantes dont les mains qui s'activaient sur les commandes étaient agitées de tremblements. On fait la pause. Nous allons manger et dormir un peu. (Elle prit Tully par le bras.) Toi, tu vas venir avec moi et tout me dire, hein?

6

Les poussières chuintaient le long de la coque tel le lointain grésillement de la statique, couvrant les autres sons. Elle avaient un effet abrasif, certes, mais les pales des aubettes faisaient un angle minimal de portance, le dôme d'observation et les systèmes optiques étaient obturés. C'était tout ce que l'on pouvait faire. Ainsi, quand *L'Orgueil* sortirait de la couronne d'Urtur, sa carène serait un peu brunie, voilà tout. Les hani mettaient toute la vitesse possible pour traverser la ceinture de crasse périphérique du système.

En attendant...

En attendant, l'équipage s'entassait épaule contre épaule, dans la cambuse. On avait fixé une rallonge à la table et disposé un escabeau de visite qui était désormais la place réservée de *na* Khym. Les navigantes s'étaient serrées pour que Tully puisse s'asseoir parmi elles. Ils étaient sept, à présent, et ils formaient une bien insolite tablée. Les gestes de Tully, qui descendait coupe après coupe de *gfi* coupé d'hydrates de carbone et picorait un morceau par-ci, un morceau par-là, étaient encore empruntés. Khym, quant à lui, dévorait avec voracité pour quelqu'un qui, une demi-heure plus tôt, tenait à peine sur ses jambes tant il se sentait mal. Pyanfar lui lançait en coulisse des coups d'œil inquiets – à s'empiffrer de la sorte, il allait encore se rendre malade – et à demi satisfaits, son museau avait viré au cireux quand il s'était retrouvé de corvée de cuisine et il se tenait admirablement, c'était à peine croyable. Il partageait à tel point son attention entre son assiette et le distributeur de plats rotatif que l'on aurait pu croire qu'il était le seul mâle présent.

Les convives observaient un mutisme à peu près total. Seules Tirun, Chur et Haral parlaient à voix basse entre elles du problème de l'aubette qui ne cessait de les ronger. Prends un peu de ci, essaie un peu de ça, disait de temps en temps à Tully Hilfy, qui faisait de son mieux pour qu'il se remplisse le ventre.

Ne pas le harceler, ne pas le brusquer – vas-y doucement, s'exhorta Pyanfar. Faire en sorte qu'il ne perde pas son calme... le profil bas...

Enfin, elle constata qu'il se détendait, leur vieil ami, leur vieux compagnon... C'était comme si, finalement, il redevenait celui qu'il avait été. Décontracté.

L'heure était donc venue de parler. Maintenant, il leur dirait peut-être la vérité. Peut-être l'avaient-elles mis au pied du mur, avaient-elles trop exigé de lui, ne lui avaient-elles pas fait assez confiance. Peut-être avait-il été sensible à l'atmosphère de panique et que ce n'était qu'à présent qu'il se dénouait. Peut-être la vérité allait-elle enfin sortir de sa bouche.

Son cœur eut un raté quand, soudain, le regardant droit dans les yeux, Khym demanda à l'humain :

– C'est ta maison qui t'a chargé d'être plénipotentiaire ?

Tully battit des paupières. Lentement, sans accommoder.

– Plénipotentiaire ? répéta la voix monocorde de la traductrice.

O dieux ! Cette innocence dans ses yeux écarquillés...

– Moi, plénipotentiaire ?

– J'ignorais qu'ils avaient des Maisons.

Pyanfar s'aperçut qu'à son insu elle avait sorti ses griffes. Khym était en train de tâter le terrain. Elle le connaissait. Et elle connaissait Tully.

Ce fut subitement comme une chape de silence qui se serait abattue. Elle aurait voulu le briser, ce silence, le rompre, mais ce n'était pas faisable eu égard à l'assaut feutré et doucereux de Khym. La technique du chasseur, les dieux le vomissent ! Il cherchait à provoquer une réaction chez l'équipage et chez elle.

– N'emploie pas de mots aussi compliqués. La machine ne peut les traduire.

– Maison n'est pas un mot compliqué.

– Borne-toi à parler de choses concernant le navire. A des considérations techniques. Tu ne peux pas savoir ce que la traduction donne à l'arrivée.

– Répéter, dit Tully.

– Je t'ai demandé qui t'avait envoyé.

– ≠ ≠ moi envoyer.

– Tu vois ? Tu obtiens des mots qui ne signifient rien.

– Nom patrie, reprit Tully. *Soleil*. Aussi appelé *sol*. Nom planète *Terre*. Terre moi envoyer.

– Il parle!

– Le fait est. (En dépit d'elle-même, Pyanfar redressa ses oreilles.) *Soleil?* C'est bien cela?

– Où être nous? Ur-tur?

– Oui, Urtur. C'est cela.

Tully prit une profonde inspiration :

– Aller Maing Tol.

– C'est ce qu'il semble. En passant par Kshshti. Tu connais ce nom?

– Connaître. (Tully repoussa son assiette et posa ses bizarres doigts effilés sur la table.) La Jonction... Urtur... Kshshti... Maing Tol.

– Hum! (Il n'avait jamais su grand-chose des astres de la Communauté. Ce n'était en tout cas pas d'elles qu'il tenait cette science.) C'est Or-Aux-Dents qui t'a enseigné tout cela?

– Nom mahe Ino. Navire nom *Ijir*.

– Avant qu'Or-Aux-Dents t'ait récupéré, hein? Comment as-tu fait pour le trouver?

Tully parut gêné. Ou alors, c'était la traductrice qui cafouillait.

– Aller auprès Or-Aux-Dents, oui.

– Tu es resté longtemps avec lui?

– ≠ ?

– Es-tu resté longtemps à bord du vaisseau d'Or-Aux-Dents?

Peut-être était-ce le ton avec lequel Pyanfar avait posé la question? Le regard de Tully croisa le sien et se détourna. Il s'était fouetté pour rétablir ce bref contact.

– Où as-tu rencontré Or-Aux-Dents?

– Ino lui trouver.

Ce n'était pas une réponse satisfaisante. Pyanfar, immobile, dévisagea fixement le Terrien. Elle en oubliait la bouchée piquée au bout de sa fourchette. Mais elle n'oubliait pas Khym, assis à son côté. Surtout, ne pas se lancer dans une controverse en sa présence. Pas de querelle à laquelle Khym serait partie prenante. Des frémissements lui parcouraient les nerfs.

– Il y a longtemps que tu es parti? s'enquit Geran.

Tully tourna la tête vers elle.

– Non savoir. Temps beaucoup.

– Plusieurs jours?

– Jours beaucoup.

Il ne pouvait être plus précis. Il connaissait les limitations de la traductrice. Et il savait s'en servir mieux qu'il n'était en train de le faire. Il saisit sa coupe et la porta à ses lèvres – prétexte à son silence.

Le reste de l'équipage perçut peut-être tout le non-dit. Telle fut, du moins, l'impression de Pyanfar. Autour de la table, personne n'esquissait le moindre geste. Sauf Tully.

Leur vieil ami.

Lentement, elle fouilla sa poche, sortit le mince anneau, accroché au bout d'une griffe, et le posa sur la table.

Clic.

Le visage de Tully revêtit une pâleur qui rappelait la lividité des stsho. Il saisit l'anneau entre ses doigts aux ongles aplatis et en examina la face interne. Il leva les yeux – ces yeux étonnamment bleus. Ils étaient écarquillés, terrifiants.

– Où trouver? demanda-t-il. *Où trouver, Pyanfar?*

– A qui appartient-il?

Elle savait reconnaître la souffrance quand elle la voyait et elle s'en voulait d'avoir sorti l'anneau de sa poche. Surtout en présence des autres. Le cadeau d'un kif. Elle avait été stupide, doublement stupide, d'en avoir escompté autre chose que des tracas. Mais maintenant, il n'y avait plus moyen de revenir en arrière.

– Cela de mahe venir? l'interrogea l'humain. Or-Aux-Dents?

– C'est un kif qui me l'a donné. (Un tressaillement agita fugitivement la bouche de Tully qui pâlit encore un peu plus – si c'était possible.) Un de tes amis, Tully?

– Quoi dire le kif?

– Il a dit... il a dit que c'était un message destiné à... à notre cargaison.

De nouveau, les lèvres de Tully frémirent. Il eut plus de mal à se contrôler que la première fois. Autour de la table, personne ne bougeait. Ni à gauche ni à droite. Le silence s'éternisait, brisé seulement par le crissement des poussières sur la coque, le grondement feutré de la rotation, le sifflement sourd de l'air pulsé dans les conduits. Des yeux de Tully jaillit de l'eau qui se perdit dans sa barbe.

– Ami, vraiment? (Pyanfar toussota, furieuse contre elle-même, et repoussa son assiette. Et cela rompit le charme. Elle fusilla les navigantes du regard.) On la remet en état, cette valve, oui ou non?

– Où trouver anneau? s'enquit Tully avant qu'aucune des hani n'eût eu le temps de faire un mouvement.

– C'est un kif du nom de Sikkukkut qui me l'a remis. Son navire s'appelle le *Harukk*. A qui appartient cette chose?

Soudain, les lèvres de Tully ne furent plus qu'un mince trait blanc. Il baissa les yeux et essaya d'enfiler la bague à son doigt mais il dut forcer car elle était trop étroite.

– Besoin ≠, murmura-t-il sans s'adresser à personne en particulier.

Comme si les autres n'existaient pas. Comme s'il était ailleurs.

Il fallait profiter de l'instant où son esprit était en pleine déroute.

144

– Ce kif était à La Jonction, Tully. Il savait qu'Or-Aux-Dents t'avait fait embarquer sur *L'Orgueil*. Il savait que toute retraite nous était coupée. Et, ce qui est encore plus grave, il savait que j'étais totalement dans le noir. Veux-tu nous dire à qui appartient cet objet?

Les yeux bleus de l'humain s'embrasèrent.

– Ami, fit-il. Appartenir ami à bord *Ijir*.

Pyanfar exhala un long soupir et balaya du regard les visages des hani où se lisait l'étonnement.

– Ainsi, Or-Aux-Dents s'était réservé une porte de sortie? Tu es venu à nous. Tes compagnons sont allés ailleurs. *Où ça?*

– Eux kif capturer. Kif capturer ≠ *Ijir*.

– Alors, c'est qu'ils en savent beaucoup plus long que tu ne nous en as dit, pourriture des dieux! Qu'est-ce qu'ils savent au juste, Tully? Quel est l'objectif que tu poursuis... quel est l'objectif que poursuit ton *hu-ma-ni-té*?

– Humains demander secours.

– Quel genre de secours? Pourquoi es-tu ici, Tully?

– Kif. *Kif.*

– Qu'est-ce que tout cela veut dire? s'exclama Khym. Qu'est-ce qu'il raconte à propos... des kif?

– Plus tard, répliqua Pyanfar – et elle entendit l'air s'échapper bruyamment des narines de l'exsuzerain de Mahn. Tully, dis-moi ce qu'il y a d'écrit sur ce papier, tu m'entends?

– Vous rallier Maing Tol.

– Tully, le mot « reconnaissance » a-t-il un sens pour toi? J'ai sauvé ta maudite carcasse plus souvent qu'à mon tour!

L'humain se carra contre le dossier de son siège. Il avait ce regard tragique qu'elle exécrait.

– Besoin vous, dit-il en hani – d'étranges sonorités mises à mal que la traductrice rendit par des crépitements de parasites. Ami, Pyanfar.

– Je vais l'interroger, moi! gronda Khym.

– Non! rétorqua sèchement Pyanfar que la seule idée de ce qui risquerait d'en résulter paniquait au point qu'une brusque giclée d'acide lui brûla l'estomac. (Elle frappa la table du poing et les assiettes s'entrechoquèrent. Tully sursauta. Elle lui décocha un regard flamboyant.) Pourriture des dieux, tu vas parler! Tu vas me dire ce que sont ces papiers!

– Demander hani attaquer navire qui prendre humains.

– Cela tient debout.

– Vouloir commerce hani-mahe.

– C'est vrai?

– Vérité.

Les yeux de Tully imploraient sa confiance mais quelque chose au fond d'elle-même disait à Pyanfar que c'était faux. Faux, faux et archifaux. Car s'il s'était agi seulement de difficultés avec les kif, les mahe se seraient directement adressés au *han*. Des échanges commerciaux... c'était le piège. Le leurre.

Elle se tourna vers Haral. Haral au museau couturé, Haral la sagesse. Les oreilles de la navigante s'inclinèrent en arrière et ses moustaches pointèrent vers le bas comme si elle humait quelque chose à l'odeur nauséabonde.

Mais il n'y aurait aucun profit à harceler davantage Tully. La confiance... Elle était réduite à la portion congrue, la confiance! Naguère, Tully avait tenu les kif en échec des mois durant, il avait mystifié ses interrogateurs malgré la torture, malgré le massacre de ses compagnons d'infortune. Il n'avait pas capitulé. Mieux encore : il s'était évadé du bâtiment kifish où il était retenu captif. Ce n'était pas un demeuré. Et la manière forte ne servirait à rien avec lui.

– Allez vous occuper de cette vanne d'aubette.

– A vos ordres, capitaine.

Haral se leva et poussa Chur vers la porte. Hilfy et Geran quittèrent leurs sièges et Tully, lui aussi, se mit debout.

– Débarrassez-moi la cambuse, ordonna Pyanfar. Tully, en tant que membre le moins ancien de l'équipage, puisque c'est ce que tu es à présent, tu donneras un coup de main à Hilfy pour tout ranger. Toi, Khym, remonte sur la passerelle et tiens-toi à disposition.

– Je veux te parler, répondit l'interpellé sans bouger.

– Nous n'avons pas de temps à perdre en parlotes. (Les regards de Khym et de Pyanfar se croisèrent, aussi furibond l'un que l'autre. Le premier, toujours assis, lui bloquait le passage.) Ecoute, Khym, nous avons une avarie partielle avec cette vanne d'aubette. Ce n'est pas le moment de s'amuser. Tu as une question prioritaire à poser? (Khym, dompté, coucha ses oreilles.) Hors d'ici.

– On pourrait faire escale à Kura, non?

– Non. Ce n'est pas possible. Pas moyen de modifier de nouveau notre cap de ce côté-ci d'Urtur. Nous naviguons dans un magma de poussières avec une vanne d'aubette qui bat de l'aile... Ce dernier foutu changement de cap a failli être notre mort, tu comprends, oui ou non? Je n'ai pas le temps de discuter.

Il ne résista pas à la bourrade qu'elle lui envoya. Se levant, elle jeta un coup d'œil vers lui, vers Hilfy et Tully en train de débarrasser la table à une vitesse vertigineuse. Khym s'attardait, mortifié. Faisant appel à toute sa patience, Pyanfar le prit par le bras et l'entraîna vers la coursive, loin des oreilles indiscrètes.

– Ecoute, Khym, nous avons des ennuis.

– C'est ce que j'avais cru comprendre, figure-toi.

– Kshshti est tenue par les mahe mais c'est une position mal assurée. Si les kif ont établi un réseau de surveillance autour de Kita, ils ont probablement des observateurs à Kshshti. Mais nous y trouverons des appuis sinon les mahendo'sat ne nous y auraient pas expédiés.

– Tu les crois sur parole?

Derrière Khym, l'humain à l'épiderme blême qui desservait hâtivement ferma la porte.

– Je ne sais pas. Va, Khym.

– Ne me rembarre pas comme ça, Py. (Elle le dévisagea longuement, l'œil flamboyant.) Propriété de Chanur... J'avais oublié.

– Que veux-tu au juste, Khym? Moi, je vais te dire ce que je veux! Que cette aubette pourrie soit remise en état et qu'on ne s'éternise pas ici. Est-ce que je peux compter sur ton concours?

Il exhala un soupir qui n'en finissait pas et lança un coup d'œil derrière son épaule en direction de Tully.

– Et le petit chouchou?

– Ne répète pas ça!

Les oreilles à demi redressées de Khym s'aplatirent de nouveau.

– Soit. Je reconnais que c'était mesquin de ma part. Mais, par les dieux. Où as-tu mis les pieds, Py? Tu ne peux pas effectuer de transactions en dehors du *han*. Ils auront ta peau. Ce navire Ehrran...

– Tu avais remarqué?

– Au nom des dieux, Py...

– Tais-toi.

Il toussa, s'étrangla, reprit sa respiration.

– Propriété de Chanur. D'accord.

– T'attendais-tu que les choses aillent différemment? (Elle lui enfonça sèchement le coude dans la poitrine. Pas facile de faire entrer quelque chose dans la tête d'un mâle quand il avait cet air-là!) Est-ce qu'ils ont raison?

– Qui?

– Les stsho de la taverne.

Les narines de Khym se dilatèrent, s'étrécirent, se dilatèrent encore et le bord de son museau blêmit.

– Je ne vois pas le rapport.

– Hilfy y était. L'as-tu entendue formuler une question?

Khym se retourna derechef. Hilfy refermait les placards (clic, vlan, clic) les uns après les autres, tandis que Tully repliait les battants de la table. Son regard revint à Pyanfar. Ses oreilles étaient collées contre son crâne.

– Va aider Tirun, dit-elle.

– Je t'ai posé une question.

– Non, tu me mets à la question, ce n'est pas pareil. Tu veux avoir le même statut qu'Haral? Eh bien, fais ce qu'il faut pour le mériter, par tous les dieux!

Passant devant elle, il s'éloigna à grands pas, puis, s'arrêtant, pivota sur lui-même, lui faisant face, au soulagement teinté de consternation de la capitaine de *L'Orgueil*. Il n'avait pas regagné sa cabine, c'était déjà un point d'acquis. Et, dieux, plus de querelle!

Il était immobile, impassible, protocolaire.

– Va aider Tirun et Haral, fit-elle. Nous n'avons, nous autres, nul désir de mort. Cette aubette doit être réparée.

Mort. C'était délibérément qu'elle avait prononcé le mot, comme un coup de massue porté entre les oreilles. Elle en avait le cœur retourné.

– Parfait.

Khym s'inclina et s'en fut, silhouette massive se découpant sur les lumières du pont.

Pyanfar revint dans la cambuse. Hilfy et Tully étaient maintenant désœuvrés.

– Dehors, ordonna-t-elle à la première.

La navigante sortit précipitamment et le bruit de ses pas s'éloigna dans la coursive.

Tully était accoudé au plan de travail.

– Bien. Tully, je veux la vérité.

– Maing Tol.

– Je te fais peur, hmmm? Maing Tol, Maing Tol... Ecoute-moi. Et ne joue pas les ahuris: tu me comprends très bien. Tu voulais parler, parler à toute force. Eh bien, parle! C'est le moment. (Peut-être, à en juger par la mine de l'humain, la traductrice dénaturait-elle ses propos?) Parle, Tully, je t'en conjure. Si tu veux que nous soyons amis, tu ne dois pas me faire de cachotteries, par les dieux!

– Asseoir je.

Il se coula jusqu'à la table sur laquelle il se jucha comme si ses jambes ne pouvaient plus le porter.

– La vérité. (Pyanfar se rapprocha de lui, muré dans son silence, posa les deux mains sur la table et riva ses yeux flamboyants aux siens.) Et tout de suite, compris?

Tully recula. Son odeur était celle de la peur et de la sueur humaines comme lorsqu'elle l'avait serré contre elle, qu'elle avait senti son cœur cogner si fort que l'on eût dit des coups de marteau. Mais, impitoyablement, elle lui emprisonna le bras, toutes griffes dehors.

– Tu mets mon équipage en péril, Tully. Tu mets Chanur en péril. Par les dieux, ne me raconte pas de mensonges! D'où es-tu venu?

– Ami.

– Tu veux que je t'écrabouille la cervelle?

La respiration de Tully se fit hachée.

– Maing Tol. *Aller* Maing Tol.

Pyanfar le scruta longuement.

– Tu es venu me chercher. « Besoin », as-tu dit. Besoin de quoi? Tu vas parler, à présent, Tully, tu vas parler! Besoin de quoi? Où es-tu allé?

– Espace humain. Vouloir venir. Vouloir, Pyanfar.

– Tu t'es donc rendu auprès des mahendo'sat?

– Mahe dans espace humain venir.

– Or-Aux-Dents?

– Nom Ino. Nom navire *Ijir*.

Pyanfar vida lentement ses poumons.

– Canaille perfide! (Elle amalgamait Or-Aux-Dents, le négoce mahen et un gigantesque, un colossal mensonge.) Répète encore.

Elle lisait de la détresse dans les yeux bleus braqués sur elle. Levant la main et rentrant ses griffes, elle tapota doucement la joue de l'humain.

– Continue, Tully. Il faut que tu m'en dises davantage. Qu'est-ce que cet *Ijir* vient faire dans cette histoire? Pourquoi était-il entré dans l'espace humain? Pour des raisons d'échanges commerciaux?

– Vaisseau humain. (Tully entreprit de tracer des diagrammes sur le dessus de la table.) Humain. Kif. Mahe. Pas bon, kif. Trois vaisseaux humains. Partis. Non rentrer port. Essayer aller stsho. Mahe aller et venir. (Il dessinait des itinéraires, les itinéraires des navires marchands mahen abordant l'espace humain.) *Ijir* venir. Dire vouloir emmener humain parlant mahe. Vouloir venir je – Tully. (Une expression étrange déforma sa bouche.) Je petit, Pyanfar. Humain furieux beaucoup. Ils quand même envoyer je. Je petit. Mahe croire je grand. Vouloir. Prendre. Humain penser je causer tracas. Tu taire toi, Tully. Quoi savoir? (Il traça une ligne perpendiculaire matérialisant la route de l'*Ijir* quittant l'espace humain en direction de la Communauté.) Or-Aux-Dents venir. Parler beaucoup, Ino, Or-Aux-Dents. Or-Aux-Dents vouloir parler moi, pas parler beaucoup autres humains, autres humains très pas contents.

Il poussa un profond soupir et regarda Pyanfar comme pour s'assurer qu'elle comprenait son baragouin. Sa mine était chagrine.

– Politique, maugréa-t-elle. Politique et protocole. C'est la même chose là-bas, hein? (Dérouté, Tully battit des paupières.) Continue.

– Or-Aux-Dents vouloir à je parler. Vouloir je monter navire Or-Aux-Dents. Je dire aller trouver vous, vous amie, bonne amie. Or-Aux-Dents non connaître. Vouloir aide. Vouloir vous parler ces mahe.

– La crapule! (Nouveau clignement de ses yeux

couleur de ciel.) Ainsi, les mahe te voulaient, toi? Et ils ont organisé un rendez-vous. Voulaient-ils quelqu'un à qui ils pourraient parler? Quelqu'un qui parlerait, hein? Et ce papier? Que dit-il? Pourquoi Maing Tol?

– Je spationaute. (La bouche de Tully tremblotait comme chaque fois qu'il était ému.) Je jamais dire moi $\neq$, Pyanfar.

– Ce papier, Tully! De qui provient-il? Qu'y a-t-il dessus?

– *Ijir* rencontrer Or-Aux-Dents. Il dire faire papier... même papier humains sur *Ijir* avoir...

– Tu veux dire qu'ils en ont établi une copie de l'original?

Tully secoua la tête avec véhémence.

– Pareil. Oui. Dire il prendre je pour trouver vous, parler stsho, apporter papier Maing Tol, aider humains... (Il leva la main à laquelle il avait passé l'anneau.) Kif prendre eux. Kif prendre *Ijir*, prendre papier pareil vous avoir...

– Quand cela?

Il hocha le menton.

– Non savoir. (Il y avait, maintenant, du désespoir dans ses yeux.) Je demander venir hani, demander, demander beaucoup souvent. Or-Aux-Dents ami? Il ami, Pyanfar?

– Bonne question, murmura-t-elle, ce qui eut pour effet de déconcerter son interlocuteur. Tu n'as rien à craindre, fit-elle en lui tapotant l'épaule de la pointe d'une griffe. Tu comprends? Pourquoi Maing Tol? Et pourquoi moi?

Il frissonna de façon tangible et, allongeant le bras par-dessus la table, il happa la main que Pyanfar retirait sans se soucier des griffes qui pointaient de manière réflexe.

– Grand ennui. Beaucoup vaisseaux humains, beaucoup bientôt venir Maing Tol.

– En traversant l'espace kif? Il y a des knnn par

là! Combien de navires? De combien de vaisseaux humains parles-tu? Trois? Quatre? Plus?

– Papier dire – nous empêcher kif venir dans espace humain, prendre vaisseaux humains. Mais Or-Aux-Dents dire je... Or-Aux-Dents dire... il penser peut-être maintenant pas kif prendre vaisseaux humains. Peut-être knnn.

– O dieux bons!

Pyanfar eut presque un instant de défaillance. Si elle avait eu un banc à sa disposition, elle s'y serait laissée choir. Elle se borna à regarder fixement Tully.

– Or-Aux-Dents dire message devoir parvenir Maing Tol, faire stopper mahe, faire stopper kif, faire bataille...

– Bataille? Horreur des dieux! L'humanité est-elle capable de distinguer les knnn des kif?

– Non.

– Au nom des dieux, tu connais les knnn! Leur as-tu dit... leur as-tu dit la différence?

– Qui, je? Ils non écouter. Te taire, Tully. Je petite personne, petite, non ≠, Pyanfar!

– Dieux et tonnerres!

– Pyanfar...

– Les insensés!

– Or-Aux-Dents ami? demanda de nouveau Tully. Je faire bien?

Elle le considéra longuement, très longuement. Il paraissait terrorisé, c'était tout, et leur seul moyen de communication était une traductrice au fonctionnement aléatoire. Deux intelligences l'une à l'autre étrangères, séparées par un abîme.

– Or-Aux-Dents est un mahendo'sat, dit-elle d'une voix dénuée d'inflexions. Et il a un Personnage sur le dos. Ils sont venus te chercher, ami, parce qu'ils voulaient établir des relations commerciales, j'en mettrais ma main au feu. Et ces navires humains ne faisaient pas le poids. L'*Ijir* n'est pas un banal bâtiment commercial, absolument pas. Ils voulaient te faire venir à un lieu de rendez-vous – pour savoir quels sont les objectifs de l'humanité. Voilà le jeu qu'ils jouaient. Mais ils en ont trop appris, beaucoup trop, et maintenant, Or-Aux-Dents a peur. Peur – il a peur, tu comprends? Les kif, les mahe peuvent en venir à bout. Mais si les knnn viennent fourrer leurs petites pattes noires là-dedans... ô dieux, Tully! Fous que vous êtes!

– Beaucoup vaisseaux venir... beaucoup, Pyanfar. Combattre kif, stopper knnn.

– Personne ne se bat contre les knnn! Dieux et tonnerres, on ne se bat pas contre quelqu'un avec qui il n'est pas possible de parler! (L'affliction se lisait dans les yeux élargis de l'humain.) Où est Or-Aux-Dents, Tully? Tu le sais?

En guise de réponse, Pyanfar n'obtint qu'un hochement de tête incompréhensif. Elle s'écarta de la table avec l'impression que ses genoux allaient se dérober sous elle. Et toujours ce regard bleu qui la transperçait. Egaré.

N'allez pas au *han*, avait dit Or-Aux-Dents. Et attention à Or-Aux-Dents, alliés stsho d'Or-Aux-Dents...

Avec le *Vigilance* dans le même port.

Des doutes assaillaient l'esprit de Pyanfar. Vagues. Qui se mordaient la queue. Le soupçon que le navire *han* avait eu vent de l'homologation des lettres d'espace Chanur, de l'argent passé de mains mahen à des mains stsho...

... que la présence de ce navire et de celui d'Or-Aux-Dents avait peut-être eu une raison que ce dernier avait passée sous silence... des consultations entre le *han* et les mahe. Des stsho aussi sournois que Stle stles stlen pouvaient fort bien être dans la confidence.

Et des doubles jeux, des trahisons intéressées à des niveaux autres que financiers – plus profonds...

Dieux! Les stsho, ces xénophobes à tout crin, et les knnn, l'ultime raison... vivant porte à porte –

vivant ou voyageant ou faisant ce que les knnn faisaient, quoi que ce pût être, avec leurs navires!

Peut-être les hani, piquées au vif par les allusions des stsho laissant entendre que les mahendo'sat leur avaient ouvert les portes de l'espace pour faire contrepoids aux kif, avaient-elles eu la langue trop longue... peut-être qu'une grande part du savoir des stsho venait de méthaniens. Des tc'a, probablement. Mais ces serpents, ces êtres sans membres avaient-ils eux-mêmes inventé leur technologie?

Ou étaient-ce des chi (qui pouvaient être des parasites – ou des esclaves – ou des animaux de compagnie) que les tc'a la tenaient? Non, c'était peu vraisemblable.

Or-Aux-Dents avait eu raison de paniquer. Et, étant un mahe, il avait agi en mahe : il s'était rabattu sur des contacts de sa connaissance – conformément à toutes les traditions de l'espèce mahen. Il était allé chercher Tully. Consigne : le ramener. Quand il avait eu des difficultés pour prendre l'espace, c'était à elle, Pyanfar, qu'il s'était adressé. Pas au *han*. Pas à Ehrran. Par les dieux, le *han* connaissait les mahendo'sat : c'était pour cela que la loi interdisait que l'on se mette au service d'affréteurs étrangers. Les mahendo'sat se tournaient vers Personnage. Vers la Quantité Connue. Ils édifiaient des pouvoirs. Les démantelaient. Ficelaient solidement les règlements hani et sapaient les puissances en les ignorant en période de crise.

Crédit illimité – ami. Dis-nous ce que tu sais. La même tactique qu'ils employaient avec les humains.

Chercher Tully.

Dieux, ce que les kif eux-mêmes n'étaient pas parvenus à faire, ils l'avaient fait : ils avaient extorqué à Tully tous les renseignements qu'il possédait.

(« Je faire bien? » avait demandé l'humain avec son regard d'azur.)

Une chose était certaine : ils la tenaient par la barbe. Ils avaient réussi à la coincer. Et peut-être aussi Stle stles stlen lui-même.

Jusqu'à ce que la flotte de l'humanité ait mis le cap sur la Communauté et que les knnn aient soulevé des objections.

– Tracas ? demanda Tully.

Redressant les oreilles, Pyanfar lui adressa son regard le plus suave.

– Nous allons arranger ça. Toi, retourne dans ta cabine, n'est-ce pas ?

– Je spationaute. Je travailler. (Il tapota sa poche.) Je papier avoir, Py-an-far.

C'était la stricte vérité. Il était citoyen de la Communauté, il avait une licence de navigant en règle. Toujours les intrigues mahen. Il était dans l'incapacité de manipuler les commandes, il lui fallait une rallonge pour appuyer sur les boutons et il ne maîtrisait pas le langage hani !

Alors, on l'avait bouclé en bas, ballotté dans tous les sens. Il s'était attendu à davantage de considération. Les dieux savaient qu'il avait dû compter sur un autre traitement de leur part !

– *Na* Khym est à bord, fit-elle, se sentant rougir jusqu'aux oreilles. C'est un mâle, Tully.

– Ami.

Elle n'était plus rouge : elle était cramoisie.

– Tant que vous ne serez pas tous les deux dans la même pièce, tout ira bien. Va où tu en as envie mais fais en sorte de ne pas te trouver sur son chemin. Les mâles sont différents. Ne discute pas avec lui. Ne lui parle pas si tu peux t'en dispenser. Contente-toi de faire le gros dos et, pour l'amour des dieux, ne la ramène pas – ni avec lui, ni avec nous. (L'expression de Tully exprimait le plus complet désarroi.) Tu entends ?

– Oui.

– Maintenant, tu peux disposer.

Elle le suivit des yeux tandis qu'il s'éloignait en direction de la passerelle.

Elle attendait l'explosion – se rendit compte qu'elle l'attendait et rentra ses griffes qu'elle faisait machinalement jouer. Le chuintement suraigu des poussières lui rappela que *L'Orgueil* fonçait à pleine vitesse et que le moment approchait où elle devrait effectuer le saut.

Il n'existait pas d'autre issue.

Les lumières de la passerelle brûlaient toujours. Par rotation, le personnel allait prendre un peu de sommeil, après quoi on revenait relayer la vigie de service au pupitre 2. Le sifflement de la poussière était omniprésent et, de temps à autre, des débris de plus grosse taille heurtaient la carène. (« Quand nous sortirons de cet amas, on brillera comme une cuiller toute neuve », avait dit Hilfy un peu plus tôt, et Tirun avait rétorqué : « Nous serons aussi criblés de cratères que Gaohn » – ce qui n'était pas encore le cas.) De temps en temps le crissement des poussières sur la coque se faisait plus strident du fait du différentiel V et, par intermittence, les détecteurs de particules et correcteurs automatiques du bord mettaient les réacteurs de compensation en action, d'où de brefs écarts de pesanteur qui faisaient tituber les navigantes dans les coursives. Parfois, on voyait apparaître sur l'écran de balayage un obstacle important et *L'Orgueil* modifiait sa trajectoire en conséquence pour l'éviter.

Mais le travail continuait. Cela valait pour l'humain comme pour les hani. Les témoins d'une section de l'ordinateur scintillaient, ce qui voulait dire que, dans la cabine qui lui était dévolue, Tully était devant son terminal à affûter sa linguistique. Cherchant les mots, pourchassant les équivalences, se colletant avec la traductrice pour combler peu à peu les lacunes de son discours et diminuer la fréquence de ses crachotements, il s'escrimait depuis des heures à apprendre le hani.

Et Khym, traînant les pieds, les yeux rougis, grelottant, émergea de la coursive, venant de la soute prétendument chauffante.

– Je me suis occupé des réserves, annonça-t-il en balayant d'un regard morne les écrans pour lui illisibles et l'équipage au travail qui lui tournait le dos.

– Va te coucher, lui dit Pyanfar. Et prends un bain chaud. Tu as fait tout ce que tu pouvais faire.

– Nous avons toujours des problèmes, n'est-ce pas?

– On s'en occupe. Allez... ne reste pas là. Nous aurons besoin de toi plus tard. Va dormir un peu.

Khym obtempéra. Silencieux. Il se retourna une dernière fois, l'œil toujours aussi sombre.

Pyanfar poussa un soupir auquel d'autres soupirs firent écho et massa ses yeux douloureux. Elle éprouvait le pincement du remords.

– Je suppose qu'il a tout arrimé? fit Tirun.

– C'est une chose dont il a dû se souvenir.

Mais Pyanfar se rappelait l'insouciance dont Khym avait fait preuve dans la coquerie – les assiettes sales abandonnées, un placard dont il n'avait pas tiré le verrou. Elle actionna le contrôle de sécurité. Toutes les portes étaient bien fermées. Pourtant, son sentiment d'angoisse ne la quittait pas.

Sur les moniteurs, les chiffres continuaient inlassablement de défiler avec leur charge d'informations inquiétantes. On avait beau avoir tout essayé, la situation demeurait inchangée. Ils s'enfonçaient toujours plus avant dans l'amas de poussières et la station signalait quatre kif à quai, dont un en partance, deux cargos mahen et six minéraliers t'ca.

L'Orgueil était en état d'infériorité numérique.

– Vomissure des dieux! grommela Haral.
Encore une théorie à mettre au rancart.

Quand Pyanfar remonta pour la troisième fois sur la passerelle, Tirun était toujours à sa console en compagnie de deux autres navigantes : Hilfy qui avait remplacé Chur et Haral qui était de retour après avoir été relevée par Geran.

– Tonnerre des dieux! Ne t'ai-je pas dit de faire la pause?

– Pardonnez-moi, capitaine. (La voix de Tirun, dont les yeux ne quittaient pas le ruban de papier et les zigzags du stylet enregistreur, était enrouée.) Il m'est venu une autre idée.

Elle s'affaissa sur elle-même, se redressa en prenant appui sur le rebord de la console et effectua une nouvelle correction d'assiette, puis attendit en se mordillant les moustaches et en se frottant les yeux. Le stylet grinçait sur le tambour.

Haral tendit le doigt.

– Il y a le YR89. S'il lâchait...

Tirun exhala un grognement rauque et agacé. Haral retira sa main. Précipitamment. Le stylet grinçait.

Les navigantes se taisaient. Le crissement des poussières abrasant la coque gagna en intensité. *L'Orgueil* rectifia sa parabole. Il y eut un impact retentissant.

– Dieux pourris! s'exclama Hilfy.

Elle baissa aussitôt les oreilles avec embarras et, enfouissant le menton dans le creux de son coude posé sur le bord du pupitre, fit mine de se murer à nouveau dans le silence.

Tirun glissa une languette dans la fente de l'autolecteur. Les témoins lumineux papillotèrent comme si tout allait pour le mieux. Les épaules de la navigante se voûtèrent.

– On a absolument tout essayé? demanda Pyanfar.

– Absolument tout.

La voix d'Haral était calme et posée. Celle de Tirun était vacillante quand elle reprit :

– C'est insensé! Je n'arrive pas à déterminer ce qui cloche.

– Fatigue du métal?

– Je suppose que cela vient de là. Il est toujours possible qu'on ait eu affaire à un élément défectueux. Rappelez-vous l'histoire de l'étrier de pale, à Kirdu.

Pyanfar soupira et considéra fixement Tirun en train de dépouiller ce maudit rapport sur la panne de l'unité foireuse.

– Nous avons encore un rétropulseur, fit-elle.

– Il sera à bout de souffle à l'arrivée à Kshshti. Il nous restera juste assez d'énergie pour décélérer. A condition d'avoir de la chance, encore.

Pyanfar réfléchit, passant en revue l'ensemble de l'unité de propulsion.

– Revenons-en au régulateur.

– Vous voulez remplacer le YR?

Une interminable reptation le long de la gaine technique. Un interminable travail en solo et dans le noir consistant à déconnecter un disjoncteur au milieu des circuits à l'endroit où, précisément, le système était déjà défaillant. De l'intérieur parce que les scaphes n'auraient pas résisté au bombardement des particules.

– Non, je te remercie, mais je tiens à ce que personne ne manque à l'appel quand nous rallierons Kshshti. (La capitaine exhala un nouveau soupir.) Nous ferons effectuer la réparation sur place, voilà tout.

Les têtes se baissèrent, les oreilles mornes.

– Mais qu'est-ce que vous voulez que l'on fasse d'autre?

– Je peux essayer d'aller voir ce qui se passe dans cette gaine, proposa Hilfy.

– L'héroïsme c'est très joli mais les héros ont la

vie brève, petite. (Pyanfar se tourna vers Haral.) Nous nous en tiendrons au plan de vol prévu.

– Si nous arrivons à bon port... commença Hilfy.

– Par tous les dieux pourris, j'aurais déjà confié ce travail à Chur si cela avait été possible. Elle, au moins, connaît cette mécanique!

Des oreilles qui pendent mollement. Des épaules qui retombent.

– Si l'un d'entre nous se fait tuer là-haut, elle risquera de faire sauter tout le système avec elle, la capitaine a raison, murmura Tirun.

– Cela élimine catégoriquement l'option Kura, dit Haral.

– Hum! maugréa Pyanfar. Ce n'est pas une option.

– Il y a Urtur.

– Il y a Urtur.

Pyanfar soupira derechef à n'en plus finir et se reprit à songer à ce sur quoi elle méditait depuis une dizaine d'heures. Faire une escale qui se prolongerait des jours et des jours à Urtur. Avec cinq kif, deux bâtiments mahendo'sat et six tc'a capables de faire n'importe quoi. Ou rien du tout si les kif les mettaient en pièces ou se lançaient à l'abordage.

– Les mahendo'sat veulent que nous rejoignions Kshshti. C'est le désir d'Or-Aux-Dents. Vous avez vu l'image sur le capteur? Sikkukkut n'a pas passé le mot. Qui relève ce pari?

– Ce sont les kif qui mènent le jeu, je ne me risquerais pas à le relever. Avez-vous suffisamment cuisiné Tully pour pouvoir nous expliquer de quoi il s'agit?

Pyanfar s'adossa avec lassitude à l'armoire et dévisagea Haral.

– De quelque chose d'énorme. De vraiment colossal. Tu veux savoir quoi? Les mahendo'sat ont essayé de s'adjuger l'humanité en passant par la petite porte. Les humains ont perdu plusieurs navires. Je soupçonne l'*Ijir* d'être une unité de combat – un chasseur. Il est entré dans l'espace humain et s'est emparé de Tully – un « coup » typiquement mahen. Voulant savoir de quoi il retournait au juste, le plus simple était effectivement de mettre la main sur lui. Il parlerait. Il leur ferait confiance. Il répondrait à toutes leurs questions.

– Bonté des dieux! marmonna Hilfy.

– Les choses ne s'arrêtent pas là, ma nièce. L'humanité voulait envoyer aux mahendo'sat des émissaires dotés de réels pouvoirs, je présume, parce qu'ils avaient des ennuis. Les mahendo'sat, eux, voulaient Tully parce qu'ils ont des ennuis. C'est là où cela se complique. Toute cette affaire a, à mon avis, mis la puce à l'oreille des knnn. (Personne ne faisait un geste. Les pupilles dilatées des navigantes n'étaient plus que de fins anneaux d'ambre.) Je crois, reprit Pyanfar – patiemment, posément –, je crois que les humains ont fait des promesses d'ouverture de marchés qu'ils n'ont pas tenues et que les mahendo'sat ont envoyé un vaisseau chez eux pour tirer les choses au clair. Les humains, de leur côté, mettent tout sur le dos des kif et Tully n'est pas assez haut placé dans la hiérarchie de l'humanité pour qu'on lui en ait dit davantage. Il ne pouvait pas connaître la dimension knnn du problème. Donc, les mahendo'sat l'embarquent. Ils ont rendez-vous avec Or-Aux-Dents quelque part au large de Tvk, j'imagine. Pour le soumettre à interrogatoire, peut-être – les dieux seuls le savent! Selon ses dires, les membres de la délégation ont été mortifiés de ce qu'Or-Aux-Dents les ait traités par le mépris et ait voulu l'avoir pour interlocuteur exclusif. Il a fait venir Tully seul à son bord. Puis l'*Ijir* est parti pour Maing Tol et Or-Aux-Dents pour une destination inconnue. Entre-temps, les stsho qui gardaient depuis deux mois nos certificats de dédouanement sous le coude nous les ont miraculeusement remis en bonne et due forme, et nous nous sommes, en définitive, retrouvés ensemble à La Jonction, Or-Aux-Dents et nous.

– Et le *han* aussi, fit observer Hilfy.

Pyanfar la regarda en battant des paupières : la même idée lui était simultanément venue à l'esprit.

– Stle stles stlen !

– Le maître de station ?

Haral avait posé la question sur un ton rauque où perçait la fatigue mais ses oreilles s'étaient soudain redressées.

– Cela se pourrait bien. Le *han* a demandé la tenue d'une conférence. L'homologation de nos papiers a été monnayée par les uns ou par les autres. Quelqu'un a voulu nous mettre dans le coup. Les mahendo'sat, j'en ai l'impression. Je dirais même Or-Aux-Dents en personne. Nous sommes sa Quantité Connue. Mais c'est vrai, aussi, de Stle stles stlen. Théoriquement. Pour l'instant, je me garderai de me prononcer. Il y a, en tout cas, *quelqu'un* qui pousse à la roue. Les stsho ont, certes, accepté notre bon argent pour nous remettre nos lettres d'espace en règle mais qui sait s'ils n'en ont pas empoché également de tout le monde ?

– C'est une situation pourrie, grommela Haral.

– Et deux fois plus s'il y a eu une intervention d'Ehrran, renchérit Tirun.

– Où est allé Or-Aux-Dents ? s'enquit Hilfy.

– Je l'ai demandé à Tully. Il n'en sait rien, prétend-il. Et c'est vraisemblable.

– Il est passé par ici, dit Haral. Mais quelle était sa destination finale ? Kura ? Kita ? Ou Kshshti ?

– Nous croyons qu'il est passé par ici, rectifia Tira d'une voix éteinte. Je ne me fierais pas, quant à moi, aux affirmations de cette créature.

– Tu lances l'appât et tu ferres. Cette raclure de mahe est aussi fourbe qu'un kif. Non, je ne jurerais pas que le message n'ait pas été transmis avant qu'il n'arrive à La Jonction. Peut-être par un agent posté au large. La Jonction alerte alors Kshshti avec Urtur comme relais et, nous, nous sommes censées croire que nous sommes simplement le front d'onde, voilà!

– Ces knnn à La Jonction... il ne faut pas les oublier, dit Tirun.

– Pour ça, nous ne pouvons rien faire. Sinon filer d'ici.

– Et ne pas nous retrouver en miettes à l'arrivée, grommela Haral. Kshshti, c'est un grand saut. Très grand.

– Mais faisable. Même si ce collecteur grille. Possible que la distance le fasse claquer mais cela aura aussi un avantage. Dans ce cas de figure, nous émergerons avec une vélocité marginale. Dans la pire des hypothèses, nous pourrons freiner. Dans la meilleure, ce n'est pas la YR qui nous joue des tours et l'élément tiendra jusqu'au bout.

– Peut-être qu'il tiendra, peut-être qu'il ne tiendra pas, répliqua Tirun. Avec ces anomalies non identifiables, on ne peut jamais faire de pronostics. Jamais. Il peut aussi bien tenir jusqu'à Kshshti que claquer à Maing Tol, quand nous passerons à une vélocité supérieure.

– Je voudrais que vous fassiez une chose : gonfler le collecteur en soutien pour le cas où nous aurions un pépin dans un autre élément. Vérifions seulement les systèmes originaux. Est-il possible de faire le travail en quatre heures?

– Oui, je pourrai, dit Tirun.

– Non, pas toi. Il faut que tu dormes un peu.

– Je m'en charge, dit Haral.

– On renonce à une troisième redondance pour l'unité YR? demanda Tirun. Elle a pu être endommagée quand le régulateur a été renforcé. Si elle est en aussi mauvais état, cela fera fatalement sauter le circuit.

Pyanfar réfléchit à cette suggestion. La question

était de décider s'il fallait ou non faire du trapèze volant sans filet. Voilà où on en était!

— Non, laissa-t-elle finalement tomber. Je joue mon va-tout sur la turbine N° 2. On ne peut pas risquer ce que nous avons à bord – sans parler du reste – sur un coup de dés pareil. Au moins, nous aurons encore quelque chose à l'arrivée. C'est le pari maximal que nous pouvons prendre.

— Mais qu'avons-nous donc à bord?

— Un message de l'humanité adressé à Maing Tol et à Ijir. La traductrice. Un message d'Or-Aux-Dents à son Personnage. Les dieux savent ce qu'il contient. Cela a trait aux knnn – très vraisemblablement. (Pyanfar poussa un long soupir. Dans quelle mesure le *han* était-il ou non impliqué? Des alliances. Des trahisons.) Tous les systèmes branchés sur la N° 2 et nous émergerons à Kshshti à l'heure dite. Quand Chur et Geran reviendront prendre leur service, prévenez-les de ce que nous faisons.

— On ne prévient pas Khym et Tully?

— Dieux! Pour qu'ils se tourmentent? Dites-leur que tout est rentré dans l'ordre.

— Qu'adviendra-t-il de Tully si nous arrivons à Kshshti avec des avaries? s'enquit Hilfy dans un chuchotement. Nous serons obligés de rester à quai. Et seuls les dieux savent ce que les kif...

— Je vais te dire ce que nous allons faire, petite. Nous rallierons Kshshti avec les moyens du bord et, quoi qu'il arrive, nous le remettrons entre les mains des mahe, par les dieux! A eux de se débrouiller avec lui. Ils disposent de deux chasseurs. Alors, ils n'ont qu'à s'en occuper. (Pyanfar se leva.) Et maintenant, allez vous reposer. Toutes, cette fois!

— A vos ordres, murmura Tirun avec ce qui lui restait de voix.

Hilfy la regarda fixement, la bouche grande ouverte.

— Il n'y a rien d'autre à faire, lui dit sa tante. Rien.

Tully est trop important pour que l'on prenne des risques. Ce message est trop important. Compris? Le propulseur nous amènera jusque là-bas.

— S'il cafouille comme ça, cela pourra nous paralyser une semaine!

— Eh bien, nous verrons. S'il faut mettre *L'Orgueil* en cale sèche, nous avons de quoi régler la facture. Nous sommes coincées, petite.

— Je pourrais me faufiler dans la gaine technique et remplacer l'élément défectueux.

— Pas question. C'est à Chur que reviendrait cette tâche. C'est la plus petite de l'équipage. Et elle n'est pas assez folle pour s'y coller.

Personne ne répliqua. Seul, à présent, le chuintement des poussières sur la coque brisait le silence.

Pyanfar se mit en marche. Au moment où elle atteignait la porte de la coursive, le navire effectua une nouvelle correction de cap qui la fit trébucher. Une idée qui la glaça soudain lui vint et, se retournant, elle pointa un doigt vers Haral :

— Interdiction formelle pour cette enfant de mettre ce projet à exécution. Tu la surveilles. Si jamais une navigante s'introduit dans cette gaine, je la flanque à l'espace. Vu?

— A vos ordres.

Personne ne la suivit dans la coursive. Elle était à tel point exténuée que la lassitude lui brouillait la vision et elle dut prendre sur elle pour ne pas se frotter les yeux quand elle passa devant la cabine de Khym.

L'idée d'y entrer l'effleura. Elle n'avait pas... pas depuis Hoas. Ce n'était pas, ce n'avait pas été le moment, alors. Errant de monde en monde, les navigantes n'avaient que faire de ce genre d'aimables divertissements. Mais le sommeil serait long à venir avec le crissement des poussières, avec les légères mais continuelles variations de la pesanteur. Peut-être dormait-il et il l'assaillirait de questions si elle le réveillait.

« Tu as réparé, Py? »

Elle entra dans sa propre cabine, prit place à son bureau et se mit méthodiquement au travail.

Des diagrammes de trajectoires. Calculer toutes les autres routes susceptibles de les mener à Kura et dans l'espace hani sans qu'il soit nécessaire de faire une escale technique sur Urtur où pullulaient les kif.

Mais aucune n'était praticable. Et, d'ailleurs, s'il y avait eu une possibilité, il aurait fallu compter aussi avec les knnn.

Or-Aux-Dents, espèce de crevure mahen! Une chose était certaine : il veillait à la sécurité des siens.

Eh bien, elle le lui rendrait, son colis. Tenez, crapule de mahe! Embarquez-le et bonne chance! Et disparaissez vite!

Et Tully...

Elle enfouit son visage entre ses mains. Dieux, dieux, dieux...

Les knnn.

Et le sanctuaire qu'était l'*Ijir*, quoi qu'il ait pu être d'autre par ailleurs, avec son échantillon d'humanité à bord...

Une proie pour les kif, les dieux leur viennent en aide. Ils les réduiraient en pièces – les mahe, les humains, tout le monde. Tully le savait, lui qu'ils avaient retenu en captivité, lui qui était venu chercher assistance auprès des hani parce qu'il avait entendu un jour leur rire à l'autre bout d'un wharf de La Jonction.

Que les dieux fassent crever Sikkukkut et tous les présents kifish!

On était au bout du rouleau, c'était tout. Quoi qu'il restât encore à gagner ou à perdre, *L'Orgueil* avait atteint sa limite. Elles devraient être heureuses que ce soit terminé. Un propulseur en rideau. Plus moyen de faire effectuer un autre saut au bâtiment. Un dernier coup de dés : Kshshti. C'était leur vie à tous et à toutes qui se jouait ainsi, désormais. Il était de moins en moins sûr que les machines supporteraient la décélération à l'arrivée sur Maing Tol.

« Les héros ont la vie brève, petite! »

Alors quoi? Renoncer, abandonner, laisser à d'autres le soin de faire ce que des hani n'avaient pu accomplir?

Et remettre Tully, seul, aux mahendo'sat?

– Tout est paré, capitaine, annonça Haral installée devant la console voisine. Je prends les commandes?

– Non, ce sera moi.

Pyanfar glissa son bras dans la gouttière et jeta un coup d'œil au reflet de la passerelle que lui renvoyait son écran. Tout l'équipage était en place, Khym à son poste d'observation.

« C'est réparé », lui avait-on dit. Et son visage s'était éclairé. Il avait foi en elles.

« C'est réparé », avait-on dit à Tully qui, étant lui-même spationaute, avait eu plus de mal à se laisser convaincre. Ensuite, il avait pris ses drogues, indispensables à ceux de son espèce, et était maintenant dans un état de semi-inconscience.

– Alignement stellaire calé sur Maing Tol, signala Haral.

Les poussières, bien que moins denses, à présent, continuaient leur chuintement incessant.

– On va un peu saupoudrer Kshshti, dit Pyanfar. Mais pas moyen de faire autrement.

Haral lui lança un regard. Dur.

– Pas moyen de faire autrement, convint-elle.

Le silence tomba brutalement quand le champ de saut commença à se former et que les boucliers de protection se mirent en place.

Cette fois, c'était à la grâce des dieux.

7

Des témoins d'alarme d'urgence qui clignotaient...
La voix d'Haral qui protestait :

– Capitaine...

Plaintivement, comme si Pyanfar n'avait pas
entendu les bip et n'avait pas déjà commencé à
allonger le bras vers les commandes. Etre un
humain et avoir l'esprit engourdi par les drogues
était peut-être une grâce d'état.

– Compris, toussota Pyanfar bien que, durant le
hiatus temporel du saut – si long, si lent –, son
gosier desséché eût acquis la dureté de la pierre.
Localisation ?

On sombre dans la léthargie et un fatalisme
tranquille durant cette dérive vertigineuse où l'on
ne peut plus rien faire sinon regarder, quand bouger un doigt prend subjectivement une journée tout
entière. Son nez la grattait et cette démangeaison
prenait autant d'importance que leur vie à tous et à
toutes...

Mais l'intelligence savait ce que la volonté avait
oublié. Son esprit était bandé, prêt à déclencher
une série de gestes qu'elle attendait depuis deux
mois d'effectuer. Sa main droite glissa vers la commande et elle intensifia le champ alors que toutes
les réserves d'énergie de *L'Orgueil* n'étaient pas
encore épuisées, et ce longtemps avant qu'il eût
capté les signaux de la radio-balise. Ses yeux se
fixèrent sur les instruments de bord... guettant deux
lignes qui devaient entrer en coïncidence...

Les prairies de Mahn que dorait le soleil, ses
forêts, ses sous-bois mouchetés de taches de lumière...

La vigne vierge tapissant la façade de Chanur et
qui, jaillissant d'un tronc noueux dont des générations et des générations de jeunes avaient escaladé

les branches, se ramifiait comme les bras d'un fleuve...

– C'est bon, fit Geran dans un balbutiement. Nous sommes dans le créneau du saut.

Localisation. Nous avons besoin d'un vecteur.

– Nous sommes vivantes, murmura Hilfy. On va gagner, on va gagner...

Comme si elle n'en revenait pas!

Voilà. C'était bon : la ligne rouge était exactement dans l'alignement.

– Hum!

Pyanfar se racla la gorge et cligna des yeux pour chasser la brume qui obscurcissait sa vision.

– Bien sûr! fit Geran. En aurais-tu douté, par hasard?

Un vaisseau en provenance de l'amas de poussières qui ceinturait Urtur se devait d'appliquer les procédures de sécurité imposées mais les hani ne s'y soumettraient pas.

Elles entraient dans un système avec, dans leur sillage, un cortège de poussières dont elles ne pourraient se délester totalement et une partie de ces résidus balaieraient Kshshti à l'instar d'une tempête radioactive.

– Encore un délestage, chuchota Pyanfar comme si elle s'excusait auprès de *L'Orgueil*. Attention...

Elle songeait à un navire, à l'agonie duquel elle avait assisté – un navire avec un pulseur en miettes qui avait fait le saut sans avoir l'ombre d'une chance de pouvoir décélérer.

Dans un cas pareil, rien à faire sinon le dos rond et espérer...

Elle effectua la manœuvre et ses yeux s'élargirent : la tension montait. Tiens bon, *L'Orgueil*! Tiens le coup...

D'autres témoins d'alerte s'allumèrent.

Le mur tapissé de rameaux...

– C'est certainement cette unité YR.

C'était au bénéfice d'Haral qu'elle disait cela sans,

pourtant, s'adresser à personne en particulier. A nouveau, Pyanfar se remémora ce navire à l'agonie. Aucun des membres de son équipage n'avait survécu. Celles des hani que les mahendo'sat avaient récupérées en remorquant leur capsule de sauvetage, qu'ils avaient sauvées, étaient mortes à Gaohn, loin des kif.

Pyanfar allongea le bras et opéra un troisième délestage, ses yeux larmoyants braqués avec fascination sur les moniteurs où l'on voyait se rapprocher lentement, se fondre les deux lignes, tels des fils de soie, l'un bleu, l'autre rouge, à mesure que se réduisait la vélocité d'interface.

Le ululement des alarmes ramena à la réalité Pyanfar dont la conscience s'obscurcissait de nouveau.

– Nous sommes encore loin du but, murmura Haral. Niveau vingt.

– Je sais. On va s'en sortir grâce aux maîtres propulseurs.

Pyanfar coupa le générateur de saut, fit pivoter *L'Orgueil* sur son axe, annula la gravitation et mit en marche les maîtres propulseurs pour relayer la turbine défaillante.

– Les kif... Y a-t-il des kif? On dirait que c'est animé par ici.

– Le balayage radar donne la voie libre. (C'était la voix de Chur.) Je reçois le signal balise de Kshshti. Positif. Préparez-vous à infléchir la trajectoire.

Les moniteurs basculèrent. La parabole de pénétration se modifia presque insensiblement. Le navire piqua du nez et prit son alignement.

– Nous avons de la chance, laissa tomber Haral, satisfaite de la façon dont la manœuvre avait été effectuée.

– Sans doute. (La pseudo-pesanteur induite par rotation se faisait à nouveau sentir maintenant que le vecteur avait été modifié.) A présent, il s'agit de faire l'inventaire de ce que nous avons perdu en cours de route.

– Attendez. Je vais vous dire ça.

Silence. L'ordinateur rendait le diagnostic que lui demandait Tirun.

– Elle n'a pas tenu? demanda soudain Khym d'une voix plaintive et un tantinet vacillante. Cette fichue valve a encore lâché?

– Non, elle n'a pas tenu mais nous sommes tous sains et saufs, lui répondit Geran.

– On ne va pas très vite, hein?

Il commençait à devenir difficile de l'abuser. Pyanfar avala péniblement sa salive sans cesser de surveiller l'écran sur lequel s'inscrivaient les dommages qu'avait subis le bâtiment.

– Tout va bien. (C'était la voix de Hilfy qui tombait du communico. Sans doute était-ce Tully qu'elle tentait de rassurer.) On est passé. Nous avons seulement cette fichue pièce qui fait problème. Reste tranquille là où tu es, ne bouge pas.

– Il y a deux arrachements à la tuyère de secours, dit à voix basse Pyanfar à Haral sur le ton de la conversation.

– Dieux! (Haral ne fit pas d'autres commentaires. Elle bascula l'image de Kshshti sur tous les écrans.) C'est vraiment un trou perdu, dirait-on.

– Hum!

Le fait est... Un soleil orange qui manquait d'éclat, avec, pour toute compagnie, des lunes et une station. Quelques exploitations minières – juste ce qu'il fallait pour satisfaire les besoins de celle-ci – et un peu de commerce. Si les mahendo'sat la prenaient à leur charge, c'était parce que, située comme elle l'était sur la route directe rejoignant Maing Tol à Kefk en territoire kifish, d'autres se seraient fait un plaisir d'en assurer le contrôle. Tant qu'à faire, mieux valait que ce soient eux. Et, grâces en soient rendues aux dieux, elle disposait d'un chantier spationaval.

– Il y a beaucoup de trafic, murmura Pyanfar à l'écoute du babillage du communico. Beaucoup plus qu'il ne devrait y en avoir dans cette région écartée.

– Kita, oui... bien sûr. Les nouvelles se répandent étrangement vite, tu ne trouves pas? A moins que ce saut ne nous ait fait perdre plus de temps que prévu.

Pas de commentaire. Ce n'était ni le lieu ni le moment. Surtout alors que Khym était présent sur la passerelle.

L'Orgueil disposait d'une vingtaine d'étoiles comme ports d'escale mais Kshshti ne comptait pas parmi celles-ci. Aucun navire hani n'avait l'idée d'y faire relâche.

– Sinistre, ce coin, maugréa Geran. Vraiment sinistre.

L'Orgueil s'approchait cahin-caha de Kshshti. On avait le temps. Amplement le temps de faire quantité de choses.

Le temps d'entendre bavarder la station avant que, primo, leur front d'onde lui parvienne et, secundo, que celui de la base les atteigne. D'entendre les pépiements et les gémissements des méthaniens tenant des conférences indistinctes, les caquetages des kif discutant hors code d'affaires banales en messages concis d'où il était impossible de tirer aucun renseignement. Et pas de voix hani. Pas le moindre signe d'une présence hani.

– La station nous répond, dit Hilfy quand le front d'onde leur parvint enfin.

Des consignes de routine strictement techniques. Comme si *L'Orgueil* était en approche de n'importe quelle autre station hani. Peut-être encore plus laconiques, même.

– Ce calme n'est pas normal, fit Haral. Je m'attendais que, de la manière dont on est arrivé, ils nous abreuvent d'injures et nous vouent à tous les enfers mahen.

– Ouais, grommela Pyanfar. Je suis prête à parier que tout était programmé dès le début pour nous fourrer au beau milieu d'un enfer mahen. Nous sommes attendus, tu peux être tranquille.

Cette remarque lui valut un coup d'œil lugubre de la part d'Haral.

Kshshti était de plus en plus proche. Le grésillement des voix des méthaniens tombant du communico s'intensifiait.

Une station périphérique. Une station frontalière. Les kif revendiquaient la possession de l'étoile. Les mahendo'sat avaient construit cette base et l'occupaient de concert avec les tc'a et les chi dont les mines qu'ils exploitaient n'étaient pas particulièrement rentables. Rien n'était rentable à Kshsthi... sinon l'obstacle qu'elle constituait aux ambitions kifish.

– Où est la liste des navires au mouillage ? demanda Pyanfar à Hilfy. Je veux leurs noms, petite.

– J'essaie de les obtenir. La station dit qu'elle aurait des problèmes avec ses ordinateurs...

– Dame ! Comme La Jonction en avait avec ses panneaux d'identification !

– Pardon, tante ?

– C'est fou ce qu'il peut y avoir comme pannes, ces derniers temps. Qu'ils te la donnent, cette liste ! Dis-leur de la dicter en vocal et qu'on en finisse avec ces faux-fuyants ridicules !

– Je ne sais pas trop ce que nous pouvons faire, soupira Haral.

Ce n'était que trop vrai. D'après les témoins d'alerte affolés qui clignotaient sur la console de Tirun, tout le système turbo était cuit. Hors d'usage.

– On s'en sortira. On trouvera quelque chose...

Mais malgré ces propos qui se voulaient rassurants, les tripes de Pyanfar étaient nouées par la panique. Elle s'empara du formulaire d'autorisation de réparations et le glissa dans sa poche, se préparant d'avance à se battre pied à pied avec les officiels mahen.

Quels braillements en perspective! Et quelles tergiversations, quels délais, si elle ne réussissait pas à leur clouer le bec!

Et s'il n'y avait pas de bâtiment pour Tully? Si on tombait sur des kif qui n'étaient pas les bons, sans aide ni assistance...

On n'est pas près de sortir d'ici!

– J'ai la liste, annonça Hilfy.

– Je la bascule sur votre premier écran, dit Haral.

14 *Iniri-tai* : Maing Tol
9 *Pasunsai* : Idunspol
30 *Nji-no* : Maing Tol
7 *Canoshato* : Kshshti, intra-système
29 *Nisatsi-to* : Kshshti, intra-système
2 *Ispuhen* : Maing Tol, radoub
32 *Sphii'i'o* : V'n'n'u
34 *T'T'Tmmmi* : N'i'i
40 *A'ohu'uuu* : T t'a'va'o
49 knnn
50 knnn
51 knnn
52 knnn
10 *Ginamu* : Rlen Nle
20 *Kekkikkt* : Kefk
21 *Harukk* : Akkt
22 *Inikkukkt* : Ukkur
8 *Vigilance d'Ehrran* : Anuurn
15 *Prospérité d'Ayhar* : Anuurn
3 *L'Orgueil de Chanur* : Anuurn en transit

– Dieux! murmura Haral.

– Il y a du monde, on dirait!

Pyanfar fit une moue comme si elle avait un mauvais goût dans la bouche.

– *Kekkikkt!* Vous vous en souvenez, capitaine?

– Comment aurais-je pu l'oublier? Eh bien, voilà un joli paquet de bonnes nouvelles!

– Au moins, nous aurons de l'assistance.

– De l'assistance? (Pyanfar étudia à nouveau la rubrique consacrée aux unités mahen.) Des intra-systèmes et des caboteurs. As-tu jamais entendu parler du *Iniri-tai*?

– Non.

– Et du *Pasunsai*?

– Non plus.

– Horreur des dieux, il est censé y avoir un croiseur de combat!

– Il y a le *Vigilance*, rétorqua sèchement Haral.

– Oui, oui...

Le moral de Pyanfar remonta fugitivement mais un étau glacé lui serrait la gorge.

– Que leur dire?

Elle se souvenait du dernier message qu'elle avait adressé à Ehrran à La Jonction : « Les kif sont à nos trousses... Impossible de fournir d'explications. »

– Il y aurait tout intérêt à faire preuve d'imagination.

– Ayhar, laissa tomber Tirun.

Encore une bonne question.

– Ce tas de ferraille n'arrivera jamais à Urtur avant nous, c'est sûr et certain.

– Comment seraient-elles au courant?

Haral exhala un grognement. Tout à fait dépourvu de convivialité.

– Qu'allons-nous faire?

– J'y réfléchis.

Ce qui signifiait qu'elle n'en savait rien. Qu'il n'y avait rien d'autre à faire que de bluffer et, cela, Haral le savait déjà. Le *Vigilance* s'était trouvé un témoin, voilà. Il avait casqué pour détourner un navire marchand comme le *Prospérité* de sa course normale.

176

Elles avaient, elles aussi, déchargé leur fret à La Jonction.

Et savaient où les intercepter. Comme le savait le *Harukk*.

Dieux! Etaient-elles les seules à tâtonner à l'aveuglette dans cette affaire?

– Les stsho? Stle stles stlen?

Le *gtst* avait connaissance des plans d'Or-Aux-Dents.

S'il avait parlé...

– Tully demande la permission de monter sur la passerelle, capitaine, dit Hilfy.

De nouvelles questions en perspective. Des questions précises. Elle poussa un profond soupir et refoula la panique qui montait en elle.

– Dis-lui de venir. Dis-lui...

De faire attention. Mais il savait comment se déplacer à bord d'un vaisseau. Il avait deviné l'incertitude qu'avait trahie le délestage, il avait sans aucun doute mieux compris que Khym qu'il y avait des ennuis, et de quelle sorte – compris qu'ils avaient frôlé la mort. Mais ils étaient à présent handicapés à Kshshti. Au milieu des kif.

– Faire quoi, maintenant, faire quoi, Py-an-far?

Tully ne mit pas longtemps. Quand elle vit son reflet apparaître sur l'écran, elle fit pivoter son fauteuil. Il se tenait, massif, dans l'encadrement de la porte.

L'air soucieux. Il balaya la salle d'un regard circulaire, scruta les moniteurs d'un œil averti qui savait ce qu'il cherchait. Il comprenait bien mieux les traces et les courbes qu'il y lisait que les mots.

– Nous sommes en sécurité à Kshshti, Tully. Ici, nous aurons de l'aide. Grand navire hani.

Il opina. Il y avait de l'espoir dans le regard dont il enveloppa Pyanfar. Mais lorsqu'il se dirigea vers le poste d'observation à l'invite d'Hilfy, ses épaules étaient voûtées.

Il ne disait rien, grâces soient rendues aux dieux. Pyanfar avait honte d'elle-même, se remémorant qu'il ne s'était jamais laissé aller aux extrêmes propres à la masculinité. Il avait un comportement de professionnel. Il était difficile de se rappeler que, quoi qu'il pût être par ailleurs, les crises d'hystérie n'étaient pas son genre. Voilà, Khym. Voilà comment il faut se conduire. Tu devrais en prendre de la graine...

Forte de l'expérience de son premier voyage avec Tully, elle avait cru... elle avait espéré...

Khym la dévisageait. Son regard était dur, implacable.

Mais oui, Khym, c'est réparé.

D'abord, Tully n'avait sans doute jamais accordé foi à ce mensonge.

Et peut-être Khym venait-il de lire la liste des navires.

Pyanfar se pencha de nouveau sur les commandes.

Le petit point métallique qu'était Kshshti devint étoile, devint sphère, puis assuma la forme d'un tore pour se transformer, enfin, en un agrégat de plaques de blindage piqueté de lumières fulgurantes quand *L'Orgueil* se synchronisa avec la révolution de l'espèce de roue qu'était la station.

– Nous sommes dans le couloir de pénétration, annonça Haral. Pilotage automatique enclenché.

– Procédure d'accostage, ordonna la capitaine.

Brusquement, toutes ces heures passées pesaient sur ses épaules comme une chape de plomb. Elle se retourna et promena son regard sur la passerelle. Khym, accoudé à la console, n'avait d'yeux que pour l'écran de balayage.

Tully avait quasiment la même attitude mais il lui fit face avec cet air halluciné qu'il affichait depuis des jours et des jours.

– Nous ferons faire la réparation ici, dit-elle. Kshshti possède les équipements voulus.

Hilfy la dévisagea. Khym aussi. Et son regard était sombre...

Encore un mensonge? disaient clairement ses oreilles rabattues en arrière, ses narines palpitantes.

Pyanfar sentit son pouls s'accélérer. Elle restait immobile et muette, elle n'avait rien à dire à aucun d'eux.

Des mensonges, des mensonges et des mensonges.

Elle braqua ses yeux sur ceux d'Hilfy.

– Quand nous serons à quai, je veux qu'un messager mahen monte à bord. N'importe qui, cela m'est égal. Le responsable de la capitainerie fera l'affaire. Ne fais pas de remue-ménage mais trouve quelqu'un qui pourra alerter quelqu'un d'autre. Ce ne devrait pas être compliqué. Tu n'auras qu'à laisser entendre que nous avons des difficultés avec notre cargaison.

Khym la contemplait et il vint à l'esprit de Pyanfar que, de sa vie, il n'avait jamais menti sciemment. Pas lui, un rampant n'ayant de contacts qu'avec d'autres hani et ayant foi dans le *han*. Et elle n'avait jamais songé que, loin d'Anuurn, elle avait plus d'un visage – un pour les stsho, un autre pour les mahendo'sat. Avec les kif, elle était davantage hani.

– Ici, ce n'est pas Anuurn, lança-t-elle à la cantonade d'une voix dure. Anuurn seule est Anuurn, rien d'autre, navigants, et nous ne sommes pas chez nous.

Cela, peut-être Khym le comprenait-il : elle vit une brève lueur s'allumer dans ses prunelles.

– Pyanfar, fit Tully. Maing Tol. Aller Maing Tol.

Elle enfonça la pastille auditive dans son oreille.

– Je comprends. (Tully avait peur. Il était terrifié.) Du calme, tu m'entends? On t'y conduira. Nous trouverons un moyen. Après la réparation, vu?

Ni l'humain ni Khym ne répliquèrent.

– Pourriture des dieux! grommela-t-elle à voix basse en se levant. Tu t'occupes de la manœuvre d'accostage, Haral. (Elle s'éloigna, empoigna la main courante et se retourna.) Je vais me décrasser. Tirun, va te laver, toi aussi. Je veux que tu sois avec moi. Je tiens à accueillir ce messager, ma nièce.

Se récurer quand on était en approche n'était pas une mince entreprise. Pyanfar avait aspiré un peu d'eau et ses narines la démangeaient mais la rencontre avec le messager était la priorité des priorités. Il importait qu'elle soit aussi présentable que possible. Formidable, même. Et elle n'avait que peu de temps à consacrer à ses ablutions.

Elle alla jusqu'à forcer la note. Elle avait mis le plus élégant de ses bouffants, les plus resplendissants de ses anneaux d'oreilles. Elle dégageait des effluves puissamment parfumés. C'était là une question de courtoisie pour les rencontres inter-espèces, et c'était aussi une stratégie : tromper l'odorat acéré des étrangers pour ne pas se démasquer.

Dominer de tout son haut ces crapules, par les dieux!

C'était *L'Orgueil* qui était en jeu. Et, avec lui...

Le vaisseau glissait maintenant doucement et sans à-coups pour se mettre à quai. Un dernier avertissement d'Haral suivi d'un nouveau changement de gravité quand la rotation du navire cessa. Seule la synchro le portait, à présent. Subitement, on n'avait plus la sensation de peser cinquante livres de plus. Pyanfar se retint au cadre de la porte de la cabine. Elle faisait pleine et entière confiance à l'adresse d'Haral. L'accostage se fit en douceur. Un léger choc à l'avant, le cliquetis des grappins qui se dévidaient, la stabilisation à la norme gravifique mahen de 0,992 G quand *L'Orgueil* s'incorpora à la roue de Kshshti.

Elle donna un ultime coup de peigne à sa crinière et à sa barbe, ajusta les anneaux qui ornaient son oreille. Le silence soudain du navire maintenant immobile lui donnait l'illusion d'être devenue sourde. Le perpétuel bruit blanc s'était tu.

– Tante! (C'était Hilfy qui appelait depuis la passerelle.) J'ai établi le contact demandé. Un représentant de la douane est en route.

– Parfait.

Pyanfar fixa un communico portatif à sa ceinture, fourra un pistolet dans sa poche – dieux! quelle façon de faire des affaires pour une honnête hani! Mais, comme elle l'avait dit à Khym, Kshshti n'était pas Anuurn et l'univers était une marche solitaire au milieu d'espèces qui se livraient déjà depuis bien longtemps à cette chasse quand les hani étaient apparues.

On la ferait réparer à Urtur, cette saleté de tuyère. Faire de l'escalade à l'intérieur de cette gaine, je vous demande un peu! Hilfy Chanur l'aurait fait. Et elle le ferait quand elle hériterait de *L'Orgueil*. Hilfy prendrait des décisions de grande envergure, elle irait droit au but, dédaignant les voies tortueuses et détournées.

Peut-être Pyanfar agissait-elle de la même manière autrefois. Elle fouilla sa mémoire. L'âge gommait-il ses souvenirs?

Non, par les dieux! Elle se refusait à le croire!

Ce n'était pas aujourd'hui qu'une petite écervelée prendrait le commandement de son bâtiment à elle! Il faudrait qu'elle patiente encore pas mal d'années. Mais cette seule idée l'épouvantait. Rentrer à Chanur, prendre sa retraite, se prélasser au soleil et décliner peu à peu. Haral, Tirun, qui n'étaient plus des gamines, elles non plus, remplacées dans leurs fonctions par des jeunesses aux yeux brillants qui se figuraient que tout était simple...

Dieux!

Elle ferma le verrou du tiroir et ressortit, pas trop bien assurée sur ses jambes en raison de la pesanteur plus intense de Kshshti.

Du portatif s'éleva la voix d'Haral :

– Capitaine, nous avons reçu un message du *Vigilance*. Rhif Ehrran est à notre poste d'appontement.

– Oh! Bonté des dieux!

– Elle veut que nous lui ouvrions le sas.

Pyanfar enfonça une griffe dans le communico.

– Où est cet officier des douanes?

– Il est en chemin. C'est tout ce que nous savons. On la fait lanterner?

Pyanfar pesa le pour et le contre. Réflexion faite, elle jugea préférable de ne pas jeter de l'huile sur le feu.

– Non. Qu'elle monte à bord. Courtoisie oblige. Reste sur la passerelle avec Chur et Khym – et ouvrez l'œil. Hilfy, à la coquerie. Geran et Tully : vous avez une demi-heure pour tout nettoyer. Après, vous vous ferez remplacer par l'équipe de repos. Exécution.

L'équipage était fatigué. Exténué. Combien de temps pourrait-il bénéficier d'un répit bien gagné? Et quand?

– A vos ordres. On va mettre en place la rampe d'accès.

– Je te fais confiance.

Pyanfar entra dans l'ascenseur. On entendait claquer les éléments de raccordement contre la coque, le cliquetis des lignes s'insérant dans leurs douilles, le grincement du tubulaire d'accès prenant place dans son logement.

Tirun la rejoignit. Il y avait visiblement un objet pesant dans sa poche droite. Elle ne prononça pas un mot à ce sujet.

C'était Kshshti, après tout.

– Ehrran est là, lui annonça Pyanfar.

– C'est ce que j'ai entendu dire, répondit Tirun d'une voix morne. J'ai pensé que les culottes noires n'allaient pas perdre de temps.

Il y eut un dernier ébranlement lorsque le dispositif d'étanchéité fut mis en place.

– Tout est paré, dit Haral.

– *Ker* Rhif.

L'attitude de Pyanfar face à la déléguée du *han* et à son escorte de navigantes en bouffants noirs n'était pas insolente. Non... juste assez ferme pour les dissuader d'avancer plus avant dans la coursive.

– *Ker* Pyanfar.

Rhif Ehrran, croisant les bras, lui rendit la pareille. Par les dieux, elle était armée! Un lourd pistolet pendait à la ceinture de sa culotte de soie noire. Les navigantes portaient le même, elles aussi.

– Vous me voyez navrée de vous déranger d'aussi bonne heure. Vous avez, j'en suis sûre, d'autres soucis en tête. (Le reniflement de Pyanfar était à lui seul un commentaire suffisant.) Quelle est la cause de cette avarie? reprit Ehrran sur le ton à la fois cordial et officiel de rigueur.

Pyanfar lui décocha un regard venimeux tout en retroussant aimablement les babines.

– Nous sommes encore en train de la rechercher, capitaine. Selon toute vraisemblance, ce sont les poussières qui en sont à l'origine.

– Pourriez-vous expliciter le dernier message que vous m'avez adressé à La Jonction?

– Il me semble que sa teneur même est une explication suffisante. Je crois avoir été suffisamment claire. Il serait de beaucoup préférable que vous évitiez tout contact avec nous pour l'instant. Nous avons un problème, je ne prétendrai pas le contraire, mais je ne pense pas que le *han* doive s'en mêler.

– Vous estimez être qualifiée pour en décider?

– Il faut bien que quelqu'un en décide. Ou alors, le *han* sera dans le coup. Je n'avais pas voulu que les choses prennent cette tournure.

– Vous ne l'aviez pas voulu?

Pyanfar ne rétorqua rien. C'était pourtant ce qu'aurait souhaité Ehrran. Une riposte... voilà tout ce dont elle avait besoin – pour autant qu'elle avait encore besoin de quoi que ce fût.

– Où comptez-vous vous rendre? s'enquit Rhif Ehrran.

– Nulle part tant que ce turbo ne sera pas réparé.

– Et quand il le sera?

– A Maing Tol. Et au delà.

Un silence, puis :

– Vous avez une grande expérience de ces régions lointaines. Dois-je vous rappeler la convention concernant l'affrètement d'un de nos bâtiments, près des Extérieurs?

– Ne prenez pas cette peine. Il ne s'agit nullement d'une prestation de service.

– Vous êtes prise en étau dans un port frontalier, Chanur. Allez-vous encore jouer d'effronterie? Je vous laisse une chance, une seule, avant de suspendre votre licence séance tenante. Vous allez débarquer votre cargaison à deux jambes et nous la remettre.

– Est-ce à mon époux que vous faites allusion?

Les oreilles d'Ehrran s'aplatirent et elle ouvrit la bouche toute grande.

– Je pensais bien que non, en effet. Qui vous envoie, *ker* Rhif? Stle stles stlen?

– Ecoutez, Chanur... Il n'est pas question d'ouvrir des négociations de vous à moi. J'ai un vaisseau *han* à huit années-lumière d'ici dans les Territoires contestés parce que j'avais prévu que vous flanqueriez la pagaille; je risque de me faire tirer dessus en prenant le large et je ne suis pas d'humeur à plaisanter. Je veux que l'étranger soit débarqué, il me le faut et estimez-vous heureuse si je ne vous sucre pas votre licence.

– Nous n'avons aucun étranger à bord. C'est d'un citoyen de la Communauté que vous parlez.

– Oui, je suis au courant de cette fiction arrangée à l'instigation des mahendo'sat. Ne nous perdons pas dans ce genre de considérations techniques. Faites-le descendre.

– C'est un passager que je transporte à mon bord. Il a son mot à dire, quant à sa destination.

– Que pourrait-il avoir à dire si ce navire se voit retirer sa licence?

Pyanfar prit une lente, une profonde inspiration. Autour d'elle, tout s'était soudain assombri. Il n'y avait plus de visible que Rhif Ehrran, tirée à quatre épingles.

– Elle ne tient qu'à un fil, Chanur. Croyez-moi... à un fil.

Pyanfar gardait une immobilité de pierre. Son cœur battait à grands coups dans sa poitrine et sa vision demeurait obstinément obscurcie. Elle avait conscience de la présence de Tirun à côté d'elle – elle ne la voyait pas.

– Où le conduirez-vous? Au *han*?

– Cela nous regarde.

– Non. Il s'agit d'un ami personnel. Je peux être vraiment très désagréable quand je veux, vous savez, *ker* Rhif. Et nous ne sommes pas dans l'espace hani.

Un silence glacial suivit ces mots. Interminable. Enfin, Rhif Ehrran le brisa. Ses oreilles frémirent.

– Vous êtes stupide, Chanur. Je ne peux pas dire que je ne respecte pas votre attitude...

– Où doit-il aller?

– Sachez, Chanur, que les événements qui se déroulent dans cet univers ne sont pas tout à fait en conformité avec vos intérêts. Qu'il me suffise de préciser qu'il ne s'agit pas d'une mesure unilatérale.

— Pourriture des dieux, ce n'est pas un baril de poissons!

— Si vous vous souciez tellement de sa sécurité, capitaine, je vous suggère, compte tenu de l'état dans lequel se trouve votre bâtiment, de prendre vos distances vis à vis de lui et de me laisser me charger de son départ.

Pyanfar se détourna. Mais elle ne trouva point de consolation ailleurs et son regard revint à son interlocutrice.

— Nous le débarquerons.

— J'enverrai un véhicule.

— Une de mes navigantes l'accompagnera, riposta calmement le capitaine de *L'Orgueil*. Avec votre permission. C'est qu'il ne va pas apprécier...

— Je vous assure que...

Une silhouette sombre émergea du tambour au fond de la coursive. Les oreilles d'Ehrran pirouettèrent et son corps suivit le mouvement tandis que Pyanfar plongeait la main dans sa poche. Mais c'était la silhouette d'un mahendo'sat, pas celle d'un kif.

— C'est l'officier de la douane.

— Je vais vous donner un conseil, dit Rhif Ehrran. Ici, nous sommes à Kshshti, pas à La Jonction. Si ce navire est en état de naviguer, retournez à Urtur et mettez le cap sur Kura. Vite. Et s'il n'est pas en état de prendre le large, ne bougez pas.

— Vous avez donné le même conseil à *Prospérité*?

— Le *Prospérité* est chargé de mission par le *han*. Tenez-vous-le pour dit. Ne vous mêlez pas de choses qui ne vous regardent pas, Chanur!

— Je vous entends. Je vous entends très bien.

— Le véhicule sera là dans une heure. Et je ne veux pas d'embrouillaminis.

— C'est compris, capitaine.

Ehrran eut une inclination de tête tout juste polie

et repartit avec son escorte. Quand elle passa devant lui, le mahendo'sat se retourna pour la suivre des yeux.

L'officier des douanes était, en fait, une femelle mahen de petite taille, les épaules voûtées et l'air soucieux, bardée de tout l'attirail des secrétaires – pinces à documents, griffes de signatures, sceaux et carnets en bandoulière. Mais la ceinture retenant le jupon et qui enserrait une taille quelque peu dodue portait les insignes de l'autorité intermédiaire.

Le minable petit chef rentra autant que faire se pouvait ses abdominaux et leva la tête. Ce ne fut pas une transformation miraculeuse. Simplement, son regard se fit soudainement plus pénétrant.

– Moi, Voix, annonça-t-elle.

– Oui...

Couchant les oreilles en arrière, Pyanfar mit les poings sur ses hanches et, émettant une série de petits reniflements secs, s'efforça de se réinsérer dans un autre cadre de références. Dieux! Encore une Voix! Ce n'était donc pas un officiel de la capitainerie du port.

– Mais la Voix de qui?

Nouveau coup d'œil. Dédaigneux cette fois. La Voix – si c'en était bien une – n'avait pas de nom, pas d'identité définis et c'était pourtant quelqu'un d'éminent : l'*alter ego* de quelque Personnage, interprète de l'indicible et négociatrice directe.

– Voix maître de station Kshshti, se décida-t-elle à répondre. Maître de station envoyer moi pour vous dire avoir vous agi stupide en accostant de cette façon.

– Je n'avais pas le choix.

– Encore plus stupide avoir tractations fait avec stupide. (Du doigt, la Voix désigna derrière elle la coursive au bout de laquelle Ehrran avait disparu.) Où marchandise?

Pyanfar adressa à la soi-disant Voix un geste réprobateur.

– Où est l'autorisation?

La mahe sortit un petit objet glissé dans son ceinturon : une plaque filigranée d'or portant l'emblème distinctif du port de Kshshti.

– Vous cette cargaison à bord.

De nouveau, Pyanfar baissa les oreilles, puis les redressa.

– Ecoutez...

– Gardez. Transfert non permis.

Pyanfar enfonça les mains dans sa ceinture, lança un regard courroucé en direction de Tirun et fit de nouveau face à son interlocutrice. Ce n'était pas l'heure de l'abreuver d'injures. Pas encore.

– Voulez-vous vous asseoir, Voix? Prendre un verre tout en parlant?

– Quoi parler? Marchandise importante, avarie, affaire toute détériorée?

– Ecoutez, Honorable... (Cette fois, le moment était venu de vociférer.) *L'Orgueil* n'est pas un navire de guerre, par les dieux! Nous ne sommes pas armés. Vous avez entendu? J'ai risqué mon bâtiment à deux reprises, il est endommagé et votre gouvernement m'a donné la promesse de le remettre en état. (Elle brandit l'autorisation qu'elle avait fourrée dans sa poche et la tendit à la Voix.) Nous avons pris du retard, perdu notre fret...

– Nous réparer.

Pyanfar avait l'impression d'être adossée à un mur qui s'effondrait brusquement. Déséquilibrée l'espace d'un instant, elle riva ses yeux aux yeux noirs et graves de la Voix.

Et, d'un seul coup, la lumière se fit en elle. Elle remplit d'air ses poumons et ses oreilles amorcèrent un frétillement de dénégation.

– D'ici là, enchaîna la Voix, vous retarder cette déléguée idiote.

– Non. Ce n'est pas possible.

– Vous vouloir assistance?

– Et comment! J'ai l'autorisation. (Elle reprit le

document que la Voix tenait à la main et le lui agita sous le nez.) In-con-di-ti-on-nelle. La convention Hasano-mat... cela vous dit quelque chose?

— Nous non permettre ce transfert.

— Eh bien, voyez cela avec la déléguée. Moi, je ne peux rien y faire. C'est ma licence qui est en jeu. Vous comprenez?

La Voix fit un pas en avant et lui tapota la poitrine du bout de son index.

— Hani. Nous connaître depuis longtemps. Cette autre stupide nous non avoir confiance.

— Je vous répète que je ne peux rien faire.

Un cerne blanc autour de ses yeux sombres.

— Vous avoir réparation super. Vite. Vouloir vous reprendre activités, Pyanfar Chanur. Vous écouter. Pour le moment, nous non avoir ici navire pour arrêter cette crapule. Situation délicate. Stsho mécontents – vous connaître canailles stsho. Savoir hani avoir jeune niais, vieux brigands stsho très malins, beaucoup malins, beaucoup timides, pour-suivre propres intérêts. Ne pas dire : non-ami. Dire rechercher leur intérêt. Notre intérêt exiger vous navire remis en bonne condition. Vous arranger les choses avec *han*.

Pyanfar ouvrit la bouche toute grande.

— Bonté des dieux! Mais pour qui me prenez-vous?

— Nous discuter, heu?

— Il n'y a rien à discuter. (Pyanfar tendit la main vers la proue.) C'est notre élément Y qui est mort. Il assure la circuiterie de la colonne du collecteur maître. Quand cette pièce a claqué...

La mahe fit voltiger à son tour une main sèche couverte de poils noirs.

— Nous faire réparation, vous repartir avec mar-chandise.

— Mais vous ne pourrez pas réparer cette valve assez vite. Cela représente un travail de deux ou trois cents heures. Pendant que nous serons immobilisés, les kif auront tout le temps de prendre position autour de ce système. Mahe, les knnn sont lâchés... ils sont après nous!

– Dieux...

– Ce n'est pas notre faute. Ce sont les mahendo'sat qui ont tout manigancé dès le début. Votre fameux Personnage à Maing Tol. Nous avons été déroutés sur Kshshti. Encore un de ces superbes stratagèmes dont les mahendo'sat sont coutumiers! Comme l'affaire de La Jonction. Comme de faire bloquer Kita. Comme de m'abandonner sans escorte d'appui...

– Navire venir. En attendant, remettre votre bâtiment en état. Technique hani laisser à désirer, hein?

– Vomissure des dieux! Faites donc brutalement changer de cap un bâtiment via Urtur et vous verrez ce qu'il encaissera!

Les minuscules oreilles mahen s'agitèrent. La Voix plissa le nez et interrompit Pyanfar d'un geste tranchant.

– Considérations techniques non être problème mien. Personnage dire : localiser dommages, réparer, faire partir ces stupides vite avant kif s'organiser. Nous réparer. Vous garder cargaison.

– Mais je ne peux pas!

– Vouloir vous réparations?

– Vous êtes contraints de les effectuer, vaurienne! (Pyanfar s'étranglait presque.) C'était écrit noir sur blanc. Il ne m'est pas possible de faire languir la déléguée...

La Voix fronça les sourcils. Ses petites oreilles se chiffonnèrent tandis qu'elle levait la tête et enfonçait de nouveau le bout de son index dans la poitrine de Pyanfar.

– Nous nous charger de cette marchandise. Nous la conduire au centre de contrôle de la station, enquête longue. Faire réparations, ramener marchandise – vingt heures.

– En vingt heures, c'est impossible.

L'autre leva un doigt :

– Vous parier?

Pyanfar dévisagea la mahe, avec, dans la tête, des soupçons de fourberie, de perfidie; mais, cependant, son pouls s'accélérait. Elle lança un regard en coin à Tirun : sa responsable du fret, constata-t-elle, nourrissait une défiance égale et les mêmes pensées l'agitaient, faisant cogner son cœur dans sa poitrine.

– Il faudrait changer toute cette queue pourrie pour tenir les temps, murmura Tirun. Ce n'est pas d'un vulgaire retapage qu'il s'agit.

– Avoir bon matériel, rétorqua la Voix. Meilleur. Fabrication mahen. S'adapter sans difficulté aux systèmes vôtres. Dans vingt heures, vous repartir. Nous nous occuper déléguée *han*. Confisquer cargaison. Laisser déléguée aller Maing Tol se plaindre.

– Dieux! Vous vous rendez compte du pétrin dans lequel vous me mettez?

– Déjà ennuis combien, hani? Réfléchir. Aux bénéfices.

Pyanfar considéra la Voix en se mordillant une envie.

– Nous aurons encore affaire aux kif.

– Toujours avoir kif sur le dos.

– Connaissez-vous un navire nommé *Harukk*?

– Connaître. Flibustier.

– Il nous suit depuis La Jonction. Il sait ce que nous avons à bord. L'*Ijir* était notre soutien. Il a disparu. Les kif s'en sont emparés.

La Voix lâcha un juron.

– Les kif ont mis la main sur tout ce qu'il avait, poursuivit Pyanfar. Ils savent tout ce que l'*Ijir* savait.

Les lèvres de la Voix n'étaient plus qu'un mince fil. Elle baissa la tête, la releva :

– Vous partir au plus vite, hani. Nous effectuer réparations, vous quitter Kshshti pleines flammes.

191

Peut-être le *Harukk* petit accident avoir. Arrangeable. Peut-être valve d'amortisseurs gauchie, eh? Peut-être collision multiple.

– Les trois? Vous voulez vous attirer l'inimitié des kif?

– Une goutte de pluie dans l'océan, hani. Affaire vous conclure?

Pyanfar, suçotant sa moustache, se perdit dans la contemplation des plaques de blindage du pont, puis regarda la mahe en face.

– Marché conclu. Vous vous débrouillez avec la déléguée pour la retenir. Elle sera prise en fourchette entre le gouvernement local et les directives du *han* – il me serait difficile de refuser une saisie, n'est-ce pas? – si celles-ci arrivent les premières.

– Nous prévoir véhicule. Assurer gardiennage. (La mahe entreprit de sortir une montre du fatras d'objets hétéroclites dont était bourré son ceinturon.) Maintenant... 10 heures 40. Opération intervenir d'ici... une demi-heure.

– Je veux une Signature sur cet ordre de réparation.

Les petites oreilles mahen palpitèrent.

– Vous notre parole douter?

– Il arrive que des documents s'égarent. J'aurais bien du souci plus tard si jamais cela se produisait, n'est-ce pas?

– Bien.

La mahe plissa le nez – grimace plus proche du sourire d'une hani que de celui d'un primate – et, d'un geste vif, se saisit d'une tablette sur laquelle elle griffonna quelques mots et apposa une Signature.

– Autorisation de réparations à la charge autorités Maing Tol. Vous satisfaite?

Pyanfar prit la tablette et tendit la main vers le tambour de sortie au fond de la coursive.

– Vous faites vite, hein?

– Vingt heures.

Il y avait comme une imperceptible lueur d'amusement dans le regard dur dont la mahe transperça Pyanfar avant de tourner les talons et de battre en retraite.

Pyanfar huma le parfum de la Voix, qui s'attardait, vida ses poumons et se tourna vers Tirun.

— Nous avons une chance, dit cette dernière.

— Les dieux seuls savent quelle casserole ils nous attacheront à la queue! Ou ce qu'ils déclareront à la commission d'enquête quand elle commencera ses travaux! Est-ce que tu te rends compte que nous venons de contresigner des deux mains notre condamnation à mort?

— Nous sommes quand même dans une meilleure situation qu'il y a dix minutes.

— Ça...

Mais le cœur de Pyanfar cognait toujours dans sa poitrine. C'était l'espoir qui le faisait battre. L'espoir... Qui luisait pour la première fois depuis ces deux années passées. *L'Orgueil* retrouvant sa jeunesse. Terminer cette tâche, remplir la soute à crédit à Maing Tol avant qu'arrivent les autres factures. C'était une chance à saisir, l'unique chance — et si l'affaire des humains s'arrangeait, si on sortait de cette gabegie...

— Referme, dit-elle à Tirun en désignant l'issue. Il y a des kif dehors.

Pour le moment... pour le moment, elle avait une tâche difficile à accomplir.

L'odeur du gfi imprégnait la passerelle, tout à la fois banale et réconfortante. On entendait des voix venant de la coquerie. Bruyantes. Normales. Mais Haral, encore humide après une douche hâtive, avait rejoint son poste. Elle se retourna et ce fut d'un œil solennel qu'elle regarda Pyanfar introduire le support de la Signature codée de la tablette dans l'ordinateur.

L'ordinateur dialogua avec la banque de données

du bord, avec son homologue de la station et, en moins de temps qu'il n'en faut pour le dire, la confirmation s'inscrivit sur le terminal.

– La Signature est authentifiée, laissa tomber Pyanfar au moment même où Tirun réapparaissait et posait le bras sur le dossier du siège de sa sœur. Deux visages impénétrables aux traits tirés. Haral avait entendu. La question ne se posait même pas : elle avait toujours l'oreille aux aguets quand il y avait des étrangers sur le pont.

– Tully est branché? s'enquit la capitaine.

– Non.

– Où est-il?

Coup de menton en direction de la coquerie.

– Tout le monde est là?

– Euh, oui.

Pyanfar redressa les épaules comme si une bouffée d'air glacial la cinglait et tourna la tête. Elle glissa les mains dans sa ceinture.

– Venez. Tous les deux. On fera l'inventaire des dommages plus tard.

Elles la suivirent, telles deux ombres sur ses talons. Tout ça, c'est inepte! se dit-elle en s'efforçant de rassembler son courage. Dieux! où était passée la logique? Le bref instant pénible qui l'attendait l'angoissait plus que la perspective d'une confrontation avec le *han*!

La conversation allait bon train. La voix, plus grave, de Khym domina le brouhaha – il voulait quelque chose qui se trouvait dans le placard.

– Assieds-toi, Tully, dit Chur. Au nom des dieux, *na* Khym... Hilfy, où a-t-on rangé le *tofi*? Tu peux aller le chercher? Oh! capitaine...

– Assises, ordonna laconiquement Pyanfar.

Le calme revint, la quête du tofi marqua un temps d'arrêt, les portes des placards cessèrent de s'ouvrir et de se refermer. Geran lui apporta une coupe.

– Toi aussi, assieds-toi, ajouta-t-elle à l'adresse de

Khym qui tentait d'effectuer une dernière incursion dans un placard.

Il s'empara du succédané qui lui tomba sous la main et, l'air renfrogné, se laissa choir sur un banc. Il saupoudra d'aromates le contenu de sa coupe avec une attention soutenue tandis que les autres prenaient place de part et d'autre de lui.

Pyanfar s'arc-bouta dans un angle de la cambuse, le pied calé contre l'étrier de la table à cardan. Khym, décidément d'humeur chagrine, faisait la tête et feignait d'être extrêmement occupé. Elle avala une gorgée. La chaleur du breuvage l'envahit, s'irradiant dans son estomac noué et glacé. Personne ne bougeait. Pas même un tintement de cuiller. Simplement, les navigantes se poussèrent quand Tirun et Haral, bousculant Tully, s'installèrent.

– Je ne serai pas longue, commença Pyanfar. Je n'en aurai pas le temps. Tully, est-ce que la traductrice me relaie?

L'humain porta la main à son oreille dans le tuyau de laquelle était enfoncée la pastille audio. L'inquiétude se lisait dans ses yeux brillants.

– Bien entendre.

Pyanfar s'assit alors à son tour, les coudes posés sur la table, serrant sa coupe entre ses mains. Elle faisait face à l'équipage – et directement à Tully.

– Il faut que vous sachiez que la pièce n'a jamais été réparée à Urtur. Tais-toi, Khym, ajouta-t-elle avant que ce dernier ait eu le temps de parler. Il n'y avait pas moyen, Tully. Tu comprends? Alors, nous sommes partis comme si de rien n'était et une vanne du collecteur a lâché. Il faut du temps pour la remettre en état. Vu? Maintenant, nous avons un petit problème. Il y a une hani qui veut que tu embarques sur son navire. Tu comprends? C'est une notable investie de l'autorité du *han*.

Les yeux pâles de l'humain clignèrent – peut-être en signe de compréhension. Mais on ne pouvait pas savoir. En tout cas, une chose était sûre : il avait peur.

– Quitter vous? Je partir? Nouveau vaisseau monter?

– Non. Ecoute-moi bien. Je ne veux pas qu'elle t'emmène. Cette station est une base mahen. Mahendo'sat, tu saisis? Les mahendo'sat te mettront à l'abri au centre de contrôle de la base. Et ils effectueront les réparations. Cela prendra vingt heures. Tu comprends? Ils te conduiront à leur centre de contrôle.

– Kif. Kif être ici...

– Je sais mais ne t'inquiète pas. Ils ne t'approcheront pas. Les mahendo'sat te reconduiront à bord de *L'Orgueil* quand nous serons prêts à appareiller. De cette façon, nous empêcherons les autres hani de t'embarquer à leur bord. Nous te garderons en sécurité, tu comprends?

– Oui.

Tully tenait sa coupe à deux mains devant lui. Il la contempla comme s'il n'avait plus ni faim ni soif.

– Il faut faire vite, Tully. Tu vas descendre et prendre les affaires dont tu as besoin. Des vêtements. Un véhicule doit venir te chercher.

– Véhicule?

– Pas de sottises, cette fois, hein? Tu seras sous bonne garde. Rien à voir avec les stsho ni avec ce qui s'est passé à La Jonction. Les mahendo'sat ont dents et griffes.

– Il serait bon que l'une d'entre nous l'accompagne, dit Hilfy d'une voix calme. Ne serait-ce que pour s'assurer qu'ils le comprennent.

Il y avait une foule de questions informulées, de regards anxieux mais aucune des hani, qui savaient exactement quelle était l'étendue des avaries, ne protesta.

Pyanfar repoussa sa coupe.

– Ecoutez. Il y aura vingt heures de travail. La

remise en état sera parfaite. Ce sera un échange standard.

– Dieux! s'exclama respectueusement Geran.

Chur battit des paupières. Hilfy ouvrit de grands yeux.

– Vingt heures, c'est ce qu'ils ont dit, enchaîna Pyanfar. Ils veulent que nous déguerpissions le plus rapidement possible. Ils ont leurs raisons. Et maintenant, au travail! Il faut le débarquer dans dix minutes avec tout son barda.

– Quelqu'un l'accompagnera? voulut savoir Chur.

– Toi et Hilfy. (Toutes les deux avaient toujours été aux petits soins pour Tully. Cela leur faisait plaisir.) Et vous serez armées. Nous sommes à Kshshti.

– J'irai aussi, dit Khym.

Pyanfar le regarda en plissant le front. C'était une proposition qui venait du fond du cœur. Mais totalement folle.

– Pour le cas où il y aurait des ennuis, précisa-t-il.

– Non.

– Si...

– Non. (Pyanfar se leva et jeta son gobelet dans le vide-ordures.) Allons-y. Plus que neuf minutes.

Tout le monde se leva précipitamment. Haral prit Tully par le coude et, l'entraînant, se dirigea vers la passerelle.

Khym se faufila entre la table et les bancs.

– Pyanfar... écoute-moi.

– Si tu as envie de bouder, enferme-toi dans ta cabine et ne te mets pas dans nos jambes.

– C'est Ehrran?

– Je n'ai pas le temps! (Pyanfar l'évita et se rua vers la salle de veille mais se retourna quand elle se rendit compte que Khym lui emboîtait le pas.) Essaie d'avoir un peu de jugeote, Khym!

– Je voudrais être utile à quelque chose!

Elle lui décocha un regard désespéré. Son expression n'était plus celle de la colère mais de l'angoisse. Elle passa en revue une douzaine de tâches susceptibles d'être confiées à Khym mais toutes exigeaient des compétences qu'il ne possédait pas.

– Tu veux être utile à quelque chose, c'est bien ça? Il me faut toutes les données informatisées concernant Kshshti. Je te charge de les collecter.

Sur ce, Pyanfar s'esquiva. Il fallait qu'elle aille chercher les documents qu'elle avait mis en lieu sûr dans la salle de veille.

Il n'y aurait pas de difficultés. Tully partirait avec l'enveloppe. Si Ehrran était bien informée sur l'humain, il était hautement vraisemblable qu'elle savait qu'il aurait ces documents sur lui. Et il fallait qu'ils soient sous la garde des mahendo'sat. Le plus rapidement possible. Elle pouvait interdire l'accès de la passerelle à la déléguée. La loi le lui permettait.

Surtout, ne prendre aucun risque. Les dieux savaient ce que la capitaine du *Prospérité* déclarerait sous serment! Parce que c'était cela, le problème. La méfiance envers les étrangers. La défiance à l'endroit des hani qui ne se pliaient pas aux conventions. Ce qui était qualifié de « comportement non hani ». Les mâles confinés là-bas, à Anuurn. Gardiens du foyer. Qui découvraient que le *han* n'était pas tout, que l'on pouvait avoir de bons amis qui n'étaient pas hani. Des pensées hors norme.

Une fois arrivée dans la salle de veille, Pyanfar sortit du coffre les précieux documents – ce qui était déjà un acte de trahison, même si, jusque-là, il n'y avait pas eu une trahison effective.

Haral la regardait faire. Son visage couturé et balafré était l'image même de l'impassibilité.

Khym était là, lui aussi. Inquiet. Et, à présent, silencieux.

– Nous n'allons pas tarder à avoir de la visite, dit Haral qui était en partie les yeux et les oreilles de

L'Orgueil et dont la discrétion était absolue. Deux minutes, capitaine.

8

Pyanfar sortit en trombe de l'ascenseur et s'élança dans la coursive. Au moment où elle calait le tambour intérieur du sas sur manuel, Hilfy, Chur et Geran, encadrant Tully, surgirent, courant presque.

La voix d'Haral tomba du haut-parleur :

— Une voiture est sur le quai. Vous faites la manœuvre en manuel ?

— Affirmatif. (Pyanfar effleura le détecteur du dispositif de verrouillage.) Toi, ouvre l'œil, et le bon.

Le quatuor arriva à sa hauteur. Tully ne payait pas de mine, affublé comme il l'était d'une chemise stsho blanche dont un pan flottait sur son pantalon trop étroit. En guise de bagages, il tenait à la main un sac en plastique à tout faire qui devait contenir des vêtements de rechange, des objets de toilette et tout ce que les trois navigantes avaient pu y fourrer — les dieux seuls savaient quoi ! — en un si bref laps de temps.

— Les bandes traduction ? s'enquit laconiquement Pyanfar.

— Je avoir, répondit Tully en tapotant son baluchon.

— Tiens. (Elle lui tendit la grosse enveloppe.) Prends cela aussi. Et, au nom des dieux, ne la donne pas aux mahendo'sat !

Il savait ce que c'était. Son trouble, son anxiété étaient visibles.

— Allez ! (Elle actionna le mécanisme et le tambour s'ouvrit avec un sifflement, livrant passage à une bouffée d'air froid.) Chur et Hilfy, vous ne le quitterez pas, ni à l'aller ni au retour. Et pas à pied. S'ils ne vous donnent pas un véhicule, appelez-moi et j'interviendrai. Vous leur direz que c'est une priorité. Retranchez-vous derrière l'autorité du Personnage.

— Entendu, fit Chur.

Pyanfar entra avec eux dans le sas. Elle actionna la commande du second tambour – une commande à double effet de sorte que la première porte se referma d'abord. Ce n'était pas le moment de prendre des risques. Le tubulaire jaune béait tel un œsophage strié de nervures. Le froid les assaillit comme un coup de boutoir.

— Vite !

— Pyanfar !

Tully s'était soudain retourné et arrêté net. La capitaine le poussa en avant.

— Avance, Tully, dépêche-toi. Tu n'as rien à craindre.

Elle le prit par le bras et l'entraîna, marchant en tête du petit groupe. Il était déjà frigorifié. Son allure était raide et engourdie lorsqu'ils atteignirent la rampe de coupée en pente douce.

— Ça ne sera pas long, votre chaleur corporelle réchauffera la voiture.

Elle disait n'importe quoi pour qu'il pense à autre chose. Le quai était gris comme l'étaient tous les quais, partout. Deux véhicules, gyrophares stroboscopiques allumés, étaient arrêtés.

— Tu seras pendant un moment hors de portée de la traductrice mais tu seras remis en contact en arrivant au centre de contrôle. Il y a une chance minime – très faible, tu comprends ? – pour que cela dure plus de vingt heures. Il faudra peut-être – je dis bien : peut-être – qu'ils te transfèrent sur un navire mahen. Mais je ne le crois pas...

Tully fit de nouveau halte alors qu'il ne restait

plus que quelques pas à faire. Il y avait de la panique dans le regard qu'il lança à Pyanfar.

– Capitaine!

La voix de Chur, derrière elle, était pressante. Elle entendit en même temps les moteurs et balaya le quai des yeux.

Une autre voiture approchait à toute vitesse. Pyanfar maugréa :

– Les dieux les fassent pourrir! Vite, Tully, ajouta-t-elle en l'empoignant derechef par le bras et en le poussant en avant.

A l'exception des conducteurs, tous les mahen-do'sat qui attendaient dans les deux voitures en sortirent. L'un d'eux, à la fourrure brune et frisée, était plus petit que ses congénères. Ce devait être un mahe tasunno. On en voyait rarement de ce côté d'Ijir. Les dieux seuls savaient de combien de générations de spatiens étaient issus l'officier et les quatre autres mahe : ils avaient le pelage noir, ils étaient grands, ils portaient des insignes, étaient armés, et n'avaient pas l'air particulièrement aimable. On aurait dit un sombre mur. Une fois encore, Tully s'immobilisa et regarda avec terreur autour de lui tandis que la voiture qui arrivait à fond de train freinait. Il se débattit quand deux des mahe l'empoignèrent et l'entraînèrent vers le second véhicule dont la porte était béante.

– Pyanfar! hurla-t-il.

Hilfy fit mine de s'élancer mais Pyanfar la retint : la porte du troisième véhicule coulissait. Trois navigantes Ehrran en jaillirent.

– Arrêtez! Attendez! s'écria celle qui commandait le détachement.

Pyanfar haussa les épaules et leur fit face. Elle avait lâché le bras d'Hilfy. Plus personne ne bougeait – ni les mahe qui tentaient de faire monter Tully dans leur voiture ni les Ehrran qui étaient descendues de la leur.

– Allez, dit Pyanfar à Hilfy en laissant retomber

sa main. Tout est en ordre. Désolée, Ehrran. Vous avez été prises de vitesse. Le maître de station a donné des ordres.

– Eh, vous! Où est votre mandat? demanda la Ehrran du grade le plus élevé aux mahendo'sat.

L'officier mahen dit quelque chose dans l'une des multiples langues d'Ijir et fit un geste de la main. Ses subordonnés poussèrent Tully à l'intérieur du véhicule où Chur et Hilfy s'empilèrent à leur tour. Les portes commencèrent à se fermer.

– Chanur! fit la Ehrran.

Pyanfar eut un nouveau haussement d'épaules et leva les mains en signe d'impuissance.

– Je n'ai pas la maîtrise de la situation.

– Ces deux navigantes appartiennent à votre personnel.

– Elles ont seulement pour consigne de le faire tenir tranquille pendant le trajet. Il ne vous reste plus qu'à élever une protestation officielle auprès des autorités administratives de la station, je ne vois pas d'autre solution.

Il y avait des limites à ne pas franchir. Insulter une capitaine était une chose, la traiter purement et simplement de menteuse en était une autre. La Ehrran ne fit rien de tout cela. Tout était dans ses yeux flamboyant d'un éclat blafard. Les portes s'étaient refermées et les véhicules mahen démarrèrent. La Ehrran les regarda s'éloigner, la rage au cœur, et, faisant signe à son escorte de la suivre, se rua vers le leur.

– Il est évident qu'elles n'ont pas de communico, dit Pyanfar à Geran qui était restée solidement plantée sur ses jambes à côté d'elle.

Le véhicule hani effectua un écart brutal et fonça mais les mahendo'sat refusèrent de lui céder le passage et force lui fut de se laisser distancer : l'étroitesse du quai interdisait tout dépassement.

– Elles n'ont pas froid aux yeux, celles-là! s'exclama Geran. Vous parlez d'un culot!

– Mais, ici, elles en seront pour leurs frais. Ces salauds de pantalons noirs s'imaginent être sur Anuurn. Les choses ne manqueront certainement pas d'intérêt quand elles feront leur rapport à leur capitaine, tu ne crois pas? (Geran décocha à Pyanfar un regard interrogateur.) J'ai comme l'idée qu'elles ont eu du mal à trouver un moyen de transport – pour une raison ou une autre.

La voiture fit une nouvelle embardée à l'endroit où le quai faisait un coude, fonçant vers l'enchevêtrement des câbles qui, au delà, bouchaient la vue.

– Qu'elles crèvent!

– Elles sont folles, dit Geran.

– Viens.

Pyanfar pivota sur ses talons et escalada la rampe à longues foulées.

– Je veux une liaison avec le *Vigilance*.

Ce furent les premiers mots de Pyanfar quand elle pénétra dans la salle de veille – pas tout à fait à bout de souffle, non, mais peu s'en fallait. Geran, qui ne l'avait pas quittée d'un pouce, était également hors d'haleine.

– J'ai tout vu en vidéo, dit Haral avec une sereine satisfaction tandis que Khym écarquillait les yeux, complètement dérouté, et que Tirun passait derrière lui pour s'occuper du communico. C'était bien manœuvré.

– Ç'a été de justesse.

Haral sourit et fit pivoter son siège pour se remettre à dresser l'inventaire des avaries qu'elle s'affairait à établir.

Tirun se retourna :

– Le *Vigilance* ne répond pas.

– Note-le sur le livre de bord. Appelle la station et fais enregistrer une protestation.

– Qu'est-ce que je leur dis? Action de nature à compromettre la sécurité de notre personnel?

– Parfait.

Les mains aux hanches, Pyanfar, dont la respiration commençait à être moins saccadée, regarda Khym. Jamais depuis Mahn les yeux de son époux n'avaient brillé d'un tel éclat. Se redressant de toute sa taille, elle se dirigea vers Haral et se pencha par-dessus son épaule.

– Passons à l'ordre du jour. L'équipe de radoub ne s'est pas encore manifestée?

Les docks de Kshshti défilaient, taches confuses, grises et bleues, qui se télescopaient derrière les vitres obscurcies par leur blindage, tandis que le véhicule fonçait en bourdonnant. Les brides d'assemblage des plaques du tablier le faisaient tressauter au même rythme que les battements du cœur d'Hilfy Chanur.

Elle se pencha pour tenter de voir autant que faire se pouvait ce qui se passait derrière. La voiture des Ehrran avait renoncé à vouloir les dépasser mais elle les suivait de près. La jambe de Tully repoussait les siennes vers la gauche. Les deux hani et l'humain occupaient la banquette arrière. Deux gardes mahen étaient installés à l'avant à côté du chauffeur. Le phare stroboscopique du véhicule de tête auquel ils collaient baignait les objets et les trois mahendo'sat d'une lumière qui les rendait irréels et gommait les couleurs du paysage extérieur. Les façades des bâtiments administratifs et les ponts roulants n'étaient que des images floues et brouillées.

– Calme-toi. (Sentant Tully frissonner, Hilfy lui tapota la cuisse et se tourna vers lui.) Tu es en sécurité. Tout va bien. (Ils n'étaient plus dans le rayon d'action de la traductrice mais il comprenait certains mots.) Sécurité, tu entends?

L'humain opina du menton non sans lui lancer un coup d'œil où se lisait l'affolement. Il tenait fermement dans ses bras son sac de plastique. Les deux hani qui l'encadraient se serraient contre lui pour le réchauffer. Les éclairs blancs du gyrophare de la voiture qui ouvrait la marche se reflétaient sur sa peau claire et donnaient à ses mouvements nerveux quelque chose de surréel.

– Je...

Mais Tully n'alla pas plus loin : le véhicule eut un cahot, suivi d'une embardée si brutale que ses occupants furent projetés en avant et qu'il accrocha la voiture d'escorte. Hilfy eut la vision fugitive du chauffeur qui se battait avec son volant, des gardes qui levaient les bras pour se protéger. Et ce fut la collision. Le véhicule fit un tête-à-queue dans un bruit de métal déchiré. Un de ses pneus déjanta et rebondit sur la chaussée. Un des mahendo'sat poussa un cri et ce fut comme si un poing s'abattait soudain sur eux. Le dossier du siège avant se précipita à la rencontre d'Hilfy qui agrippa Tully au moment où sa tête entrait en contact avec le rembourrage. Déflagration. Le souffle de l'explosion fit donner de la bande au véhicule qui faillit basculer sur le flanc mais reprit brutalement son équilibre.

– Mais ils nous tirent dessus! s'exclama Chur.

Du coup, Hilfy prit conscience de la réalité du fait et elle empoigna son arme bien que ses doigts fussent encore engourdis : au moment du tête-à-queue, elle s'était douloureusement cogné le coude. La voiture s'était immobilisée, la glace avant fracassée. Le conducteur s'était affaissé sur lui-même mais les deux gardes étaient vivants.

– Ne sortez pas! cria Chur à l'un d'eux qui s'escrimait sur la porte du côté opposé au sien.

Il y eut un nouveau choc et une boule de feu s'épanouit devant le pare-brise étoilé. Lorsque Hilfy sortit le pistolet de sa poche, un tourbillon de fumée argentée s'engouffra dans le véhicule, accompagné de la nauséabonde odeur de l'ozone. Le mahe ouvrit manuellement la portière mais à peine fut-il

205

descendu qu'une rafale le cloua au sol. Son camarade riposta de l'intérieur. Encore une secousse, une gerbe de flammes, une explosion assourdissante...

– Hilfy!

Tully la tira tandis qu'une bouffée d'air froid faisait irruption, venant de l'autre direction : Chur avait ouvert la porte du côté protégé et bondissait à l'extérieur. Hilfy se retourna et fit feu sur les noires robes kifish que l'on voyait voleter à travers la fumée.

Elle avait l'intention de suivre l'exemple de Chur une fois qu'elle aurait neutralisé les agresseurs mais des mains la saisirent par la taille et la repoussèrent sans ménagements alors qu'elle tirait encore. Un bras la ceintura et elle se sentit glisser en arrière. Tully tenta de la retenir mais elle se dégagea, se rua hors de la voiture et s'élança au pas de course, l'humain à son côté...

Un nouveau geyser de feu jaillit, tout proche. Elle fut catapultée dans les airs. Vit la plate-forme se ruer vers elle, vers ses mains, vers son visage... quelque chose de lourd s'écrasa au sol.

Elle eut un passage à vide. Maintenant, elle courait, ne sachant ni comment elle était arrivée là ni où elle allait, où la menaient ses jambes. Et puis, la masse grise d'une poutrelle surgit, lui heurtant l'épaule. Elle tournoya sur elle-même, se débattit farouchement pour recouvrer l'équilibre, culbuta et télescopa Tully. Elle noua ses bras autour de lui, décidée à se mettre à l'abri, mais elle n'en tomba pas moins. Alors, elle continua en rampant le long de l'embase hérissée de boulons d'un pont roulant. Agrippée au métal qui lui meurtrissait les mains, elle continua d'avancer par saccades, sur le ventre. Puis elle cessa de bouger. Les strobos rouges d'alerte ensanglantaient la nappe de fumée et les entretoises du portique. Ses oreilles bourdonnaient et les sons lui parvenaient amortis, lointains. Elle éprouvait de vagues lancinements de douleur en différents points de son corps. Elle vit le visage de Tully, les traits déformés par l'épuisement et la souffrance.

– Chur? fit-il, prenant appui sur son coude pour se retourner – et la panique étranglait sa voix.

Hilfy roula sur elle-même pour essayer de scruter le sombre voile de la fumée, se frottant les yeux, s'efforçant de voir et d'entendre.

– Chur? appela-t-elle.

Les tourbillons de fumée grise et rougeoyante se dissipèrent un bref instant et elle put distinguer les véhicules accidentés, d'autres épaves, des silhouettes qui couraient, des lueurs d'incendie. Elle percevait le piaillement assourdi d'ordres kifish. Un coup de feu la fit sursauter, tout près, et elle plongea la main dans sa poche mais son arme n'y était plus.

– Hilfy...

Tully la traîna encore un peu en arrière car des kif déferlaient pour prendre position.

– Dieux! fit-elle dans un souffle. Nous sommes du mauvais côté de la ligne!

Des détonations claquaient, venant du mur qui se dressait derrière eux, et des projectiles ricochaient en tous sens. Hilfy se fit aussi petite que possible et, à la première accalmie, elle s'agriffa à la chemise de Tully, se releva tant bien que mal et tous deux détalèrent.

La fumée s'épaississait au lieu de se résorber comme elle aurait dû normalement le faire : les ventilateurs ne fonctionnaient pas. Alors, elle comprit : ils étaient isolés, coupés du reste de la station – les caissons pare-feu s'étaient hermétiquement fermés.

– Où?

Pyanfar avait hurlé la question dans le micro comme si s'égosiller pouvait être d'une aide quelconque. Tirun, Khym et Geran se tenaient derrière elle. Un silence de plomb régnait dans la salle de veille.

– Comment ça, « ne bougez pas »? Vous êtes un incapable ou quoi, déjection des dieux?... Mais où ça? A quel endroit de l'anneau?

Le jacassement de son interlocuteur lui emplissait les oreilles. Un mouvement la fit se retourner. C'était Haral qui arrivait en courant. La capitaine agita furieusement la main à l'adresse de l'équipage :

– Allez chercher les armes! Vite!

– Caissons pare-feu scellés, section isolée, babillait le fonctionnaire mahen. Aucune chance kif enfuir. Vous attendre rapport...

– Vous allez nous autoriser à entrer dans la section isolée. Vous m'avez compris?

– Non avoir autorité ici...

– Débrouillez-vous!

Sans plus écouter l'officiel qui continuait de bafouiller, Pyanfar repoussa Khym d'une bourrade. Geran avait sorti les armes de poing du râtelier.

– Prends les fusils, lui ordonna Pyanfar.

Parce qu'elles avaient des fusils bien que ce fût illégal. Elles n'auraient jamais admis devant les autorités portuaires qu'elles détenaient cet armement défensif.

– A vos ordres, dit Haral qui sortit précipitamment.

– Pyanfar... dit Khym.

Elle bloqua les commandes, fit volte-face et quitta à son tour la passerelle au pas de course. Khym était avec elles et elle ne souhaitait pas l'empêcher de les accompagner. Pas dans ces circonstances.

Les énormes caissons étanches isolant la section étaient clos. Les fulgurances rouges et ambrées de leurs strobos déchiraient les volutes de fumée qui arrivaient jusque-là. Le gémissement des sirènes se répercutait d'un bout à l'autre de l'immensité des bassins.

– Les portes sont fermées... scellées, haleta Hilfy.

Ses yeux larmoyants la piquaient. Elle halait à demi l'humain qui, de son côté, la tirait à moitié. Tous deux se coulaient entre les silos et les déversoirs du quai dans l'espoir de trouver la brèche qui leur permettrait de se mettre à l'abri du front de flammes.

– Pas moyen de s'échapper... Tully, arrête-toi!

Encore des coups de feu. Cette fois, ils venaient d'une autre direction. Hilfy hala Tully, le déséquilibrant, ils trébuchèrent l'un et l'autre, heurtèrent bruyamment un réservoir et la hani se retrouva sur son séant tandis que l'humain s'effondrait. Il roula sur lui-même en se tenant le bras. Hilfy, s'accrochant toujours obstinément à lui – elle n'avait pas lâché son pan de chemise –, se traîna un peu plus loin.

Là-bas, le mur faisait un angle...

Dieux! Il devait sûrement y avoir un refuge...

C'était une sorte de ruelle, guère plus qu'un renfoncement servant à entreposer des marchandises en attente de chargement, une impasse aboutissant à une porte surmontée d'une lampe à l'éclat blanc. COMPAGNIE ROHOSU – ENTRÉE DE SERVICE, lisait-on sur un écriteau délabré à côté duquel s'étalait un graffiti mahen obscurément obscène.

Hilfy s'escrima sur la poignée mais la porte, comme toutes les autres, avait été verrouillée dès que le signal d'alerte avait retenti. Elle sonna, martela de ses poings le massif panneau d'acier.

– Ouvrez, au nom des dieux! Nous sommes hani! Laissez-nous entrer!

Pas de réponse. Tully balbutia quelque chose. Des sirènes. Hilfy les entendait aussi. Leur vagissement venait de très loin, de l'autre extrémité du quai. Elle se laissa glisser aux pieds de l'humain. Quand elle s'empara de sa main, elle grimaça en voyant la

blessure qu'il avait au bras et que révélait la faible
lumière. La plaie avait mauvais aspect. Ses lèvres
étaient noires et elle saignait abondamment. Hilfy
déchira un morceau de la chemise de Tully pour en
faire une compresse qu'elle maintint en place avec
une autre bande d'étoffe sommairement nouée.

Il fallait qu'elle lui parle, qu'elle dise n'importe
quoi pour juguler l'affolement de son compagnon.

– Calme-toi, chuchota-t-elle. Calme-toi. Ce n'est
rien, tout va bien. Tu entends?

Tully s'écroula, le dos appuyé contre le mur. Son
teint était cireux. Au bout de son bras blessé, sa
main tremblait et son frémissement se communi-
quait au reste de son corps. Il était en état de choc
mais il écoutait et ses yeux suivaient le regard
d'Hilfy.

– Tu comprends, c'est maintenant le branle-bas
de combat dans toute la station. Et *L'Orgueil*... elles
sont sûrement au courant, à présent. La capitaine
est d'ores et déjà passée à l'action pour nous porter
secours, je te parie tout ce que tu veux... Pyanfar, tu
comprends?

– Pyanfar venir?

– Tu peux être tranquille. Il n'y a pas à s'en
faire.

Tandis qu'elle resserrait le nœud du pansement
improvisé, l'humain bredouilla quelque chose dans
sa langue natale. La traductrice ne marchait pas. Et
la bande traduction... elle était dans le sac en
plastique. Avec l'enveloppe. Là-bas, dans la carcasse
démantibulée de la voiture. Avec Chur...

– Hilfy...

Tully s'était crispé. Son regard était braqué vers
l'entrée de l'impasse. Hilfy tourna la tête.

A travers la fumée rougeoyante se mouvaient des
ombres, des silhouettes affublées de robes noires,
les épaules voûtées, qui allaient et venaient, s'immobilisaient, palabraient.

Tully s'écarta de la zone éclairée par la lampe qui

brillait au-dessus de la porte. Hilfy l'imita, se déplaçant aussi précautionneusement que possible et, l'étreignant, se serra contre lui pour que son pelage roux dissimulât autant que faire se pouvait l'épiderme clair de l'humain. Elle sentait qu'il frissonnait entre ses bras. Et elle eut soudain la gorge sèche en se rappelant l'acuité visuelle des kif.

C'était de nuit qu'ils préféraient chasser. Et Tully... sa chemise blanche, ses cheveux pâles, sa peau livide...

Elle l'étreignit avec plus de force encore.

Là-bas, les conciliabules avaient pris fin. Les kif commençaient à s'éloigner.

L'un d'eux fit halte et regarda dans leur direction.

– Ouvrez cette maudite porte! gronda Pyanfar.

Elle se mit à la frapper à coups de crosse tant et si bien qu'à l'intérieur du poste de garde, un mahendo'sat, frappé d'effroi, commença à brailler des menaces.

– C'est d'accord avec le Personnage! lui cria-t-elle en guise de réponse. Ouvrez la section isolée!

– Au-to-ma-tique, émit le communico de transfert dans un mauvais sabir.

C'était bien une station mahen! La moitié du personnel n'arrivait jamais à le parler couramment.

– Le Personnage! hurla Pyanfar en mahe classique.

Un autre mahe baragouina quelque chose. Celui-ci s'exprimait en dialectal.

Les robes-noires emplissaient le cul-de-sac, visages d'ombre indiscernables à la chiche clarté que dispensait le lumignon dans la niche pratiquée au-dessus de la porte. Hilfy se releva. Tully, de son côté, s'efforça tant bien que mal de l'aider à se mettre sur ses pieds et elle l'aida en le tenant par son bras valide. Qu'il ait, au moins, cette chance!

– Si tu peux courir, prends la fuite, lui dit-elle à voix basse, espérant, malgré tout, qu'il réussirait peut-être à faire une percée.

Mais le vocabulaire de l'humain était si limité! Les kif s'approchaient, leur laissant de moins en moins de place, et il se colla davantage contre elle. Il essaierait de faire front. Mais, avec ses doigts aux ongles émoussés, il ne ferait pas le poids. Sans compter qu'il était loin de courir aussi vite qu'un kif. Et c'était lui qu'ils voulaient – vivant : cela ne faisait pas l'ombre d'un doute.

– J'ai des griffes, pas toi, chuchota-t-elle. Tu cours! Compris.

Le cercle des kif se resserrait autour du couple. Et l'un d'eux parla :

– Nous ne vous ferons pas de mal. Vous vous êtes fourvoyée ici, jeune hani. Vous vous êtes indiscutablement fourvoyée. Si vous aviez une arme, vous vous en serviriez, n'est-il pas vrai? Mais nous ne sommes pas vos ennemis.

– Qui êtes-vous donc?

Celui qui avait parlé était plus grand que les autres, son vêtement était d'une étoffe plus fine et elle devina son nom avant même qu'il eût ouvert la bouche.

– Sikkukkut. Rappelez-vous, jeune hani : nous avons fait connaissance à La Jonction. Je ne vous veux aucun mal, ni à l'un ni à l'autre. Et nous sommes tellement plus nombreux! Allons... soyez raisonnable.

Les kif s'avancèrent d'un seul mouvement.

– Sauve-toi! cria Hilfy à Tully – et, pivotant sur elle-même, bras écartés et griffes sorties, elle catapulta l'un des assaillants contre le mur. Cours, au nom des dieux! Cours!

Le pan d'une robe noire l'aveugla fugitivement. Quand elle recouvra la vue, ce fut pour voir Tully la débarrasser de son agresseur qu'elle assomma incontinent.

Mais les griffes d'autres kif s'enfoncèrent dans l'épaule de l'humain, dans son bras, pour l'entraîner.

– Tonnerre des dieux! cria-t-elle.

Elle tenta de mettre l'assaillant hors de combat mais deux autres kif la ceinturèrent et une prise à la gorge l'étrangla à demi.

La porte se rabattit avec un bruit assourdissant, révélant un spectacle chaotique et tumultueux – les reflets rouges des signaux d'alarme sur les nuées de fumée que ne dissipaient pas les ventilateurs en déroute, les éclairs effrénés des strobos.

– Dieux! murmura Geran.

Le cœur de tout ce bouleversement sautait aux yeux : des flots de lumière blanche qui, là-bas, très loin en haut du dock, déchiraient la nappe fuligineuse. Le premier mouvement de Pyanfar fut de s'élancer, les mains crispées sur son fusil.

– Non, attendre, gémit plaintivement le dignitaire mahen qui avait ouvert la porte. Hani, attendre...

Mais Geran avait pris, elle aussi, le pas de course, et chaque enjambée la rapprochait un peu plus de la capitaine – Geran au pied léger dont la sœur, Chur, était quelque part dans cet enfer.

Un rayon laser zébra la nappe de fumée. Pyanfar épaula et tira sans cesser de courir. Geran l'imita – pas avec une précision remarquable mais en toute célérité. De nouveaux coups de feu retentirent venant de derrière, tandis que le mahe s'égosillait, les suppliant de se mettre à couvert.

Khym cria quelque chose que l'écho déformait, rendait inintelligible. Une rafale kif venant, celle-là, des épaves des véhicules, lui répondit. Pyanfar fit un écart et plongea. Se rappelant que son époux la suivait, aux prises avec une terreur capable d'arrêter les battements de son cœur, elle roula sur elle-même pour couvrir la course aveugle de Khym.

Mais il la rejoignit et s'arrêta net en arrivant à sa hauteur, le souffle court. Son pistolet crachait le feu. Tirun les rattrapa. Geran et Haral s'étaient embusquées avec le mahendo'sat derrière une pile de fûts. Tous trois baissèrent la tête quand des projectiles arrachèrent des fragments de plastique qui tombèrent sur eux en avalanche.

Soudain, cela se mit à tirailler de l'autre côté et, pendant un moment, des détonations qui se répondaient éclatèrent dans tous les sens. Puis ce furent, au loin, des clameurs de satisfaction – des voix mahen – et Pyanfar leva la tête mais elle se plaqua à nouveau au sol car les balles s'entrecroisaient rageusement au-dessus d'elle.

– Ce sont les mahen qui tirent! s'exclama Haral qui bénéficiait d'un meilleur poste d'observation.

Pyanfar jeta un coup d'œil et, quittant son abri, se rua à toutes jambes vers les carcasses des véhicules derrière lesquelles un feu roulant se poursuivait sans discontinuer.

Les mahe, retranchés parmi les épaves, eurent un mouvement de surprise à sa vue et les hani qui faisaient le coup de feu avec eux se retournèrent, oreilles aplaties.

C'étaient des Ehrran...

Pyanfar en empoigna une par l'épaule et la secoua sans ménagements, bientôt rejointe par Geran et les autres membres de son équipage.

– Où est Chanur? Rognures des dieux! Où est-elle?

Sans mot dire, la Ehrran désigna de la main une hani qui gisait à même le sol et le cœur de Pyanfar se serra tandis que Geran, à quatre pattes, se précipitait vers sa sœur.

– Et les autres?

Un bras manifestement hani mais plus musclé

surgit et son propriétaire empoigna la barbe de la Ehrran.

– Où sont-elles? gronda Khym.

La Ehrran agita frénétiquement la main.

– ... Parties... elles se sont enfuies, quelque part par là...

Pyanfar la repoussa d'une bourrade et, sans plus se soucier d'elle, s'approcha de Chur.

Celle-ci était en vie. On lui avait rehaussé la tête avec une espèce de coussin de fortune et, bien qu'il y eût du sang partout, on avait aspergé sa blessure de gel coagulant pour stopper l'hémorragie. Geran, penchée au-dessus d'elle, la tenait par la main. Dire qu'elle avait l'air épouvanté serait un mot trop faible.

– Comment va-t-elle? lui demanda Pyanfar.

– Elle souffre, balbutia Geran sans presque remuer les lèvres, s'adressant plus à elle-même qu'à sa capitaine. (Ses yeux n'étaient plus que deux fentes étroites.) Où est Hilfy? Et Tully?

– Nous n'en savons rien. Où les as-tu perdus de vue?

Chur remua imperceptiblement la tête comme pour essayer d'indiquer une direction.

– Ils... se sont sauvés. (En fait, elle ne désignait aucune direction en particulier.) Je ne sais pas.

Pyanfar se tourna vers les autres navigantes qui s'étaient groupées autour d'elle.

– L'enveloppe! C'était Tully qui l'avait. Fouillez ce tas de ferraille!

– Je l'ai, fit Chur d'une voix pâteuse en tâtonnant faiblement derrière sa tête, manifestement en proie au délire.

C'était, du moins, ce que pensait Pyanfar jusqu'au moment où elle vit ce sur quoi reposait la nuque de Chur et que cette dernière essayait de saisir.

Le sac en plastique de Tully!

– Dieux! s'exclama-t-elle d'une voix vibrante.

Geran, reste là et occupe-toi d'elle. L'ambulance ne va pas tarder à arriver?

– Pas Kshshti, balbutia Chur. *L'Orgueil...*

Pyanfar ne saisit pas tout de suite. Quand la lumière se fit en elle, elle serra le bras de la blessée.

– Il n'est pas question qu'on te laisse là. Tu as compris?

– Compris.

Et Chur ferma les yeux.

Pyanfar se tourna vers Geran.

– Ne la quitte pas. Nous allons nous mettre à la recherche des autres.

Elle se releva mais resta le corps plié en deux car ça tiraillait encore et recula en compagnie de Tirun, de Khym et d'Haral. Avant de s'éloigner de la ligne de défense mahen, elle empoigna l'un des mahe par le bras.

– Hani... Vous avez vu une hani?

– Pas vu.

– Un Extérieur?

– Pas vu.

De nouveau, Pyanfar recula. La confusion était maintenant totale... les véhicules de secours d'urgence qui arrivaient, les clameurs des haut-parleurs se confondant avec les ululements des sirènes. Elle distingua quelques mots : *Ordre d'évacuation... évacuation immédiate... danger...*

Pour dégager les lieux, les libérer de la présence de tous ceux qui n'étaient pas directement concernés, espérait-elle. Peut-être les explosions avaient-elles déstabilisé toute cette section de la station. Mais avec ces hurlements braillés en mahe et le charivari des sirènes, comment savoir?

Elle releva la tête car la fusillade s'était tue.

Elle prit Haral par le bras.

– J'ai l'impression que c'est fini. Mets Chur dans une ambulance. Et que Geran ne la quitte pas. Sous aucun prétexte.

– Entendu.

Haral fit demi-tour mais se figea sur place et Pyanfar, intriguée, se retourna. Un groupe de hani avait surgi au milieu des allées et venues des véhicules de secours, quelques-unes en pantalons noirs, plusieurs en bouffants bleus.

– Ayhar! cracha-t-elle en se redressant d'un bond. Ehrran!

En effet, Rhif Ehrran était là en personne et, écartelée entre la colère et l'espoir, Pyanfar fonça sur les nouvelles venues, contournant au passage une civière et faisant un crochet pour éviter une brigade anti-incendie qui se précipitait sur les lieux du sinistre. Les hani la regardaient approcher. Et, parmi tous ces visages tournés vers elle, il y avait ceux de Banny Ayhar et de Rhif Ehrran.

Cette dernière vint à sa rencontre.

– Félicitations, Chanur! s'exclama-t-elle. Vous pouvez être fière de votre travail!

Pyanfar ralentit l'allure. Une main se posa sur son bras mais elle se dégagea d'un mouvement brusque.

– Capitaine! Non, ne faites pas ça! l'implora Tirun.

Elle s'immobilisa et Ehrran eut le bon sens de s'arrêter, elle aussi, à distance respectueuse.

– Où sont-ils? lui demanda-t-elle.

– J'aimerais bien le savoir. (Ehrran avait la main posée sur la crosse du pistolet fixé à sa ceinture et ses yeux étaient bordés de blanc.) Pourriture des dieux, Chanur...

– Soyez au moins utile à quelque chose. Nous avons besoin de monde pour les rechercher. Ils se sont peut-être réfugiés quelque part sur le quai.

Ehrran agita nerveusement ses oreilles, se retourna et fit signe à ses navigantes :

– Formation en éventail, leur ordonna-t-elle. Et de la prudence.

– Allons-y, dit Pyanfar à son équipage.

Hilfy remua un doigt. Déplaça une main. Elle avait repris conscience. L'odeur des kif imprégnait l'atmosphère. Les kif... La mémoire lui revint. Elle essaya de bouger d'abord un bras, puis les deux. Paniqua. Elle ouvrit les yeux. Un plafond nu et gris. En acier. Des lampes. Elle se remémora une secousse dont elle ne s'était pas pleinement rendu compte... ses bras enchevêtrés dans quelque chose, ses jambes ligotées... l'accident, l'épave de la voiture... O dieux!

Elle tourna la tête. Vertige... un halo lumineux... des kif agglutinés autour d'une table sur laquelle il y avait quelque chose. Quelque chose de pâle. De la taille d'un humain.

Elle fit un effort pour se redresser mais elle était entravée et il lui fut impossible de décoller de la surface dure sur laquelle elle était allongée. Des couvertures solidement nouées lui paralysaient les membres. De nouveaux claquements métalliques parvinrent à ses oreilles – les bruits familiers des masques qui se rétractent. Les kif levèrent un instant la tête, l'air anxieux, puis revinrent à leur tâche. *Clac! Tchaoumph!*

Des cliquetis. Cela, c'était la déconnection des grappins. Quand l'intensité de la pesanteur s'accentua, les kif, sans s'interrompre, se cramponnèrent à la table sur laquelle reposait Tully. Des sifflements. Des caquètements de voix kifish. Hilfy ferma les yeux. Quand elle les rouvrit, le cauchemar était toujours là, bien réel.

Pyanfar s'immobilisa, regarda autour d'elle et fit pivoter son fusil. Quelqu'un approchait. Une silhouette hani se découpait contre le fond des lumières éblouissantes qui délimitaient le périmètre du sinistre.

– Capitaine! (Les échos de la voix d'Haral se répercutèrent au loin.) Capitaine... La navigante en second, pantelante, s'appuya au montant d'un portique de charge.) Le *Harukk* vient d'appareiller. Les mahendo'sat m'ont juste prévenue il y a un moment...

Pyanfar demeura silencieuse. Qu'aurait-elle pu dire qui convînt à la situation? Elle se borna à mettre son arme en bandoulière et s'élança vers le groupe des sauveteurs au cas où elle pourrait les aider dans leurs recherches.

Ils avaient pris l'espace.

– Tully! appela Hilfy.

Le stress engendré par l'accélération était considérable et elle avait beaucoup de mal à respirer. Les kif avaient déguerpi pour chercher refuge quelque part mais ils avaient laissé l'humain là, sur la table, sans couverture, sans rien pour le protéger du froid.

– Tully...

Mais Tully ne bougeait pas et elle renonça à essayer de le réveiller. Force était de reconnaître que les kif lui avaient prodigué des soins pour parer au plus pressé. Ils se préparaient à la longue accélération précédant le saut et tenaient à ce que leur prisonnier restât vivant jusqu'au bout.

Elle, c'était une autre affaire. Bon nombre de kif avaient des comptes à régler avec Chanur.

Où allaient-ils? De mémoire, elle étudia une carte imaginaire. Leur destination la plus probable était Kefk. En territoire kifish. Ils pouvaient la rallier en un seul saut.

Une secousse ébranla le vaisseau du nez à la queue. Il est touché! songea Hilfy avec l'espoir extravagant que quelqu'un intervenait d'une manière ou d'une autre pour le bloquer dans sa fuite. Mais, bien au contraire, le G s'accentua. Maintenant, la gravité était d'une intensité incroyable. Le vaisseau s'était délesté de sa cargaison. Non, même pas. Elle se rappelait la ligne vicieuse du bâtiment à son poste d'amarrage à La Jonction. C'étaient simplement les fausses nacelles qui venaient d'exploser, fausses nacelles qui camouflaient la véritable nature du *Harukk* : le navire était en réalité un chasseur armé en course.

Désormais, personne ne pourrait le rattraper.

– Il y a combien de temps ? vociféra Pyanfar.

L'estafette, un mahe de haute taille, fit un pas en arrière.

– Pas du temps beaucoup. (Il posa les deux mains sur sa poitrine.) Je, messager, hani capitaine. Non communico marcher. Aller bureau Personnage. Personnage dire vous à lui conduire.

Pyanfar se retourna. Et découvrit Rhif qui lui bloquait le chemin.

– Alors, Chanur ? Avez-vous concocté un plan sensationnel ?

– Si vous n'étiez pas descendue à quai, si vous n'aviez pas laissé le seul navire capable de les prendre en chasse à son poste d'amarrage sans son équipage, stupide crevure que vous êtes...

– Pour faire quoi ? Prendre en chasse un bâtiment armé en course jusqu'à Kefk ? C'est vous qui êtes stupide, Chanur. Faites-moi confiance pour que je transmette un rapport complet à qui de droit !

– Non, Py !

Khym empoigna le bras déjà levé de Pyanfar juste à temps et la fit reculer de force. Le plus gros de sa fureur passée, elle bomba le torse et dévisagea Ehrran autour de qui s'étaient massées ses navigantes.

Un mahe s'avança.

– Personnage vouloir voir vite hani capitaine, dit-il. Vite, s'il vous plaît. Je voiture avoir.

Pyanfar tendit son fusil à Khym, pivota sur elle-même et suivit le mahe. Elle avait conscience qu'Haral l'accompagnait sur le pont jonché de débris, que Tirun et Khym, derrière, pressaient le pas pour la rattraper.

– Chanur! (C'était une voix hani.) Chanur...

La corpulente Banny Ayhar, soudain surgie à son côté, lui prit le bras pour l'arrêter.

D'un geste brusque, Pyanfar la repoussa.

– Hors de mon chemin, Ayhar. Allez plutôt lécher les pieds d'Ehrran.

– Ecoutez, Chanur. (Cette fois, Ayhar l'agrippa par le poignet avec plus de fermeté et se planta devant elle pour lui barrer la route.) Je regrette. Vous voulez prendre passage avec moi?

Pyanfar s'immobilisa, les yeux rivés sur l'épais visage de Banny Ayhar.

– Elle a acheté vos services?

– Non.

– Alors, à la solde de qui êtes-vous?

– Ecoutez-moi, Chanur...

Pyanfar se remit en marche.

9

L'ascenseur les déposa là où Tully et Hilfy auraient dû aller – au niveau de sécurité maximale. Les gardes manifestèrent une certaine nervosité en voyant apparaître ce groupe de hani – dont un mâle – maculés de sang et équipés de fusils.

Mais les portes de l'édifice caractéristique de l'architecture utilitaire en honneur sur Kshshti – panneaux d'acier gris de haute protection, kyrielle de sentinelles armées – s'ouvrirent les unes après les autres sans qu'on leur demandât quoi que ce fût.

Etoiles et ténèbres : Pyanfar cessa de voir ce qu'il y avait devant elle en se remémorant le navire de chasse kifish amarré à La Jonction – poli et luisant, mortel, rapide – et présentement en partance au nadir de Kshshti, se rapprochant du point de saut à une célérité de plus en plus proche de C.

La dernière porte que leur indiqua un garde donnait sur une salle baignant dans une semi-pénombre, séparée en deux sections par une cloison de plastine derrière laquelle irradiait une lueur violette. Dans la partie où l'éclairage était neutre, deux mahendo'sat étaient assis à un bureau. Dans l'autre, la violette, une gigantesque créature reptilienne se contorsionnait sans désemparer.

Un tc'a! Le choc que Pyanfar éprouva à la vue du méthanien la fit involontairement s'arrêter net. La cloison paraissait bien fragile. Physiquement confrontés à cet être dont ils n'avaient jamais vu les semblables que vaguement et par écran vidéo interposé, les hani distinguaient ses attributs avec une précision qui ne rendait sa présence que trop réelle : une peau huileuse et parcheminée d'où émanait une phosphorescence mordorée, cinq pédoncules oculaires de la taille du poing entourant un triple palpeur buccal d'où jaillissait constamment une langue. Le corps était perpétuellement animé de saccades comme il en allait de tous les tc'a.

– Estimée capitaine, commença la Voix inhabituellement assourdie, je présenter vous le Personnage Toshena-eseteno, maître de station de cette partie de Kshshti; et le Personnage Tt'om'm'mu, maître de station de partie méthanienne.

– Honorables, murmura Pyanfar.

Le tc'a méritait à lui seul le pluriel, plusieurs pluriels, même – et que les dieux viennent en aide aux psychologues!

La créature serpentine se rapprocha et se tortilla pour coller contre la cloison transparente ses pédoncules oculaires orange. Une lamentation à cinq voix, générée par un cerveau multiple, s'éleva tandis que s'allumait la matrice d'affichage :

TC'A	TC'A	HANI	HANI	MAHE	KIF	KIF
CHI	CHI	RESTER	RESTER	RESTER	PARTIR	PARTIR
UNITÉ	UNITÉ	COLÈRE	COLÈRE	COLÈRE	PARTIR	PARTIR
GARDER	RESTER	RESTER	RESTER	RESTER	PARTIR	MESSAGE

– Merci au Personnage tc'a. Mais quel message?

– Kif.

Lentement, le Personnage mahen se leva et ses robes retombèrent sans un faux pli. Des robes de style austère contrairement aux falbalas dont, ailleurs, se paraient ses homologues. Il tendit à Pyanfar un papier et dit de sa propre bouche sans passer par l'intermédiaire de la Voix :

– Ceci provenir du *Harukk*. Navires kif prendre espace tous les trois. Nous envoyer deux bâtiments mahen pour poursuivre.

– Ils ont tiré?

– Pas tirer, non.

Un doute affreux s'empara de Pyanfar. Otages ou pas, s'étaient-ils abstenus de faire feu? Si ç'avait été *L'Orgueil* qui s'était lancé à la poursuite des kif... mais elle chassa cette idée, déplia le papier et lut :

« A chasseuse Pyanfar. C'est quand le vent souffle qu'il convient de disposer les filets. Le mien s'est révélé favorable pour nous deux. Si votre *sfik* tient absolument à ce qu'une rencontre ait lieu entre vous et moi, Mkks est un terrain neutre. Vous pourriez alors y réclamer ce qui vous appartient. »

– Il les a capturés, dit Pyanfar à l'intention de son escorte et elle passa le papier à Haral.

Mkks. Une base située dans les Territoires contestés. Et non pas Kefk qui, elle, se trouvait dans la zone d'influence kifish.

Un appât... Un endroit qu'elle avait la possibilité de rejoindre.

Le Personnage reprit la parole :

– Je ordre donner vaisseau mahen poursuivre ce kif. Aller Mkks. Essayer utiliser influence.

– *Influence!* Quelle barre a-t-on sur un kif qui a en main ce qu'il veut avoir?

Le Personnage balaya l'argument d'un geste négligent. Pyanfar sentait le sang battre dans ses tempes. Elle n'avait aucune confiance. Quand les intérêts des mahe étaient en jeu, on était totalement démuni.

– Vous suivre ce kif? Ou aller Maing Tol?

Qui réparera mon navire, Honorable? faillit-elle demander. Mais elle s'abstint de poser la question. Elle regarda tour à tour le tc'a qui continuait inlassablement à se contorsionner de l'autre côté de la vitre, puis le mahendo'sat au vêtement ascétique.

– Vous avez une suggestion à me faire?

Le Personnage dit quelque chose en mahe et la Voix traduisit :

– Hani capitaine, kif avoir proverbe : Obtenir résultat en provoquant confusion chez autrui. Peut-être pas de plan. Peut-être motif différent. Ce Sikkukkut... (La Voix se balança d'un pied sur l'autre, les mains derrière le dos.) Pardonnez. Non connaître mot hani poli. *Hatonofa*. Il position premier plan détenir.

– Je connais ce terme. Et je ne connais pas ce kif. Personne ne connaît les kif en dehors des kif eux-mêmes.

Il y eut un nouvel échange entre le Personnage et la Voix.

– Personnage, dit cette dernière, souhaiter s'exprimer avec délicatesse. Je avouer incapacité mienne pour cela.

– Dites les choses tout crûment. J'enjoliverai ensuite.

– Il demander quoi d'autre vous avoir que ce kif désirer.

– Je ne sais pas.
Le tc'a éructa :

CHI	TC'A	HANI	HANI	KIF	KIF	KIF
RESTER	PRÉVENIR	DONNÉES	DONNÉES	VOULOIR	AVOIR	VOULOIR
TC'A	KSHSHTI	MKKS	MKKS	MKKS	KEFK	AKKT
PEUR	PRÉVENIR	PÉRIR	PÉRIR	PRENDRE	PRENDRE	PRENDRE

– Information, traduisit simplement Toshena-ese-teno.
– Que signifient *Kefk* et *Akkt*?
L'écran devint noir.
Et demeura opaque.
– Qu'est-ce que cela veut dire? demanda Pyanfar au mahe.
– Non clair. (Le Personnage s'approcha de la vitre sur laquelle il posa sa main.) Collègue tc'a pas toujours clair. Avertissement à vous. Equipe radoub déjà travailler. Réparer votre navire. Allez où?
Pyanfar se mordilla la moustache.
– Il lui faudra vingt heures.
– Peut-être plus vite aller.
L'écran se ralluma et le reptilien ulula de nouveau son lamento :

CHI	TC'A	CHI	KNNN	HANI	HANI	MAHE
TC'A	HANI	HANI	HANI	PAREIL	AUTRE	AUTRE
KSHSHTI	KSHSHTI	KSHSHTI	KSHSHTI	KSHSHTI	KSHSHTI	KSHSHTI
MKKS	MKKS	MKKS	MKKS	MKKS	MKKS	KSHSHTI
VOIR	VOIR	VOIR	VOIR	ALLER	PÉRIR	RESTER
DANGER	DANGER	DANGER	MENACE	DANGER	DANGER	DANGER

– Quelle menace? s'enquit Pyanfar.
La matrice pouvait se lire dans toutes les directions. L'ordinateur en sélectionna les harmoniques mais aucune séquence n'était certaine.
– Knnn? Quels hani périr? Présent ou futur?
Le tc'a s'éloigna de la cloison :

ÉVITER   ÉVITER   ÉVITER   ÉVITER   ÉVITER   ÉVITER   ÉVITER

– Est-ce la réponse ou la réaction?

Le tc'a bascula en avant et commença à onduler. Un chi surgit alors de dessous la glace. De la taille d'une hani, c'était un faisceau d'espèces de baguettes phosphorescentes dans la lumière violette et qui s'entrecroisaient rapidement. Il escalada le flanc parcheminé du reptilien et s'y attacha, frémissant frénétiquement de tous ses membres.

La sixième hypothétique race intelligente de la communauté? Ou un symbiote des tc'a? La question demeurait toujours pendante.

DANGER DANGER DANGER DANGER DANGER DANGER DANGER

– Calme... garder calme.

Le Personnage mahen leva les mains et tourna le dos à la lumière violette. Ses oreilles étaient rabattues en arrière. La lueur l'auréolait. Son profil, mangé d'ombre, était indéchiffrable.

– Il y en a eu un qui a déhalé à La Jonction, dit Pyanfar. Un knnn. Un tc'a aussi. Quelque chose s'est produit. Je ne l'ai pas revu depuis.

– Knnn aller et venir. Personne poser questions.

– Il pourrait être ici? C'est cela que vous voulez dire?

– Affaires knnn. Cela non parler.

– Ils ont détourné les vaisseaux humains.

– Cela non parler!

Le Personnage fit face à la hani. Maintenant, son visage était totalement dans l'obscurité.

Les oreilles de Pyanfar palpitèrent. Elle leva la tête et exhala un long soupir. Avec mauvaise grâce.

– Mes excuses. (Nouveau soupir – plus bref. Elle avait l'impression d'étouffer.) Il vaut mieux que je me retire, Honorable.

– Aller où? Maing Tol? Mkks?

– Vous n'écoutez pas, n'est-ce pas?

Il n'était pas obtus. Oh non!

Et, en faisant le total des questions qui avaient été posées et de celles qui ne l'avaient pas été, peut-être ne savait-il pas tout ce qu'Or-Aux-Dents avait projeté de faire ou avait fait. Peut-être la pointe avancée de cette information était-elle un navire hani solitaire. Ou peut-être que Maing Tol n'avait pas fait confiance à la caution de Kshshti.

Des écheveaux dans des écheveaux, emmêlés à l'intérieur d'autres écheveaux! Pour tirer la queue du serpent, encore fallait-il savoir de quel côté elle était.

— J'ai des directives, laissa tomber Pyanfar. Du mahe qui m'a confié cette mission. Il a confiance. Et vous?

Le Personnage dit quelque chose que la Voix ne traduisit pas et se tourna vers Tt'om'm'mu. Le tc'a et le chi étaient occupés à autre chose. Le second s'affairait à faire onduler ses membres sur la peau parcheminée du premier. Peut-être étaient-ils en train de converser. Pour des oxy-respirants, c'était là une énigme.

Le mahe fit de nouveau volte-face.

— Aller vous où choisir aller. Pas factures, pas droits de port à payer. Cadeau Kshshti.

— Ma gratitude.

Le Personnage joignit les mains avec courtoisie. Le tc'a Tt'om'm'mu continua de se livrer... à ses occupations.

— Mal, murmura Chur. (Les autres entouraient son lit. Elle les regarda. Ses yeux étaient un peu moins vitreux.) Je veux...

Le reste de la phrase se perdit dans un bredouillement.

— Ils lui ont administré un sédatif joliment puissant.

Geran, assise sur un petit tabouret, se pencha et lissa la crinière de sa sœur, tandis que Pyanfar, les mains enfoncées dans sa ceinture, acquiesçait du menton. Geran avait été mise au courant des nouvelles derrière la porte. Elle connaissait le contenu du message.

– Elle a été convenablement soignée, reprit-elle. Les médecins de Kshshti ont une grande expérience.

L'ombre d'un sourire, aussi forcé que la plaisanterie désespérée de Geran, retroussa les lèvres de Chur. Elle avait fermé les yeux.

– Faites-moi sortir d'ici, capitaine. Emmenez-moi loin de ce port sinistre, les dieux le fassent pourrir.

– Il faut que tu te reposes. (Pyanfar étreignit brièvement l'épaule de la blessée.) Tu m'entends? Nous reviendrons.

– Où est Hilfy? Et Tully? (Les yeux de Chur se rouvrirent. Ils étaient bien plus larges que Pyanfar ne l'aurait cru possible.) Vous les avez trouvés?

– Nous sommes à leur recherche.

– Vomissures des dieux! (Un frisson agita Chur.) Mais où sont-ils?

– Dors. Ne remue pas comme ça.

– Il y a eu des complications.

– Chur, dit Geran en lui prenant le bras, la capitaine a à faire. Rendors-toi.

– Dans un enfer mahen! Dites-moi tout!

L'heure n'était plus au mensonge. La tension de Chur grimperait. Elle se minerait...

Pyanfar prit sa décision :

– Nous allons partir pour Mkks. Les kif les ont faits tous les deux prisonniers. Un certain Sikkukkut. Il aurait, paraît-il, un marché à me proposer. Il veut que nous allions à Mkks pour parler.

– Dieux!

– Ecoute. (Pyanfar serra un peu plus fort le bras de Chur.) Ecoute... nous ne sommes pas dans une situation sans issue. Les mahendo'sat sont prêts à nous aider. Nous les ramènerons – tous les deux.

– Vous allez laisser les mahendo'sat régler les choses?

Pyanfar hésita avant de répondre. Cette fois encore, elle opta pour la vérité.

– Nous allons aller là-bas, Haral, Tirun et moi. Nous sommes capables de mener *L'Orgueil* à bon port. Les réparations sont en cours.

Les oreilles de Chur retombèrent sur l'oreiller. Ses paupières étaient closes.

– Promis... vous avez promis.

– Je ne peux pas. Plus maintenant.

– Demain, je serai là. A bord. Geran aussi.

– Pour le moment, repose-toi.

– Oh! (Chur rouvrit les yeux.) Les emplâtres tiendront. Je supporterai parfaitement le saut... capitaine.

Pyanfar recula. Son regard croisa celui de Geran.

– Eh bien, rendez-vous à bord, dit cette dernière.

Pyanfar, les oreilles couchées, saisit Geran par l'épaule et l'entraîna à l'écart.

– Nous pourrons nous débrouiller. Vivement qu'on quitte ce coin pourri! Tu restes avec elle, d'accord?

– Et ensuite?

Deux hani échouées dans une station sans navire. Là, Pyanfar n'avait pas de réponse.

– A plus tard, murmura Geran.

Une hani abandonnée seule à son sort. Cela ne valait pas mieux. Chur sans Geran. Elles ne s'étaient jamais quittées, n'avaient jamais envisagé d'être séparées l'une de l'autre. C'était le choc final.

– A plus tard.

Lâchant Geran, Pyanfar fit demi-tour pour regrouper le reste de son équipage. Khym était debout à côté de la porte. Personne n'avait plus de fusil. On les avait laissés dehors sous la garde d'un médecin stsho manifestement agité et tout le monde s'était récuré dans les toilettes mais l'odeur de la fumée empuantissait encore leurs vêtements. Ils sentaient le savon et la fumée, et ces relents leur soulevaient le cœur.

– Venez. Il vaut mieux la laisser se reposer. Tu

n'as pas de souci à te faire, Chur, tu entends? Nous allons tout arranger, je t'en donne ma parole.

Mais Chur s'était déjà rendormie.

– Capitaine... (Geran s'accroupit devant le lit et se saisit du sac de plastique blanc. On l'avait nettoyé puisqu'il avait servi de coussin à Chur.) Tout est dedans. L'enveloppe est intacte.

– Oui...

Pyanfar prit le sac et le serra sous son bras. Les kif n'auraient pas hésité à tuer pour se l'approprier – s'ils avaient su. Les maîtres de station eux-mêmes ignoraient tout. Ils savaient relativement peu de chose, en définitive.

– Tu lui diras merci de ma part, hein? Je compte sur toi.

Quand elle eut regagné la passerelle, Pyanfar posa le sac sur la tablette. Bien qu'elle n'eût pas le cœur à fouiller dans les affaires personnelles de Tully, elle en sortit l'enveloppe et entreprit d'en examiner le contenu.

Tout était là, intact. Les papiers chiffonnés. Les enregistrements dans leurs étuis protecteurs. Elle rangea le tout dans le compartiment de sécurité équipé d'une serrure codée.

Toute la coque résonnait. Les radoubeurs étaient au travail, occupés à démonter toute la queue du navire. Le vacarme était épouvantable. C'était un tiers de la carcasse de *L'Orgueil* que l'on était en train de découper et les chocs secouaient le bâtiment dans ses œuvres vives.

– Py... Capitaine!

Elle leva la tête et se retourna. Khym était planté devant elle.

– Quand tu as parlé des membres de l'équipage qui vont partir pour Mkks, dit-il, tu n'as pas fait allusion à moi.

– Khym...

– Je peux faire office de garçon de courses.

Récurer la cambuse. Cela soulagera d'autant le personnel qualifié qui sera libéré de ces corvées, tu ne crois pas?

L'instinct de protection se réveilla en Pyanfar. Une image lui revint à la mémoire : le bras de Khym s'interposant entre elle et la Ehrran. Khym dont l'esprit avait continué de fonctionner alors que le sien s'était mis au point mort...

– C'est du bon travail que tu as fait sur le quai.

Elle lui tapota affectueusement l'épaule en passant devant lui.

– Capitaine... (Il ne l'avait pas appelée Py, cette fois. Elle se retourna. Il était vexé. Et habité par la rage.) Ne m'envoie pas promener avec ce genre de palinodies!

Elle essaya de se rappeler ce qu'elle avait dit ou fait.

– Excuse-moi. Je suis fatiguée. (Il ne réagit pas, ne répondit pas.) Tu veux partir aussi? Eh bien, c'est entendu! Si tu as envie de te faire massacrer avec nous, à ton aise, pourriture des dieux! Tu es content?

– Merci.

Son ton était maussade. Hostile.

Pyanfar fit volte-face et se retira. C'était la meilleure solution quand l'humeur de Khym devenait exécrable. L'insensé! Les dieux le protègent!

Il était attaché à Hilfy, tout le problème était là. L'âge venant, il faisait une fixation sur l'image de la fille. Parce qu'il se souvenait de la sienne. De la leur. Tahy. Tahy qui ne l'avait pas défendu contre son frère. Hilfy le respectait. Lui donnait du *na* Khym. Elle était aux petits soins pour lui, elle le dorlotait comme il avait pris l'habitude de l'être.

Crevures des dieux...

Elle entra dans la coquerie, farfouilla dans les placards et versa du gfi dans l'infuseur. Elle ne tenait plus debout. Elle s'était juste décrassée à l'infirmerie sans se nettoyer vraiment mais, pour l'heure, cela lui était égal. Elle n'avait envie que d'une seule chose : se remplir l'estomac.

– Attends, je vais te le préparer, lui proposa Khym qui l'avait suivie. Assieds-toi, Py.

Se retenant de faire claquer le couvercle du récipient, elle le referma en douceur et jeta un coup d'œil circulaire autour d'elle.

– Dans la cuisine, tu es chez toi.

– Combien as-tu mis de doses?

– Une.

Khym corsa le breuvage. Il vaquait posément à ses occupations domestiques. Ainsi, il s'était créé son petit domaine réservé! Eh bien, s'il soulageait l'équipage de ces tâches ménagères, il se rendrait effectivement utile.

Il y eut un grincement strident. C'était l'équipe des radoubeurs qui s'activait – les dieux savaient ce qu'ils faisaient! – sur la queue du vaisseau.

– Py...

Pyanfar saisit le gobelet que Khym lui présentait. Il remplit les autres dont il rabattit ensuite les couvercles pour aller les porter à Haral et à Tirun.

Mais Haral fit son entrée au même moment. Elle avait pris un bain. Il y avait des taches humides sur son pantalon de grossière étoffe bleue, sa crinière et sa barbe pendaient en bouclettes. Elle tenait un papier à la main.

– C'est pour moi? demanda-t-elle, les yeux fixés sur le gfi, tout en posant ce papier devant la capitaine. Voici un message qui vient d'arriver.

Pyanfar le parcourut tout en sirotant son gfi, l'air songeur.

Vigilance d'Ehrran, *sous les ordres de la capitaine Rhif Ehrran, déléguée du* han, *de Franc-Allen,* à L'Orgueil de Chanur, *sous les ordres de la capitaine Pyanfar Chanur, vaisseau amiral de la compagnie Chanur :*

Il est notifié par la présente aux intéressés que

plainte sera déposée à leur encontre pour infraction à la section 5 de la Charte réprimant toute violation volontaire de la légalité; à la section 12 réprimant l'affrètement des bâtiments; à la section 22 réprimant le transport de cargaisons illégales; à la section 23 réprimant la détention d'armes illégales; à la section 24 réprimant l'utilisation des armes; à la section 25 réprimant tout acte violant traité ayant force de loi; à la section 30...

Pyanfar leva la tête au moment où Khym quittait la cambuse.

– Elles ont oublié la pénétration illégale dans un système.

Haral laissa échapper un petit rire sec et s'assit.

– Est-ce qu'on leur répond?

– Pas le temps. (Pyanfar prit une profonde inspiration.) Il faut dormir, nous reposer, calculer notre route. Nous pouvons tenir pour assurer qu'ils ne nous laisseront pas moisir ici.

Les yeux d'Haral se posèrent sur l'horloge. Ceux de Pyanfar aussi.

– Tully, murmura Hilfy.

La force de l'accélération ne s'était pas atténuée. Chaque fois qu'elle respirait, un peu d'écume sourdait des narines de la jeune hani. Un vaisseau sanguin s'était rompu – comme si le martyre qu'elle subissait n'était pas déjà suffisant! Ses blessures la lancinaient. Peut-être perdait-elle son sang mais elle était incapable de le dire et la couverture dont elle était emmaillotée l'absorberait.

Tully était toujours inconscient. Elle lui parlait périodiquement pour le cas où il aurait repris pied afin qu'il sût qu'il y avait une présence amie toute proche mais il ne réagissait pas. Peut-être les kif l'avaient-ils drogué pour l'empêcher de se réveiller. Ou, tout simplement, ne se réveillait-il pas de lui-même. Son instinct l'incitait à appeler au secours mais d'autres instincts lui rappelaient ce qu'il adviendrait alors et lui ordonnaient de garder la bouche close, de se déconnecter s'il le pouvait.

A un moment ou à un autre, ce serait le saut et, s'il était réveillé, il serait terrifié.

Comme Hilfy l'était elle-même dès que son attention se relâchait et qu'elle songeait à son sort. Alors, elle faisait des vœux pour qu'un ou deux bâtiments les aient pris en chasse et qu'ils ouvrent le feu sur eux avant le saut. De cette façon, tous leurs problèmes seraient réglés d'un seul coup.

Penser à n'importe quoi sauf à leur destination...

Penser à Pyanfar qui, selon toute vraisemblance, était à l'heure actuelle en train de s'entretenir avec les autorités de la station et de leur dire ce qu'il convenait de faire – et cette seule idée faisait renaître l'espoir en elle. Penser à Haral. Elle la voyait assise dans son fauteuil dont elle avait fini par user le revêtement à force de se retourner avec ce calme inébranlable qui la caractérisait – un calme qui ne s'était même pas altéré lorsque, lors de sa première traversée, Hilfy avait commis une dangereuse erreur.

– Tu veux arranger cela? dirait Haral.

O dieux! Comme elle aurait voulu le pouvoir!

L'impression d'écrasement due à la poussée de l'accélération cessa brutalement quand le navire passa en inertie. Hilfy éprouva un choc violent.

C'était la première manœuvre annonciatrice du saut.

– Le *Harukk* est sorti, annonça Tirun dès qu'elle eut reçu l'information. 43 minutes-lumière, centre de contrôle de la station. Le navire suiveur a relayé l'image. Le saut a eu lieu il y a environ une heure quinze.

C'était au décalage temporel que Tirun faisait allusion. L'image retransmise par le navire suiveur arrivait quelques minutes avant le message envoyé par la balise.

Pyanfar hocha la tête sans cesser de procéder à ses calculs d'itinéraires, un travail pour la plus grande partie inutile tant que les réparations ne seraient pas terminées.

– Vecteur Mkks, c'est confirmé.

– Hum!

Un tremblement agitait les mains de Pyanfar. Elle fit jouer ses griffes, les sortit, les rentra, puis fit glisser son siège pour voir où en était la remise en état de la poupe sur laquelle était braquée la caméra de la coiffe. Ce qu'elle vit la fit tressaillir intérieurement. *L'Orgueil* réduit à son armature. Ce n'était plus qu'un squelette qui ne ressemblait en rien à sa silhouette familière. On s'employait à mettre en place une nouvelle unité. Et l'opération n'était encore qu'à son début. Il fallait d'abord abraser les surfaces de branchement déchiquetées pour effectuer la soudure. Les radoubeurs revêtus de combinaisons de sécurité, qui s'étaient éloignés pendant cette phase de travail, faisaient penser à un essaim de lucioles. La fréquence de service n'était jamais silencieuse, elle ne cessait de caqueter en *chiso*, ce patois mahen qui jetait un pont entre les dizaines et les dizaines d'idiomes des mahendo'sat et était plus facile que la langue commerciale.

– Je vais aller me reposer un peu.

C'était, en effet, comme un poids accablant qui, d'un seul coup, s'abattait sur les épaules de Pyanfar. Elle se leva. Le simple fait de remonter la coursive faisait figure d'exploit.

– Appelle Haral quand tu auras besoin d'elle, jeta-t-elle à Tirun.

– Entendu.

L'expression de Tirun demeurait impassible, elle s'abstenait de poser la moindre question et Pyanfar lui en était reconnaissante.

Le temps changeait de cadence, maintenant. En un sens, elle pouvait se relaxer car, avant d'aborder la prochaine station, le *Harukk* et ses passagers seraient pour plusieurs semaines dans les limbes ultra-lumiques où tout restait en suspens et il ne se passerait rien tant que la gravité de Mkks ne se ferait pas sentir. Durant deux semaines au minimum, tout serait figé. Plus rien n'existerait. Ni la souffrance ni la peur. Jusqu'à l'arrivée sur Mkks.

Mais Tully avait besoin, tout comme les stsho, de drogue pour supporter l'apesanteur. Peut-être les kif le savaient-ils. Peut-être tenaient-ils à ce qu'il conserve sa raison.

Mais peut-être serait-il préférable qu'il la perde.

Pyanfar se réveilla en sursaut et se cramponna au rebord du lit-corolle. Alors seulement, elle se rendit compte qu'elle ne tombait pas, bien que son cœur battît la chamade. Se mettant sur le flanc, elle jeta un coup d'œil à la pendule, alluma et enclencha le communicateur. Les bruits de martèlement avaient cessé. C'était ce soudain silence qui l'avait arrachée à son sommeil.

– Passerelle! Il est quatre heures, raclure des dieux!

– Oui, capitaine. (C'était la voix d'Haral.) Il n'y a rien de neuf. J'ai estimé qu'il valait mieux vous laisser dormir.

– Oh! (Pyanfar se dressa sur un coude.) Et cette queue? Elle est posée?

– Ils effectuent la soudure.

– Ils n'auront jamais terminé dans les délais.

– Les techniciens travaillent déjà sur les raccordements. Ils mettent les bouchées doubles.

– Dieux! (Elle posa la tête sur son bras avec l'impression qu'un mur s'était, la veille, écroulé sur elle et qu'il restait encore des briques, puis la releva.) Où en est Chur?

– Geran m'a appelée pour me dire que son état est satisfaisant. Elles ont toutes les deux un peu dormi.

– Bien.

– Le *Vigilance* a également appelé. Elles ont reçu notre note. Ehrran est folle de rage.

– Voilà au moins une bonne nouvelle!

– Je vais vous faire préparer un en-cas.

Pyanfar se sentit soudain des crampes d'estomac.

– Excellente idée. (Elle se frotta les yeux.) J'arrive.

Elle coupa le contact et s'assit au bord du lit, s'efforçant de convaincre ses jambes de fonctionner.

Dieux! Hilfy. Tully. Le fardeau retombait sur ses épaules. Il y avait l'enveloppe dans le coffre. Il y avait Tt'om'm'mu qui se tortillait dans la lumière violette et le mahendo'sat, tous deux de part et d'autre de la cloison transparente. Il y avait les mahendo'sat en train d'effectuer des raccordements d'une importance vitale, ces mahendo'sat qui, par leur incompétence, avaient laissé les kif agir à leur gré.

Incompétence? Etre le maître de station de Kshshti et faire preuve d'une pareille incapacité?

Les doutes avaient travaillé son subconscient la moitié de la nuit, laissant en elle le souvenir de lambeaux de rêves. Rêves d'un kif aux aguets dans les coins d'ombre de cette pièce même. Rêves de raccordements délicats dans les circuits de la gaine. Et si un technicien mahen s'appliquait à faire une série d'erreurs soigneusement calculées pour que les affichages qui s'inscriraient sur les terminaux soient erronés? Dieux! Et si...

Tous ces « si » avaient de quoi la rendre folle. Comme, dès le début, la perfidie d'Or-Aux-Dents. Comme l'hypothèse selon laquelle le *Vigilance* avait eu raison en fonction des intérêts hani, que Chanur avait eu tort et était sur le point d'être sacrifiée sur l'autel d'on ne savait quelle machination mahen.

Machination... ou trahison ?

Elle se leva, prit une douche, puis enfila un vieux bouffant qu'elle réservait aux durs travaux. Elle ne se mit aux oreilles rien d'autre que les simples anneaux que portaient toutes les navigantes, quelles qu'elles fussent.

Khym n'avait pas fait preuve de plus de coquetterie. Il avait le pantalon de soie qui, après la bagarre de La Jonction, ne serait plus jamais dans son état premier. Il l'accueillit dans la coquerie avec du gfi et un plat de quelque chose d'exagérément relevé – il ne faisait pas, non plus, merveille comme cuisinier ! Mais il n'avait pas ménagé sa peine et le fruit de ses efforts en matière culinaire était loin d'être totalement immangeable.

– C'est bon, lui dit Pyanfar par gentillesse, en même temps que lui venait l'idée taraudante que rien n'avait beaucoup d'importance en dehors de Mkks. Demain. *Leur* demain, et *leur* après-demain quand ils émergeraient après le saut.

Quelle avance pouvaient prendre sur *L'Orgueil*, même s'il forçait la vitesse, un chasseur comme le *Harukk* et son ilk ? Des jours et des jours. Ils auraient rallié Mkks depuis une semaine, au moins, quand arriverait *leur* après-demain. A supposer que le navire hani parvienne à bon port.

Pyanfar frissonna à cette pensée et déglutit une bouchée de ce plat trop épicé qu'elle fit descendre avec une goulée de gfi. Malgré elle, ses oreilles se couchaient. Elle les redressa et regarda Khym.

– Il y a une liste de procédures en ordinateur. Une liste de contrôle.

– Je l'ai.

Khym posa un papier sur la tablette.

Dieux ! Mais c'était qu'il était efficace ! Pyanfar chassa toutes ces pensées de son esprit, se leva et sortit de la cambuse.

Peut-être – peut-être – que, pour ce qui était d'Hilfy, les kif attendraient d'obtenir tout ce qu'ils voulaient par cette prise d'otages. Mais, dans le cas de Tully, il n'en irait pas de même. Non. Pas tant qu'ils auraient une chance de lui arracher toutes les informations qu'il possédait en ce qui concernait les humains. Et ils disposeraient d'une semaine pour arriver à leurs fins.

La première fois qu'ils avaient mis la main sur lui, il n'était pas capable de prononcer plus d'un ou deux mots et il n'en comprenait guère davantage. Ce qu'il n'avait jamais confié aux kif. Mais, à présent, il était en mesure de sortir des phrases entières en hani. Et Sikkukkut parlait couramment le hani.

– Capitaine, dit Haral quand Pyanfar pénétra dans la salle de veille, le chef de l'équipe de radoub m'a demandé l'autorisation de pénétrer dans la gaine de l'intérieur. Je la lui ai accordée. Je vais ouvrir l'accès du pont inférieur pour qu'ils entrent.

– Que leur service de sécurité les accompagne.

La seule idée que des étrangers puissent se promener à leur guise à bord de *L'Orgueil* et dans ses œuvres vives mettait les nerfs de Pyanfar à rude épreuve. Mais comment faire autrement? Elle manquait cruellement de personnel.

– Autre chose, reprit Haral. Un bâtiment de charge s'est présenté vers trois heures au cours de la dernière veille, se dirigeant vers le poste 29. Notre capteur est tombé en panne. J'ai pensé que ce n'était pas la peine de vous réveiller pour cela mais je me suis informée auprès de la station. Il s'agirait d'un navire dénommé *Eishait*. Il aurait été en approche au moment de l'incident du *Harukk* et la sécurité a observé le silence-sondeurs. J'ai interrogé le *Prospérité*. Ses palpeurs étaient au point mort. La courbure de la station rend ses caméras inopérantes. J'ai alors appelé le *Vigilance*, pardonnez-moi...

– Qu'est-ce qu'il a répondu?

– Qu'il n'était pas autorisé à donner d'informations – textuellement. J'ai suggéré à mes interlocutrices de réveiller leur capitaine. Elles m'ont suggéré de vous réveiller, vous. (Pyanfar exhala un petit soupir haché et s'accota au chambranle de la porte.) A ce moment-là, ce navire était déjà à quai et je ne voyais pas trop ce que l'on pouvait faire de plus. Le bureau du maître de station ne démordait pas de l'histoire du *Eishait*. J'ai repris contact avec le *Prospérité* et j'ai proposé que quelqu'un du bord aille faire un tour par là.

– Tu aurais dû me réveiller!

– Le *Prospérité* m'a répondu que des barrages avaient été mis en place et qu'il n'y avait pas moyen de passer. Notre équipe de radoub a continué de travailler sans manifester aucun signe d'inquiétude pendant l'accostage de ce vaisseau. Et je n'ai pas capté de conversation kifish. Pour moi, il s'agit d'un chasseur mahen.

– Que la station ne nous l'ait pas dit n'est pas une attitude très amicale, tu ne trouves pas?

– Cela m'inquiète. Cet endroit abandonné des dieux m'inquiète. (Haral tourna presque imperceptiblement les yeux vers la poupe, laissant ainsi entendre que le problème des réparations la préoccupait aussi.) Vous tenez toujours à ce que les agents de la sécurité mahen montent à bord?

Pyanfar se sentait l'estomac lourd : son déjeuner passait mal.

– Qu'ils viennent. Nous dépendons entièrement d'eux. Et archive toutes les conversations.

– C'est déjà enregistré. (Haral fit pivoter son siège et se brancha sur la fréquence de la station.)

– La navigante de quart de *L'Orgueil de Chanur* appelle le centre de contrôle de Kshshti... Passez-moi la sécurité à quai.

Pyanfar se tourna vers Tirun qui, à moitié endormie, s'avançait d'un pas incertain vers la porte, s'effaça pour la laisser passer et l'honora d'un signe de tête.

– Bonjour. Chur va pour le mieux. Va déjeuner.

– Oui...

Tirun s'éloigna. Elle avait une confiance aveugle en sa capitaine.

Là-bas, sur le pont inférieur, un sas était sur le point de s'ouvrir.

Pyanfar prit la place de Tirun à la console. Elle sentait le poids de son pistolet contre sa cuisse. Elle se mit en devoir de verrouiller les portes, de bloquer l'ascenseur exclusivement au niveau de la passerelle et de boucler toutes les soutes en dehors de celles donnant accès aux organes vitaux de *L'Orgueil*.

– L'équipe de sécurité arrive, lui annonça Haral.

Des ouvriers mahen allaient et venaient – frôlements de pieds nus, bousculade de créatures au pelage noir et brun qui se précipitaient pour apporter ceci ou cela aux techniciens – dans les coursives inférieures. Pyanfar était bien obligée d'en convenir : ces mahendo'sat étaient consciencieux. Elle descendit afin de scruter leurs visages, de juger par elle-même de leurs réactions : leur sérieux la rassura. Et leur rapidité. Et leur attitude respectueuse. Certains la reconnaissaient, notamment à son bouffant bleu, tandis qu'elle faisait la tournée du « chantier ». Des mahendo'sat, revêtus de scaphes, se préparaient à réceptionner le premier (et nouveau) panneau de vanne qu'un propulseur à griffes amenait précautionneusement à pied d'œuvre. Il était d'une taille monstrueuse. L'ancien moteur, le cœur même de *L'Orgueil*, n'aurait pas pu le mouvoir. Il avait été démonté et l'élément mahen flambant neuf l'avait remplacé, avait été accouplé à l'épine dorsale métallique du vaisseau. On avait réaligné les traversaux et ajouté un certain nombre de pièces de facture étrangère. C'était une véritable amputation. Un frisson parcourut l'échine de Pyanfar tandis qu'elle assistait à l'ajustement du panneau. Elle songeait avec anxiété aux complexités de la télémétrie, à d'éventuelles incompatibilités de systèmes en dépit des assurances que lui avait données la Voix.

Dans la salle de veille, Tirun faisait et refaisait ses calculs. Pour la troisième fois, elle avait demandé les spécifications des différents éléments. « Bientôt donner composites », avait répondu le superviseur. Et quand elle avait protesté, il avait ajouté : « Nécessaire avoir accord sécurité pour délivrer cette information. »

– Bonté des dieux ! s'était écriée Tirun. Il s'agit de notre navire à nous, abruti !

– Je transmettre demande, avait simplement répliqué son interlocuteur.

Entre-temps, on ajustait le panneau et les mahendo'sat procédaient à leurs propres contrôles. Les choses paraissaient aller à peu près bien. Et pas seulement en ce qui concernait le remplacement de la queue du navire. La créance aussi. La trésorerie.

Les neuf dixièmes de la valeur matérielle de *L'Orgueil*, abstraction faite des licences et des droits. Et les mahendo'sat réglaient l'addition.

Affrètement étranger. Le *Vigilance* avait déjà accusé *L'Orgueil* de cette infraction. Tout était enregistré, porté sur le livre de bord. Il y aurait une enquête. Le *han* aurait des questions à poser. Des quantités de questions. A condition que l'équipage revienne vivant de Mkks.

Abandonnant les écrans et passant devant un groupe de mahendo'sat qui jacassaient en chiso – ils avaient relié leurs propres instruments aux appareils en effectuant des branchements volants –, Pyanfar se dirigea vers le hall pour respirer un peu. On avait abaissé la température à l'intention des mahe et on y gelait. Un courant d'air glacial, venant du pont inférieur et imprégné de relents composites mêlant les odeurs des docks de Kshshti, de l'huile et de la bière éventée balayait la coursive. Des radoubeurs en combinaison orange y surgissaient ou en sortaient.

Pyanfar poursuivit son chemin jusqu'au monte-charge. La pensée d'Hilfy ne cessait de la ronger en dépit des efforts qu'elle faisait pour la chasser de son esprit.

– Capitaine... venir.

Elle s'arrêta, dévisagea en clignant des yeux le mahe en tenue de travail qui tendait la main en direction du sas et ouvrit la bouche dans l'intention de le remettre à sa place mais l'autre, pressé comme tous ses congénères, avait déjà filé et disparu au delà du coude que faisait le passage.

Sans doute s'agissait-il d'un de ces maudits superviseurs qui avait décidé de la bombarder de questions. Sur son propre navire! Se maîtrisant pour garder son sang-froid, elle emboîta le pas au mahe. Mais elle avait la main dans sa poche quand elle pénétra dans le sas.

Personne. Quand elle se retourna, elle aperçut une silhouette sombre qui venait à sa rencontre. La taille d'un mahe. Les anneaux d'or des spatiens aux oreilles.

Son doigt se crispa sur la détente et elle pointa son pistolet sur le nouveau venu, prête à tirer à travers l'étoffe de son pantalon.

– Pyanfar! s'écria le mahe en agitant fébrilement les mains.

Le doigt de Pyanfar se relâcha.

– Jik! fit-elle d'une voix étranglée – et son cœur se remit à battre normalement.

Le mahe n'abaissa les bras qu'après qu'elle eut sorti sa main de sa poche.

– D'où venez-vous? s'exclama-t-elle. (Mais elle

répondit elle-même à sa propre question :) C'est le *Aia Jin* qui a accosté au 29, n'est-ce pas?

Jik acquiesça. Il avait toujours l'air inquiet.

– Venir ici vite. Ennuis, hein?

Elle examina de la tête aux pieds le mahe efflanqué dont l'accoutrement chamarré avait de quoi faire crever de jalousie n'importe quelle hani.

– Jik! (Il lui semblait que le poids de la moitié des soucis de l'univers qu'elle portait sur ses épaules se volatilisait.) Dieux! Eh bien, il était temps! Sacrément temps, vous m'entendez?

Il fit de nouveau voltiger ses mains pour l'inviter au silence. Elle l'empoigna par un bras et l'entraîna vers le monte-charge.

– Se pointer comme ça! maugréa-t-elle entre haut et bas tout en cherchant la clé. Et dans cette tenue! (Elle introduisit la clé dans la serrure, la fit jouer et les portes du monte-charge s'ouvrirent en chuintant.)

D'une bourrade, elle poussa dans la cabine le mahe qui la dépassait largement d'une tête. Il s'adossa à la cloison et le monte-charge prit son essor en direction des niveaux supérieurs. La porte s'ouvrit. Khym était dans le hall. Quand ils sortirent, il ouvrit la bouche toute grande.

Pyanfar fit les présentations :

– Jik. Mon époux, Khym. Jik est un vieil ami. Il fait équipe avec Or-Aux-Dents. Venez, Jik.

10

Il se nommait Nomesteturjai, capitaine Keia Nomesteturjai, ce mahe émacié à l'air anxieux. Jik pour les hani à la langue peu déliée.

– Asseyez-vous, dit Pyanfar en faisant tourner le fauteuil réservé à l'opératrice de l'ordinateur pour qu'il s'y installât. (Elle-même s'accota au dossier d'un autre siège. Ils étaient presque nez à nez.) Où est Or-Aux-Dents?

– Non savoir exact.

– Comment ça... vous ne savez pas?

Jik était manifestement mal à l'aise. Cela se voyait aux coups d'œil qu'il lançait à Pyanfar. Il n'appréciait pas ce face-à-face.

– Je près Kefk penser.

– Kefk!

– Je non certain. (Ses yeux bordés de rouge ne cessaient de papilloter.) Pas bon suppositions faire.

– Dieux et tonnerres! Mais qu'est-ce que c'est que cette histoire?

– Vous aller Mkks?

Pyanfar s'écarta.

– Khym, va lui chercher quelque chose de chaud, veux-tu?

Dieux! Lui! La lassitude lui tiraillait les nerfs et une bouffée de rage l'envahit. Ah! La tyrannie de la biologie!

– Tout de suite, dit Khym.

Et il quitta la salle.

Pyanfar s'assit sur le bord de la tablette. Haral resta debout, une hanche appuyée à son pupitre pour ne pas perdre l'écran de vue. Tirun se laissa choir sur l'accoudoir matelassé du siège d'observation Nº 2.

– Nous allons bavarder, dit Pyanfar. Très, très lentement. Vous me comprenez?

– Non, dormir. (Jik passa sur son visage une main décharnée aux griffes émoussées et ses épaules s'affaissèrent.) Terrible changement de cap dans Urtur système!

– Nous en sommes sortis. Allons, Kij... que se passe-t-il là-bas? Hilfy et Tully voguent vers Mkks, Chur est à l'infirmerie, ils jouent à la loterie avec mon navire, le Personnage m'exprime ses regrets et surtout que je ne discute pas avec les knnn que j'ai aux trousses!

Jik, qui levait le bras, l'immobilisa à mi-course et son regard se riva au regard de Pyanfar.

– Knnn, répéta-t-il.

– Au large de La Jonction. Peut-être que c'était leur destination. Les maîtres de station de Kshshti sont aussi effrayés que les stsho. Que se passe-t-il au juste?

– Kif arraisonner vaisseau humain. Humains bouleversés beaucoup.

– Les knnn se sont emparés d'un vaisseau humain, vomissure des dieux! Inutile de tourner autour du pot! Et j'ai d'autres nouvelles. Un navire du nom d'*Ijir*... l'autre courrier avec d'autres humains. Les kif l'ont pris.

– Dieux! (Jik se carra contre le dossier de cuir du siège, les bras posés sur les accoudoirs et dévisagea Pyanfar.) Comment vous savoir?

– Par un message de Sikkukkut an'nikkutukktin. Le même qui a capturé Tully et Hilfy.

– Il prendre *Ijir*?

– Je n'en sais rien.

Jif exhala un soupir qui n'en finissait plus et ses yeux injectés se détournèrent pour se poser sur Khym qui entrait d'un pas traînant avec un plateau. Ce fut d'abord au mahe qu'il le présenta avec une raideur courtoise et le visiteur se servit sans broncher.

– Nous non rencontrer. Tous deux Gaohn Station.

En guise de réponse, Khym se borna à une sorte de grondement rauque et grinçant, mais ses oreilles pointèrent avec curiosité. Il fit passer les coupes à la ronde, en prit une pour son usage personnel – dieux! que de protocole! – et se jucha sur le bras du fauteuil de la console du communico.

Après avoir posé le plateau vide sur la console du

communico, il observa le même silence qu'Haral et Tirun.

– Un navire de chasse, dit Pyanfar à son intention tandis que Jik portait sa coupe à ses lèvres.

Il plissa le nez et eut un haut-le-corps. Le gfi n'était pas la boisson favorite des mahe mais c'était néanmoins quelque chose à se mettre dans le ventre, et il semblait en avoir besoin. Il paraissait aussi exténué que s'il avait couru longtemps, très longtemps.

– C'est le meilleur pilote de l'espace mahen, reprit Pyanfar – et c'était la stricte vérité. Vous avez parlé au maître de station, Jik?

L'interpellé leva les yeux. Des yeux où se lisait l'épuisement. Et la franchise.

– Aller centre contrôle station. Parler. (Nouvelle rasade de gfi, nouveau haut-le-corps et nouvelle grimace.) Devoir demander vous, Pyanfar. Où paquet?

Elle sirota longuement une gorgée.

– Quel paquet?

Jik déglutit péniblement. Le gfi était brûlant et les larmes lui montèrent aux yeux dans lesquels s'était allumée une flamme. Son regard était dur.

– Canaille, laissa-t-il tomber. Pas jouer.

– Non, ce n'est pas un jeu et je ne joue pas. Quand auront-ils réparé la poupe de *L'Orgueil*, hein? Une idée m'est venue à l'esprit quand le *Aia Jin* a accosté : ils pourraient très bien décider que je n'ai plus la priorité, non? Ils n'ont plus besoin de hani, maintenant.

– Ils réparer.

– Bien sûr, ils feront le travail.

Pendant un moment, Jik resta immobile, respirant à petits coups saccadés mais, visiblement, les pensées se bousculaient beaucoup plus vite encore dans sa tête.

– Vous avoir paquet, eh? Kif avoir Tully, vous

avoir paquet et vous aller Mkks. Vouloir quoi? Les deux aux kif donner?

– Peut-être conclure un marché.

Une ombre, juste un soupçon, d'incertitude passa sur les traits du mahe.

– Non. Cela faire non. (Ce n'était plus une expression d'incertitude mais de peur.) Vous trop beaucoup intelligente, Pyanfar.

– Non. (Elle le regarda droit dans les yeux.) J'ai des amis. N'est-ce pas, Jik?

Il lâcha un soupir.

– Vous paquet donner. Tonnerre, hani! Vous cette dose cacher essayer. Officiels kshshti monter à bord et prendre!

– Le maître de station ignore l'existence de l'objet en question. Non? Personne n'est au courant, ni Eseteno, ni Tt'om'm'mu, ni ce scélérat de Stle stles stlen avec ses babouches roses. Mais vous, vous êtes au courant. Et moins il y aura de personnes à connaître l'existence de la chose, mieux cela vaudra, vous ne croyez pas? (Elle brandit une griffe dans la direction de Jik.) Pourquoi les kif ont-ils monté aussi rapidement cette embuscade sur les quais? Comment nous sommes-nous fait coincer comme ça, hein?

– Vous penser maître de station?

– Et vous, vous pensez que les kif ont simplement eu une heureuse inspiration?

– Eseteno, je connaître. Non. Non, Pyanfar. Non. Il honnête. Occuper fonctions longtemps. Je confiance.

– Soit; mais jusqu'à quel niveau de la hiérarchie ses subordonnés font-ils preuve de la même loyauté? Combien faut-il mettre pour les acheter? Les kif ont très bien pu passer un marché avec des proches d'un agent de la sécurité, n'est-ce pas?

La physionomie de Jik était maintenant très grave. Il baissait les oreilles.

– Toujours possible.

– Peut-être ont-ils même des complices au sein de l'équipe de radoub...

– Kif vouloir vous aller Mkks. Facile là-bas faire sauter navire. Sabotage pas besoin.

L'argument ne manquait pas de poids. C'était ce que Pyanfar avait entendu de plus réconfortant depuis le guet-apens sur les docks. Pesant le pour et le contre, elle laissa retomber ses moustaches.

– Donner paquet, enchaîna Jik. Ce paquet Maing Tol aller. Je demander. Importance numéro un.

– Ce sont les observations d'Or-Aux-Dents, n'est-ce pas? Son rapport... ce qui se passe dans l'espace kifish. Et aussi du côté des knnn.

Les courtes oreilles du mahe s'aplatirent.

– Aucun profit conjectures hasarder, Pyanfar.

– Eh bien, j'accepte le marché. Je m'en remets à mon loyal ami mahen. L'équipe de radoub n'interrompt pas le travail et mon ingénieur en chef inspecte les pièces essentielles – vite.

– Compris.

– Vous avez une certaine autorité, n'est-ce pas? Beaucoup, même. Comme Or-Aux-Dents.

Jik secoua ses oreilles.

– Un peu, oui.

– Un peu, n'est-ce pas? Si vous voulez ce paquet, comme vous dites, vous venez à Mkks avec moi.

– Hani, je vos arrières protéger à Gaohn!

– Eh bien, faites-en autant à Mkks et le paquet est à vous.

– Vous canaille, murmura le mahe.

– Tout comme vous. Ce que vous dites, vous le faites. Ça, je le sais.

– Je Mkks aller.

– Haral, va chercher l'objet.

La navigante s'exécuta. Jik se laissa aller contre le coussin de cuir, attentif à ses mouvements. Il se pencha vers Haral pour prendre l'épaisse enveloppe chiffonnée et dont le coin était marqué d'une tache sombre.

– Tout dedans? s'enquit-il.

– Tout ce qu'ils m'ont expédié. Qu'allez-vous faire avec cela?

– Essayer trouver capitaine honnête.

– Dans ce port? Tenez-vous à l'écart des hani.

– A? (Il la scruta. Lentement, ses oreilles retombèrent pour se redresser à nouveau. Sa physionomie avait perdu son air d'hébétude.) Ennuis, hein?

– Oui. De gros ennuis, même.

– Venir, vous.

– Où ça?

– Venir avec moi. Nous ces hani parler.

– Non.

Jik se mit debout.

– Aller je. Choses à parler. Vouloir connaître?

– Vomissures des dieux, j'ai suffisamment d'embêtements comme ça! Laissez-moi en dehors de ces micmacs!

– Elles jalouses, eh?

– Ecoutez un peu, espèce d'hurluberlu! Il y a des lois, des réglementations que j'ai déjà enfreintes... Le *han* veut ma peau, tu comprends? Les choses vont mal pour Chanur! Vous voulez leur apporter une preuve, c'est bien cela? Il est illégal que je me mette au service d'un gouvernement étranger, vous comprenez? C'est contraire aux conventions.

– Vous transporter marchandises gouvernement donner.

– Ça, c'est légal. Il y a une distinction que vous connaissez, par tous les dieux!

– Eh bien, vous transporter cargaison. (Jik agita l'enveloppe.) Légal pareil.

– Ecoutez... écoutez-moi, Jik... mon vieil ami. Elles cherchent un alibi. Elles veulent trouver un moyen pour me mettre en difficulté, vous comprenez? Vous allez nous faire toutes écorcher vives!

– Quel choix avoir? Bonne amie Pyanfar, non choix avoir. Devoir paquet partir.

– Donnez-le aux tc'a!

Les oreilles de Jik frémirent.

– Non. (Une brève lueur – un signal d'alarme – s'alluma dans ses yeux.) Non super-bonne idée, Pyanfar.

D'autres signaux d'alarme. Les méthaniens – à la poursuite de leurs propres intérêts... Tt'om'm'mu et ses phosphorescences violettes et brouillées se redressant derrière la vitre...

– Venir, Pyanfar. Peut-être mieux vous présente, eh? Empêcher stupide mahe dire faussetés à ces honnêtes hani?

– C'est non! Catégoriquement non!

Pyanfar se leva, traversa la passerelle en trombe non sans bousculer Khym au passage. Se retourna. Jik était planté sur ses jambes, immobile, l'enveloppe dans les mains et son visage mahen trop étroit arborait une expression à la Tully.

– Pyanfar.

– Il brandit l'enveloppe.

– Non, répéta-t-elle.

– Chanur, dit Rhif Ehrran en quittant le fauteuil crasseux et élimé où elle était assise.

A l'extérieur de la porte du bureau, on pouvait lire en quatre alphabets différents – avec quelques lettres manquantes – : ADMINISTRATION DE KSHSHTI-PORT. Au-dessous, SALLE DE CONFÉRENCES. Mais en trois alphabets seulement : la ligne en hani avait sauté, laissant pour unique vestige un rectangle de peinture plus vive.

– Ehrran, fit Pyanfar qui, jetant un coup d'œil à l'autre capitaine hani qui se trouvait dans l'étroite pièce, ajouta : Ayhar.

Jik referma la porte. Le face-à-face commençait.

– Vous? s'étonna Ehrran à la vue du mahe. C'est le Personnage qui vous a envoyé?

– Non, répondit tranquillement Jik avec une

imperturbable convivialité. Je demander Personnage convoquer *vous*.

Cette réponse inattendue estomaqua la hani.
Ravalant le hoquet furtif qui lui montait à la gorge,
Pyanfar, les traits indéchiffrables, scruta le visage
de la Ehrran.

Avec quelle rapidité elle remettait ses idées en
place, par les dieux! Se ressaisissant, la Ehrran
referma sa bouche que la surprise avait fait s'en-
trouvrir et toisa le mahe à l'accoutrement clin-
quant.

— Je prier vous asseoir, capitaines, dit Jik.

Pyanfar, plissant la bouche, s'exécuta. Banny
Ayhar laissa choir son opulente personne dans un
fauteuil luisant de crasse, puis ce fut au tour de Rhif
Ehrran qui pinçait les lèvres : on aurait dit qu'elle
avait la bouche pleine de sel et ne savait pas où le
recracher.

Jik prit place devant la table bancale.

— Je demander... commença-t-il, je demander... (Il
posa l'enveloppe fripée sur la table.) Besoin courrier.

La question fusa sous les moustaches soignées de
Rhif Ehrran :

— Qui a besoin d'un courrier? J'aimerais bien voir
une Signature, si vous n'y voyez pas d'inconvénient.

— A. (Jik glissa un poignet grêle dans le ceinturon
de son jupon d'où il sortit d'un geste preste une
petite pochette qu'il expédia d'une pichenette à
l'autre bout de la table.) Bon, ça?

La Ehrran s'en saisit comme elle l'eût fait d'une
arme chargée et en sortit deux feuillets. Ce qu'elle y
lut lui fit redresser la tête et aplatir les oreilles.
Sans mot dire, elle referma la pochette et la renvoya
par le même chemin à l'expéditeur.

— Vous je connaître, Rhif Ehrran. Votre direction,
quelle?

— C'est une question qui ne regarde que le *han*.

– A. Peut-être même affaire qui beaucoup humains tourmenter. Peut-être invoquer traité.

– Vous pouvez peut-être convaincre Chanur de faire votre travail.

– Peut-être invoquer traité, répéta Jik. Besoin de vous, Ehrran.

Les yeux d'Ehrran lancèrent des éclairs. Sortant une griffe, elle en laboura le dessus de la table, traçant une ligne d'un vert pâle dans la croûte de crasse qui l'enduisait.

– J'ai à m'occuper de mes propres affaires, mahe.

– A. Peut-être oui. Je aussi affaires. Citoyens hani avec kif. Navire hani subir feu, a? Non, je dire vous, *ker* Ehrran. Vous dans espace mahen, tenu par accord mahen... (Comme Rhif Ehrran ouvrait la bouche pour répliquer, Jik, levant un doigt à la griffe rognée, lui coupa la parole.) Vous *ici*, a? J'en appeler autre côté traité, urgence super N° 1, besoin navire acheminer courrier...

– Vous voulez soudoyer une autre hani?

– Crevure des dieux!

Pyanfar se redressa mais un bras mahen à la fourrure sombre s'abattit brusquement sur la table, qui en trembla, entre elle et la Ehrran.

– Je requête déposer. Of-fi-ci-elle, a? Traité prévoir. Nous parvenir accord coopération, accord comme dire je, Ehrran. Vous répondre oui, répondre non. Honorer traité, vous?

Les oreilles de la Ehrran étaient collées sur son crâne, son nez bien dessiné se fronçait, ses yeux ambre rougeoyaient.

– Qu'est-ce que vous voulez?

– Vous participer poursuite. Poursuite mener Mkks, je dire.

– Mkks!

– Mkks, hani. Autre chose Ayhar faire. (Il lança l'enveloppe à Ayhar, la prenant au dépourvu.) Vous avoir priorité appareillage, capitaine. Partir. Partir pleine vitesse. Je vous connaître. Je vous connaître. Je vous connaître, Banny Ayhar. Très beaucoup années, très beaucoup maligne. Je connaître, eh?

Les yeux d'Ayhar, oreilles pendantes, étaient cernés d'un cercle blanc.

– Où voulez-vous que j'aille? demanda-t-elle.

– Maing Tol.

Banny Ayhar prit l'enveloppe et serra les lèvres non sans jeter un regard en coulisse à Ehrran mais celle-ci demeura impavide et se garda de le lui rendre.

– Pas de problème, laissa tomber Ayhar d'une voix sereine.

– Bon. Vous partir. Vite, *ker* Ayhar. Non parler, non attendre. Six de mon équipage veiller vous monter voiture, veiller voiture arriver navire. Personnel port déjà au travail préparatifs déhalage.

Ayhar se mit debout, tenant toujours l'enveloppe entre ses mains.

– Non ouvrir, lui précisa Jik.

– Que s'emplument les dieux si j'ai envie de l'ouvrir! murmura la hani qui, après avoir hésité, dansant d'un pied sur l'autre, se tourna vers Pyanfar. *Ker* Pyanfar, désirez-vous que nous prenions votre navigante blessée à bord?

Ce fut Jik qui, devançant l'interpellée, répondit à la question :

– Non. Vous partir. Foncer! Non demander moi pourquoi. Vous en insécurité. Pas choix avoir.

– Dites-moi un peu...

Mais Ayhar n'alla pas plus loin. Après être restée un instant à dévisager le mahe, elle fit demi-tour et sortit de la pièce avec l'enveloppe.

Ehrran s'était ressaisie.

– Sortez, Chanur, ordonna-t-elle, les oreilles aplaties.

Pyanfar se carra dans son fauteuil et lui décocha un regard glacial.

– Non, merci, je reste. Il m'appartient de représenter les intérêts de Chanur – j'en suis mandataire. A moins qu'un capitaine mahen ne soit plus au fait des affaires du *han* que ne l'est un membre de celui-ci? Je suis ici à titre de témoin. Officiellement.

Ehrran vida ses poumons. Ses pupilles étaient deux ronds noirs. Peut-être songeait-elle aux appareils d'enregistrement.

– Kshshti a déjà fait preuve de certaines défaillances en matière de sécurité...

– Dont les victimes ont été mon équipage, ma nièce et mon passager, Ehrran. Si vous voulez mettre la question de la sécurité sur le tapis...

– Nous reparlerons de cela en un autre lieu. L'action que vous avez entreprise... (Ehrran se tourna vers Jik. Son expression était dure, maintenant.) Ma destination est Kefk.

Le mahe secoua mollement la main.

– Désormais, Mkks. (Sa main retomba sur le pistolet fixé à sa hanche.) Dix, peut-être douze heures. Vous croire faire affaires à Kefk. Non. Endroit malfamé, Kefk. Non vous aller Kekf.

– Mais qu'est-ce que vous voulez que je fasse à Mkks?

– Mes arrières protéger, a? Vous accoster gauche, Chanur accoster droite. Trois coquins super Nos 1 se promener sur quais Mkks, a?

Suivit un long, un très long silence. Enfin, Ehrran se leva. Son regard était fixe. C'était le regard du chasseur.

– Entendu. Dix heures. Je suppose que l'appareillage aura le feu vert des autorités supérieures, *na* Jik.

Elle sortit sans rien ajouter et, derrière elle, la porte se referma avec un sifflement feutré.

– Pyanfar.

D'un geste, Jik invita Pyanfar à suivre la Ehrran.

– Hum!

La capitaine de *L'Orgueil* fit la grimace mais obtempéra. Dehors, trois membres de l'équipage de

Jik attendaient, vêtus de façon aussi voyante, pour ne pas dire tapageuse. Ils étaient ouvertement armés et portaient tous un assortiment de chaînes et de bracelets en or au-dessus du coude. Et l'un d'eux avait un poignard.

– Tout réglé. (Jik posa la main sur l'épaule de Pyanfar.) Bien réglé, a?

– Sûrement... pour être bien réglé, c'est bien réglé. (Elle fit face au mahe, les oreilles couchées en arrière.) Mais le prix en sera lourd à payer, ami. Elle n'est pas près d'oublier.

– Avoir âme de kif, cette hani.

– Je suis tout à fait d'accord avec vous. Mais quel objectif vise-t-elle? Qu'est-ce qu'elle peut bien chercher?

L'étreinte des doigts aux griffes émoussées s'accentua. Des rides s'étaient creusées autour des yeux noirs du mahe où l'on ne lisait que la fatigue.

– Cette Ehrran traquer navire hani. Pas vous, non. Entendre rumeurs dire hani jouer jeu complexe dans cette affaire. *Han* tourmenté beaucoup. Rhif Ehrran désir très grand capturer renégat. Peut-être penser vous, a? *Han* très insensé. Pas aimer les stsho homologuer soudain lettres d'espace à La Jonction. Beaucoup méfiant, le *han*. Je dire, Pyanfar : vous rentrer faire entendre raison à ces hani.

– Et qui a validé ces documents? (Jik la poussa en direction de la sortie mais Pyanfar s'arc-bouta pour résister à la pression.) Qui, que les dieux le pourrissent?

– Or-Aux-Dents parler bon stsho. Conclure pareil accord avec, a?

– Stle stles stlen?

Le mahe gratta la cicatrice grise qui lui barrait l'arête du nez.

– Pareil Ayhar.

– Comment cela « pareil Ayhar »?

– Stle stles stlen. Trouver avarie à station, a?

Grosse facture, indemnités à payer, Ayhar. Stsho confisquer sa cargaison.

– Dieux!

– Beaucoup effrayée, Banny Ayhar. Stsho envoyer route directe courrier à vieux brigand Stle stles stlen. Même venir *Vigilance*. Même Stle stles stlen avoir longue conversation avec Rhif Ehrran après vous quitter La Jonction, a?

– Quelle flagorneuse!

– Etre une Hani terrifiée, Ayhar.

– Crevures! Que veut le *gtst*?

Mais plusieurs idées se firent jour dans la tête de Pyanfar. Une certaine facture. Un rapport détaillé transmis au *han* par les soins du *Vigilance*.

Et une autre, embrouillée – des horaires, des informations, les intérêts mahen...

– Vous veniez de Kura, hein? Bien sûr que oui!

– Peut-être venir La Jonction. Ces détails oublier, fit Jik, levant les mains en l'air.

– Pourriture des dieux! Personne ne pourra donc me dire la vérité?

– Beaucoup vérité.

– Je n'en doute pas! (Elle secoua son bras en le voyant s'apprêter à y poser la main et il recula.) Non, je n'en doute pas! Quelle proportion? Cinquante pour cent? Que se produira-t-il maintenant quand je serai au large? Un accident, peut-être? Navré, ma bonne amie, mais la réparation a été mal faite? J'espère que vous ferez bon voyage! Par les dieux...

– Non. Je jurer non. (Kik leva de nouveau les mains, puis ses bras retombèrent.) Message dire venir Kshshti. Je pareil recevoir.

– Qui vous a fait venir ici?

– Agent mahen a? Venir ici, avoir agent sur place, pareil kif, pareil hani. Je pas plus dire, Pyanfar. Voir? Je une fois essayer vérité dire. Résultat : moi gros embêtements.

Ayhar? se demandait Pyanfar. Dieux, non! Pas

Banny. Pas celles-là. Elles aimaient trop tirer leurs bordées.

Les méthaniens? *TT'Tmmmi* était venu de La Jonction. Elle l'avait vu sur la liste. Il était toujours à quai.

Un espion de Tt'om'm'mu qui renseignait la section méthanienne de Kshshti?

Des cercles et des cercles en spirale! Une boule glacée lui noua soudain l'estomac.

Les knnn? Mais personne n'avait de contacts verbaux avec les knnn. On ne le pouvait pas. Personne – à l'exception des tc'a.

– Venir, dit Jik, prenant son mutisme accablé pour un acquiescement. (Cette fois, elle ne résista pas quand il lui prit le bras.) Ramener vous navire en sécurité, Pyanfar. Temps dormir, peut-être. Je dire vérité. Passer je par Kura, sacrément sale longue route. Dormir du bien faire vous, a?

Il lui serra le coude, puis lâcha son bras quand ils traversèrent les locaux administratifs. Les navigants mahen s'empressèrent d'ouvrir la porte extérieure. Des gardes de la station, fusil au poing, attendaient à côté de la voiture à l'arrêt.

Kura. Kura était en territoire hani. Et Ehrran avait précipitamment refermé la pochette dont Jik était porteur après avoir jeté un coup d'œil au mandement qu'elle contenait.

Elle avait peur. Terriblement peur.

Elle monta à l'arrière du véhicule en compagnie de Jik, encadrée par des mahe dont les effluves musqués masquaient toute autre odeur. Le regard d'un des gardes, une mahe de petite taille à la fourrure frisée, croisa le sien et ce fut comme si un signal d'alarme retentissait. Elle enfonça ses griffes dans le genou de Jik.

– Celle-là, dehors...

Jik se pencha pour regarder par la fenêtre du côté opposé.

– Elle nom Tginiso. Assistante Eseteno.

– Elle était dans la voiture quand Hilfy est partie. Et sa fourrure ne porte pas trace de brûlures.

Elle éprouva une fugitive impression d'oppression, noyée dans l'odeur envahissante des mahe qui l'entouraient de toute part et elle réalisa brusquement à qui elle parlait : à un capitaine mahe, un chasseur entièrement dévoué aux intérêts mahen. Jik posa le bras sur le dossier du siège.

– Roule, ordonna-t-il au conducteur dans sa langue.

Le moteur bourdonna et le véhicule bondit en avant. Ses roues tressautaient sur les plaques de blindage – on aurait dit les battements d'un cœur affolé.

Jik gardait le silence. Seuls bougeaient ses yeux qui ne cessaient de surveiller ce qui se passait dans tous les sens.

Pyanfar l'observait, lui et les autres. Un ami. Un compagnon. En cheville avec Rhif Ehrran.

La voiture cahotait, faisait de brusques écarts pour éviter les piétons. A un moment donné, le mahe sortit son pistolet, le posa sur ses genoux et, l'air songeur, déverrouilla le cran de sécurité. Aucun rapport avec le petit instrument que Pyanfar avait dans sa poche. Il était presque aussi long que l'avant-bras de son propriétaire et son éclat noir et moiré n'était pas de bon augure. La garde installée de l'autre côté dégaina à son tour le sien, fouillant les docks d'un regard perçant – les ponts roulants, les réseaux d'élingues, les machines, les pyramides de fûts... bref, tout ce qui aurait pu servir de lieu d'embuscade.

On dépassa le bassin Nº 5. Jik dit quelque chose d'incompréhensible en mahe au chauffeur, puis s'adressa à Pyanfar :

– Nous approcher. Vous monter rampe vite.

– Pourriture des dieux! Tout le pont inférieur de mon bâtiment est occupé.

Il lui étreignit le genou.

– Vouloir quand même mettre vous en sécurité dans navire.

La voiture braqua en arrivant en vue d'un panneau d'accès, protégé par un cordon de gardes. Elle vira sec une seconde fois de façon à se mettre flanc contre flanc. La portière s'ouvrit et Pyanfar se précipita, suivie de Jik et de la dénommée Tginiso.

Elle escalada la rampe puis, ralentissant, s'engagea dans l'interminable œsophage jaune du tubulaire où soufflait un air glacé et qui, après un coude, menait au sas. Quand ils atteignirent celui-ci, Pyanfar se retourna, regarda tout autour d'elle. Jik posa la main sur son épaule.

– Sécurité ici.

– Sûrement, oui! Des adjoints du maître de station triés sur le volet...

– Ecouter. Je savoir vous en sécurité.

– Vous savez? Mais qui êtes-vous? Pour qui travaillez-vous?

Cette fois, il lui posa les mains sur les deux épaules. Rien n'existait plus que ces sombres yeux noirs mahen, que ce plat visage mahen.

– Vous monter garde, compris? Garde N° 1 super-vigilante sur pont.

– A quoi faites-vous allusion? A qui pensez-vous?

Jik serra les lèvres.

– Mahe prendre ordres quelque part ailleurs. Pareil bon technicien, a? Pas faire erreur.

– Comme cette aide de camp? C'est ce que vous appelez être en sécurité.

– J'en faire mon affaire. (Il lâcha Pyanfar. Leva un doigt.) Alors, bon sommeil prendre.

– Ayhar est passée en saut, annonça Khym qui surveillait le communico.

Il gribouilla fébrilement quelque chose à l'aide de son stylet-lumière et ses griffonnages surabondants de fioritures s'inscrivirent sur l'écran 3, tandis qu'Haral pianotait une série de chiffres, pour lui dépourvus de signification mais qu'il recopia avec célérité.

Cap, vélocité, intensité de champ.

– C'est parti, murmura Tirun.

Pyanfar éprouva une bouffée de soulagement : les données du capteur qui s'étaient affichées sur le N° 2 étaient sans équivoque : pas de poursuite.

Il y avait un tc'a dans l'espace. *TTT'mmmi*. Il avait le même cap et n'observait pas le silence-radio : TC'A TC'A TC'A TC'A TC'A TC'A TC'A, proclamait-il sur tout l'éventail de ses harmoniques, un navire tc'a qui ne songeait qu'à ses propres affaires et dont l'opérateur transmissions ne pensait qu'à sa/ses propres(s) tâche(s). Les tc'a ne mentaient pas. On affirmait qu'ils en étaient incapables. Lorsqu'un tc'a commençait à émettre, il fallait que ses sous-esprits fussent là, faute de quoi les harmoniques faisaient faux bond et toute la matrice ne débitait plus qu'un incompréhensible galimatias.

Pyanfar se remit au travail. Elle vérifia l'ensemble des systèmes, réarmant et testant maintes et maintes fois les sécurités, reprenant toutes les simulations de zéro à mesure que l'ordinateur se reprogrammait.

La voix grave de Khym s'éleva dans le profond silence qui régnait dans la salle de veille et que brisaient seulement le cliquetis des touches, le frottement d'un corps qui changeait de position dans un fauteuil capitonné de cuir.

– *L'Orgueil* écoute. (Il répondait à un appel.) Le N° 1 est en opération. Pouvez-vous... (Il se retourna.) *Ker* Tirun, c'est le *Vigilance*. Il veut avoir un membre de l'équipage en ligne.

Tirun grommela quelque chose d'indistinct et prit la communication.

– Pourriture des dieux! s'exclama-t-elle. Vous n'aviez pas besoin de demander quelqu'un d'autre, Ehrran! C'était un membre de l'équipage!

Pyanfar fit pivoter son siège.

– Parfait. (Tirun coupa le contact.) Elles nous confirment qu'Ayhar est passée en saut.

La capitaine ne dit rien. Il n'y avait rien à dire. Donner pour instructions à Khym de ne pas s'écraser et de demeurer sourd à toute requête visant à prendre langue avec quelqu'un ayant plus d'autorité que lui? Mais, la prochaine fois, il pourrait peut-être s'agir d'une chose qui exigerait réellement les lumières d'une navigante plus expérimentée. Faire état de cet accroc à la politesse dans le journal de bord? Mais qui le lirait en dehors du *han*?

Khym, l'air concentré, le front plissé, maintenait l'écoute, attentif au babillage de la station, guettant toute émission susceptible de présenter un intérêt quelconque, qu'elle eût pour source les tc'a ou les kann, les kif ou les mahendo'sat.

Bref, il faisait de son mieux pour remplacer Hilfy dont c'était normalement le rôle.

De nouveau, Pyanfar se retourna en entendant grincer le monte-charge dans la coursive.

– Capitaine!

Tirun fit faire volte-face à son fauteuil en même temps qu'elle et sauta sur ses pieds en plongeant la main dans sa poche. Khym, lui aussi, s'était levé.

– Identifiez-vous.

Haral avait pris la place de la capitaine au pupitre du communico. Elle pianota sur le clavier pour bloquer les serrures mais la porte du monte-charge s'ouvrit quand même. Une hani apparut. Petite et qui faisait partie de la famille.

– Geran, fit Pyanfar en abaissant son arme.

Mais la joie n'était pas au rendez-vous. Pour personne. Ce n'était pas le moment de se réjouir, il y avait encore une heure à attendre et Geran n'avait rien à faire sur la passerelle.

– Quelque chose qui ne va pas? lui demanda Pyanfar tandis qu'elle s'avançait. Comment se porte Chur?

– Je l'ai laissée en bas. Fort bien installée.

– Dieux et tonnerres!

Geran haussa les épaules, s'approcha du maître écran, posa une main sur le dossier du fauteuil et jeta un coup d'œil à la ronde. Ses oreilles étaient à demi relevées et son regard déterminé.

– Traverser les quais n'est pas une partie de plaisir, capitaine. Ça vous donne la chair de poule.

Il fallut un bon moment à Pyanfar pour recouvrer son souffle et digérer la nouvelle.

– Geran... (Son ton était suffisamment calme pour mettre un chi sur ses gardes. Nous avons une heure, rien qu'une heure, tonnerre des dieux, pour mettre les choses au point. Elle et toi...

– S'il vous plaît, capitaine! (Geran ne parlait pas plus fort mais sa voix était mal assurée.) Si Chur m'entendait, elle me tuerait mais elle est terrifiée. Epouvantée jusqu'au fond des tripes. L'idée de rester là, abandonnée, sans le navire ni rien... Que voudriez-vous qu'elle fasse? A quoi servirions-nous, elle et moi, si nous restions ici? Nous n'avons qu'une seule patrie : *L'Orgueil*.

Quelque chose d'irrationnel, une espèce de superstition, s'empara de Pyanfar :

– Ecoute-moi. Nous ne sommes aucunement tentées par le suicide, tu m'entends? Jik est là. Il s'est arrangé pour mettre le *Vigilance* de notre côté – pour autant que le *Vigilance* puisse être bon à quelque chose. Nous sommes en partance pour Mkks. Ce sera profitable. Tu m'entends? Maintenant, ramène Chur là où il convient qu'elle soit.

– Elle est là où elle doit être. Et moi aussi. (Les griffes de Geran s'enfoncèrent dans le dossier du fauteuil; les tendons de ses mains saillaient.) Comment mènerez-vous à bien cette nouvelle entreprise avec un équipage réduit de moitié? Chur tient sur ses jambes. Elle a traversé les docks, elle est sortie du monte-charge. Elle s'est parfaitement débrouillée.

– Bonté des dieux!

– Le gel cicatrisant a rempli son office. Les tissus des plaies ne se déchireront pas. J'ai fait en sorte que les meilleurs soins lui soient prodigués et la détemporisation donnera quelques jours de plus à ses blessures pour guérir. Elle devrait être sur ses pieds quand nous arriverons à Mkks...

– La dégravitation la tuera.

– Chur? Certainement pas.

Pyanfar abaissa ses oreilles. Geran lui tenait tête, bien décidée à défendre sa cause sans se laisser impressionner. Et, tout compte fait, deux paires de bras supplémentaires ne seraient pas de trop! On aurait sacrément besoin de mains adaptées à la manipulation des instruments de contrôle hani, de personnel habitué à l'espace hani.

– Raclures des dieux, maugréa la capitaine. Bon... Fais-la monter, ajouta-t-elle avec un geste négligent en s'éloignant. Installe-la chez moi. Qu'elle soit près de nous. Et prévois un nécessaire médical.

– Elle peut prendre ma cabine, fit Khym.

– Exécution!

– Merci, dit Geran du fond du cœur. Merci, capitaine.

– Après, tu reviendras. Nous avons un horaire serré à respecter.

– A vos ordres!

Et Geran s'élança ventre à terre, Khym sur ses talons.

Pyanfar regarda tour à tour Tirun et Haral. Le visage de la première était rigoureusement impassible. La seconde était penchée sur les commandes.

– Nos chances viennent de s'améliorer, constata Tirun.

– Parce que nous avons besoin d'avoir des cinglés avec nous?

Pyanfar se laissa choir dans son siège qu'elle actionna de nouveau pour le faire pivoter. Elle éprouvait un honteux sentiment de réconfort à l'idée qu'un fauteuil de plus était occupé. Le monte-charge commença à bourdonner : Khym et Geran descendaient pour assister au transfert.

— J'ai une confirmation du *Aia Jin*, annonça Haral qui continuait de s'occuper du communicateur. Et je reçois les paramètres d'itinéraire. Ils nous expédient droit au fond de ce puits!

Pyanfar lut les rangées de chiffres scintillants qui s'affichaient sur l'écran de surveillance N° 1.

— Hum!

Elle introduisit les données dans le simulateur et observa la sarabande des tracés témoins : affirmatif, affirmatif, effectif... C'étaient toujours les périphériques de *L'Orgueil* mais quelque chose d'étranger venant de la queue du bâtiment se coulait le long des circuits synapses de son armature de métal.

— Hum!

Cela la rendait nerveuse contrairement à ce qui se passait pour l'image des grosses turbines et de la silhouette fine des gaines que lui renvoyait la caméra. Celle-là s'offrait sans détour à l'inspection. Mais il n'en allait pas de même de ce qui constituait leur cœur et leur noyau central, et majorait de quelque vingt pour cent leur masse hors plombage, d'où modification des chiffres traduisant l'énergie nécessaire pour faire mouvoir celle-ci. Les vieilles formules de calcul familières n'avaient plus cours. Il fallait se reposer totalement sur l'ordinateur, lui faire confiance en oubliant ce que devraient être les réponses – lui faire confiance quand il leur disait que *L'Orgueil* était capable d'effectuer un saut auquel, quelques jours plus tôt, il n'aurait jamais pu survivre.

— On y va comme ça, dit Pyanfar.

APPENDICE

Les espèces membres de la Communauté

La Communauté

La Communauté est une association informelle regroupant toutes les espèces s'adonnant au commerce originaires d'une région stellaire de taille modeste, espèces qui se sont engagées par traité à respecter certaines frontières, certaines restrictions à leurs activités, certains tarifs douaniers et à observer certaines procédures de navigation. Elle constitue un cartel, pas un gouvernement, ne possède ni fonctionnaires officiels ni sièges administratifs, à ceci près que tous les fonctionnaires des divers gouvernements membres sont *de facto* fonctionnaires de la Communauté.

Les hani

Originaires d'Anuurn, les hani sont peut-être l'une des plus petites espèces de la Communauté mais leurs différences de taille, surtout chez les mâles, sont si extrêmes que certains individus peuvent être plus grands et plus corpulents que la moyenne des représentants d'autres races dont les mensurations dépassent en règle générale celles des hani. Leur corps est presque entièrement recouvert d'une fourrure à poils courts. Seules leur crinière et leur barbe sont bien fournies. La couleur de leur pelage va du rouge cuivré au brun sombre tirant sur le noir et sa texture est tantôt crêpelée, tantôt ondulée, tantôt rêche et rude.

Quelques siècles avant les événements relatés dans *Chanur*, la culture hani était celle d'une société de type féodal divisée en provinces et en districts. Leurs activités commerciales et d'échanges étaient déjà bien développées quand les hani entrèrent en contact avec les mahendo'sat, espèce rompue à la navigation spatiale (voir plus bas) et, dès lors, ils sortirent de leur Moyen Age, lié aux notions de terre plate et de territorialité, et se lancèrent dans le négoce interstellaire.

Jusque-là, leur mode d'existence se définissait de la façon suivante : les mâles se taillaient un territoire par la force et le maintenaient sous leur coupe avec l'aide de leurs sœurs, de leurs épouses résidentes du moment et de leurs parentes et alliées de toute sorte, et ceci aussi longtemps qu'ils demeuraient assez puissants pour faire pièce à d'éventuels rivaux. En fait, la gestion du fief reposait entre les mains des sœurs et autres parentes du suzerain en titre, et dont quelques-unes, au moins, s'il avait cette chance, se révélaient être d'adroites commerçantes, dont le mariage avec un mâle étranger au clan permettait de nouer des liens fructueux avec les femelles appartenant à d'autres clans. Les mâles qui réussissaient ainsi à accéder à la suzeraineté étaient protégés, choyés, dorlotés, maintenus en bonne forme physique pour être des guerriers efficaces de par la volonté de leurs parentes. En principe, ils ne participaient ni aux affaires interclans ni aux décisions de nature mercantile considérées comme trop astreignantes et trop éprouvantes pour la population masculine. L'image du mâle, dans la plupart des maisons, était celle d'un joyeux et insouciant luron s'adonnant de manière quasi exclusive au jeu et à la chasse, et dont la fonction majeure était de procréer. Dans les périodes troublées, ses dons naturels – son tempérament irrationnel et les crises de folie furieuse que provoquait en lui la vue d'un autre mâle – le faisaient porter aux nues. Les femelles s'interposaient comme un rempart entre lui et les vicissitudes de l'existence. Une grande part de la mythologie et de la littérature hani dont ils sont friands évoque la tragique brièveté de la vie des mâles, l'ingéniosité des femelles, les périples et les voyages des plus ambitieuses d'entre elles qui partent s'emparer d'un territoire à l'intention d'un frère sans fief à défendre.

Ainsi se formèrent sous l'impulsion de quelques femelles éminentes de vastes domaines. Certains de ceux-ci recelaient à l'intérieur de leurs frontières des routes commerciales d'une importance cruciale, des sanctuaires, des cols, des digues – autant de choses qui étaient généralement objets des ambitions d'autrui. Certains clans se constituaient en amphictyonies, associations d'intérêt mutuel visant à donner à tous leurs membres libre accès à des régions revêtant une importance régionale. Cela s'opérait habituellement en déclarant le secteur en question « zone protégée », ce qui donna naissance au concept de Clan de Franc-Alleu. Cette notion tient pour vérité axiomatique qu'un clan disposant de ressources particulières ne doit point changer, les clans voisins ayant besoin que celles-ci soient gérées à long terme par un clan expérimenté et doté de talents spécifiques. De tels clans se consacraient au service public et leurs affiliés portaient un costume distinctif. Leurs mâles jouissaient d'un prestige régalien et vivaient communément cloîtrés et traités avec tous les égards. Les fils n'avaient aucun espoir de succéder au suzerain, sauf en cas de mort naturelle de ce dernier. S'attaquer à un mâle de Franc-Alleu était un crime capital et tous les clans de la zone protégée se coalisaient pour que la loi soit respectée.

Cette forme d'administration régionale permit à la province d'Enafy, siège du clan de Franc-Alleu Llun, d'accéder à la primauté sur les grandes plaines que baignait le fleuve Llunuurn. Ses activités commerciales firent rayonner son influence sur d'autres régions et de nouvelles amphictyonies virent le jour, encore que certaines fussent animées de sentiments moins débonnaires. Cette notion d'amphictyonie gagna d'autres continents et d'autres races, et si quelques cultures survécurent parallèlement, elles étaient de trop faible taille ou trop désunies pour atteindre un stade de développement significatif. Ce fut par le négoce et, le cas échéant, par l'intrigue, le mariage et les alliances que se répandit la culture des provinces d'Enafy et d'Enaury, appartenant l'une et l'autre au plus vaste des continents d'Anuurn.

Telle était la situation qui prévalait lors de l'arrivée des mahendo'sat. Ceux-ci choisirent pour se poser le bassin de Llunuurn, le système fluvial le mieux irrigué de la planète, la région qui comptait le réseau routier le plus développé et était la plus habitée. De ce fait, il se trouva que le contact initial entre les deux races intervint dans l'amphictyonie la plus vaste et la plus ancienne dont le suzerain était le seigneur *na* Ijono Llun.

Ce fut la sœur de ce dernier, *ker* Gifhon Llun, qui vint à la rencontre des nouveaux venus, lesquels n'étaient ni des hani ni des mâles (ainsi qu'elle commit à plusieurs reprises l'erreur de le croire). Quand elle comprit exactement à qui elle avait affaire, les tractations avaient déjà commencé, des opérations commerciales avaient été élaborées et, encore que Gifhon eût mis plusieurs années à s'en rendre compte, la physionomie de l'univers avait définitivement changé.

D'autres amphictyonies se sentirent menacées

par les rapports qu'entretenait ainsi la province d'Enafy avec les mahendo'sat et virent d'un mauvais œil l'élévation du clan Llun, qui assumait jusque-là la surveillance des digues et barrages des affluents du Llunuurn inférieur, à la dignité de superviseurs d'un ferry et d'une station du trafic interstellaire. Les mahendo'sat, jouant les uns contre les autres, firent tomber tous les dirigeants hani dans le piège du négoce.

Toujours est-il, que cela eût été ou non conforme aux intentions mahen (et il n'est pas impossible que tel eût été l'objectif des mahendo'sat dès le départ), toujours est-il que les amphictyonies hani commencèrent à instaurer des échanges mutuels et réciproques dans le cadre d'une amphictyonie beaucoup plus large dont la Ressource à protéger ne serait rien moins que la planète Anuurn elle-même.

Ainsi fut créé le *han*, conseil des conseils, cœur et centre de l'administration hani, microcosme du monde où l'alliance, la province, le clan et le Franc-Alleu jouaient tous encore leurs rôles. En outre, le *han* avait une autre signification en tant que représentant collectif de l'ensemble du peuple hani. En principe, tout seigneur hani était protocolairement membre de ce corps. Certains, même, participaient effectivement à ses réunions et y prenaient la parole. Chaque clan avait droit à un siège qui revenait en titre aux femelles chefs de la famille ou, ce qui était la pratique courante, à la femelle de rang le plus élevé domiciliée dans la circonscription des différentes assemblées – il en existait et continue d'en exister, en effet, une par province. Le *han* est, en conséquence, un organisme composite et les assemblées générales – le lieu où elles se tiennent fait l'objet d'âpres négociations – ne sont que rarement convoquées.

De façon générale, les rapports entre les hani et les autres peuples qui pratiquaient la navigation interstellaire n'étaient pas des meilleurs. Les stsho (voir plus bas) étaient hostiles à l'intervention des mahendo'sat sur Anuurn, et ce pour des motifs divers : leur répugnance à voir se développer la zone d'influence mahen; le fait que les hani et eux-mêmes avaient une frontière territoriale commune; leur méfiance envers toutes les races quasi exclusivement carnivores, méfiance venant de l'expérience qu'ils avaient des kif (voir plus bas); leur crainte de voir se déstabiliser la Communauté. Sans compter d'autres raisons encore que seuls des esprits similaires aux leurs fussent capables de les appréhender. Pour les kif, l'entrée en scène des hani constitua une gêne. On ne demanda jamais l'avis des autres espèces et elles ne le firent jamais connaître.

Le territoire hani comprenait originellement le système d'Anuurn. Son étoile natale porte le nom d'Ahr. Les planètes constitutives du système d'Ahr sont, dans l'ordre : Gohin, monde désertique, calciné et dépourvu d'atmosphère; Tyo, également désertique mais glacée, partiellement restructurée pour devenir une colonie hani; Tyar et Tyri, deux géantes gazeuses; et, enfin, la froide Anfas. La station de Gaohn qui orbite autour d'Anuurn fut construite par les mahendo'sat et mise à la disposition de Llun dont les mâles hani furent les seuls mâles à quitter la surface de leur planète mère. La station de Kilan, en rotation autour de Tyo, n'a jamais été particulièrement prospère et celle d'Harn a été lancée pour servir de chantier spationaval.

La famille Chanur

Clan très ancien de la province d'Enafy, parfois condamné à végéter dans l'obscurité mais ayant plus souvent participé, sous l'impulsion d'une série de dirigeantes ambitieuses, à l'activité de l'amphictyonie enfyenne, la famille Chanur accéda à une pleine et entière primauté dans la mesure où elle fut l'un des premiers clans à tirer bénéfice du commerce spatial.

Son actuel suzerain a pour épouses en titre Huran Faha, Akify Llun et Lilun Sifas. La gestionnaire effective du fief est sa tante Jofan Chanur *par* Araun. Il a pour sœurs Pyanfar, Rhean et Anfy Chanur dont les époux respectifs appartiennent aux clans Mahn, Anury et Quna, et qui sont commandantes, l'une de *L'Orgueil de Chanur*, l'autre de *La Fortune de Chanur* et la troisième de *La Lumière de Chanur*. Il a, entre autres, deux filles : Hilfy née d'Huran, Nifas née d'Akify et deux fils (en exil).

Araun est un clan tributaire accousiné à Chanur. Tanan, Khuf et Pyruun sont d'autres clans cousins. Jisan Araun *par* Chanur engendra Haral et Tirun des œuvres d'un obscur seigneur clanique tributaire de la lointaine Llunuurny, depuis longtemps détrôné et remplacé par un Haral mâle. Refusant de l'entretenir, Tirun laissa ce soin aux sœurs de l'intéressé qui, pour être nombreuses, manquaient néanmoins d'ambition. Nifany Pyruun, cousine germaine de Jofan Chanur, a trois enfants : Chur, Geran et un fils en exil. Elle est l'administratrice des bureaux de Chanur à la capitainerie.

Le dernier adversaire de Chanur qu'a combattu Kohan fut Kara Mahn, fils de Pyanfar Chanur et de Khym Mahn. Mahn, un clan de non-navigantes établi dans les monts Kahin, tout proches, demeure un voisin difficile. Tahy, sœur de Tahy et du même lit, s'occupe de ses intérêts financiers.

La langue et la religion hani

Il n'y avait naturellement pas une langue unique mais le dialecte enafy parlé dans la vallée de la Llunuurn est devenu la langue officielle du commerce et de la diplomatie. En dépit d'une considérable résistance, il fut finalement adopté par le *han* et c'est le seul dialecte en usage dans les astroports. Il fut l'instrument de l'expansion planétaire de la culture llunuurn et son véhicule dans l'espace.

Les termes de respect sont : *ker*, titre des femmes de haut clan; *na*, titre du seigneur clanique; *par*, titre porté par les filles d'un clan de filiation maternelle. Un ancien suzerain à qui il est interdit de porter le nom de son clan a le titre de *nef*.

Les vocables hani insultants s'appliquent à la malpropreté, à l'âge : (on traite de « belette » quelqu'un qui est trop vieux pour poursuivre le gibier à la chasse); au désaveu du clan (« bâtard » est une traduction inexacte car la descendance matrilinéaire ne saurait être réfutée); aux divinités; à la position des oreilles qui est une indication importante sur les capacités d'autodéfense de l'individu. Plus particulier est l'emploi de l'adjectif « emplumé », référence sacrilège à une dispute religieuse hani, de même que celui du mot « fils » dans l'expression : « Les dieux te donnent des fils ». Comme, en effet, les mâles ne travaillent pas, qu'ils sont bannis lorsqu'ils atteignent l'âge de la puberté et reviennent plus tard tenter de mettre la main sur le fief quand ils sont dans la force de l'âge, une maison qui compte de nombreux fils est en état de désordre constant.

Les mahendo'sat

Les mahendo'sat comptent parmi les espèces de haute taille de la Communauté. Leurs membres sont longs et de large envergure. Leur fourrure va du noir lisse et luisant au marron frisé avec toutes les nuances intermédiaires. Leurs griffes non rétractiles sont plus un outil à fins utilitaires qu'une arme. Ce sont des omnivores. Ils ont pour berceau Iji d'où ils contrôlent un territoire de considérable ampleur. Ils ont pour voisins, d'un côté les hani, de l'autre les kif avec lesquels ils partagent des marches contestées.

Les mahendo'sat possèdent plus de cent dialectes ijiens. Ils pratiquent une sorte d'esperanto que, d'ailleurs, tous ne parlent pas et très peu d'entre eux, même, sont parvenus à apprendre le sabir simplifié qu'ils ont propagé durant la période de contact avec les hani. Paradoxalement, cette espèce qui a l'amour des arts et des sciences et poursuit sans trêve des travaux de recherche de toute sorte est incapable d'effectuer des traductions fidèles d'une de ses propres langues dans une autre et vice versa. Cette caractéristique pourrait être interprétée comme une idiosyncrasie de nature tant psychologique que physiologique.

Il existe plusieurs raisons qui expliquent que leur sabir est pour sa plus grande part hani, raisons qui, pour le plus grand nombre, tiennent à l'incapacité des mahendo'sat à traduire leur propre langue dans une autre. En premier lieu, les mahendo'sat communiquaient avec de grandes difficultés en utilisant un idiome bâtard employé par les kif, lesquels parlent stsho. En second lieu, lorsqu'ils entrèrent en scène, les hani se révélèrent capables d'apprendre le kifish et le stsho; grâce à leur longue expérience des activités mercantiles, ils élaborèrent un sabir hani qui se mariait avec le sabir communément accepté et que, pratiquement, il supplanta. Ce jargon se révéla être une chose que les mahendo'sat eux-mêmes étaient en mesure de maîtriser et comme les kif se débrouillaient avec cet idiome plus aisément qu'avec le stsho, les premiers se hâtèrent de l'adopter.

Pour ce qui est du mécanisme profond de la culture mahen, il est à noter qu'une certaine incertitude règne quant au nom même de l'espèce. Mahe est généralement singulier mais parfois pluriel. En fait, ce vocable semble désigner l'âme collective de l'espèce, ou l'espèce en tant qu'entité, voire exprimer un concept que ne rendent ni l'idée de nation ni celle d'espèce. Le terme *han* qui recouvre la notion générique de l'espèce hani reflète de toute évidence l'influence mahen durant la période de formation du gouvernement mondial hani.

Les mahendo'sat sont fréquemment des collectionneurs, particularité qu'ils ont en commun avec les stsho. Mais c'est surtout aux objets naturels que va leur intérêt et ce sont des paysagistes raffinés, art qu'ils ont appris aux hani dont les jardins conservent, toutefois, une simplicité et un caractère agricole typiques de la tendance de l'espèce. Les mahendo'sat, par ailleurs, ont le sens de l'esthétique et la forme des arbres amoureusement entretenus qu'ils font croître a pour eux une signification philosophique. Ils ont aussi des animaux familiers à l'instar des stsho et peut-être également des tc'a (voir plus bas) mais leurs préférences vont aux races exotiques et difficiles à apprivoiser.

L'histoire mahen est celle d'un émiettement de royaumes minuscules, d'une effervescence religieuse permanente; elle est marquée par le mysticisme et l'apparition de chefs qui se proclamaient tels en vue de mener une cause ou une autre à bien avant de disparaître dans l'oubli – un oubli qui fait figure de tradition. Ils se passionnent pour les abstractions et les règles de la civilité, pour les symboles et le sens caché des choses.

Hier comme aujourd'hui, l'autorité mahen est incarnée par (la) Personne, être charismatique symbole de dignité, et par une chaîne de commandement complexe constituée par les Personnages. Ceux-ci se cooptent les uns les autres mais un Personnage de rang élevé peut être destitué du fait d'agissements coupables ou d'erreurs commises par un de ses délégués. Les mahendo'sat attachent beaucoup de prix à cette qualité indéfinissable à laquelle ils rendent hommage partout où ils la trouvent – à tel point qu'ils sont susceptibles d'honorer, comme d'ignorer, tels ou tels membres d'autres espèces en traitant par le mépris le plus complet les conceptions de l'autorité qui sont celles de l'espèce en question. Les Personnages, en général d'âge mûr, peuvent appartenir à l'un ou l'autre sexe. Ils se situent à des niveaux hiérarchiques multiples mais tous ont à leur service une Voix, individu appartenant généralement au sexe opposé, dont la tâche – qu'elle assume, apparemment, de façon spontanée – consiste à les représenter et à exprimer toutes les choses déplaisantes que sa sérénité interdit au Personnage de proférer.

L'unité sociale mahen est complexe et elle a (la) Personne pour pôle : l'appariement se fait, semble-t-il, au hasard, mais la Personne y joue un rôle éminent. Les jeunes sont troqués et échangés avec la plus grande désinvolture mais cela est le résultat des liens existant entre les individus et (la) Personne, d'une part, du désir de soumettre sa progéniture à une influence bénéfique ou de lui faire acquérir un degré supérieur d'instruction, d'autre part.

Le gouvernement mahen est actuellement entre les mains d'un Personnage qui réside à Iji où rien ne vient troubler sa sérénité. Mais, conformément aux façons d'être des mahendo'sat, cette situation, tout comme la forme de gouvernement de A à Z, peut se modifier d'un jour à l'autre.

Les stsho

Originaires de la lointaine étoile Llyene, les stsho sont une espèce imberbe à l'épiderme pâle. Ce sont des hermaphrodites trisexuels. L'un des membres de chaque triade porte un jeune; toutefois un même individu peut aussi appartenir à une autre triade mais comme non-porteur. En ce domaine, les stsho se refusent à toute explication.

Ce sont des omnivores d'une sensibilité et d'une fragilité extrêmes. Leurs membres se brisent comme du verre. Dans des situations de stress, leur personnalité même se désagrège, ce qui semble faire office d'absolution sociale. Il est très grossier de reconnaître un stsho qui a changé de *persona* – ou, pour employer leur terminologie, quand il est en Phase de Repli. Tout porte à croire qu'ils passent par plusieurs de ces Phases au cours de leur existence.

Ils pratiquent des activités commerciales. Ce sont des esthètes que les subtiles différences gustatives et visuelles plongent dans le ravissement. C'est ainsi, par exemple, qu'ils possèdent quarante-sept mots distincts pour désigner la couleur blanche.

Leurs préférences vont, comme c'est le cas des hani, pour les sièges et les lits-corolles. Leur architecture raffinée est apparemment placée sous le signe du hasard et les coloris utilisés sont exclusivement dans les teintes pastel.

C'est la seule espèce autochtone de l'espace communautaire qui ait besoin de drogues pour survivre au saut.

Leur territoire est interdit à toute espèce respirant de l'oxygène mais les stsho sont parfaitement incapables de faire appliquer cette proscription, sauf à réclamer l'assistance des imprévisibles méthaniens dont le territoire fait tampon entre le leur et celui des kif. Ils ont une frontière commune avec les hani. Les méthaniens circulent en toute impunité chez eux, et les stsho ont découvert à leur profonde consternation que des humains sont proches, non loin du monde mystérieux et interdit de Llyene.

Les stsho furent parmi les premiers navigateurs de la région à s'aventurer dans l'espace, ce qui est une anomalie, leur politique originelle ayant été, à ce qu'il semblerait, de s'étendre le plus possible dans la zone entourant leur monde natal où les étrangers sont frappés d'ostracisme. Il est certain que ce n'est pas pour établir des contacts avec des peuples d'ailleurs qu'ils ont pris la route des étoiles. Peut-être l'espèce a-t-elle connu dans le passé une expérience qui a contribué à la façonner et à la rendre telle qu'elle est. Toujours est-il que les stsho font en sorte qu'aucun renseignement digne de foi les concernant ne sorte de leur espace, ce qui mortifie grandement les mahendo'sat, gens curieux de nature.

Llyene a la réputation légendaire d'être un monde fabuleusement riche. On ne saurait nier que les activités mercantiles des stsho sont lucratives dans tous les azimuts et que l'espèce a engendré des quantités de technologies que les mahendo'sat ont utilisées pour des applications aussi multiples que variées.

Les kif

Les kif sont, de toutes les espèces constituant la Communauté, celle qui atteint la taille la plus haute. Extrêmement maigres, ils n'ont pour ainsi dire pas de tissus graisseux. Ils sont presque totalement glabres, exception faite de l'étroite crête de poils ras qui pousse au milieu de leur crâne allongé. Elle est rarement visible car ils portent un capuchon qu'ils n'enlèvent presque jamais. Leur épiderme est gris et mou, encore que fort résistant et chiffonné de rides. Au dire des hani et des mahendo'sat, il est chaud au toucher. Les kif sont agiles et vigoureux, leurs griffes rétractiles très acérées. Leurs yeux sont en général bordés de rouge et ils préfèrent la pénombre. Quant à leur sexe, toutes les spéculations sont permises. Il est possible qu'ils soient bisexués mais les autres espèces, dans leur incertitude, emploient fréquemment le pronom neutre pour se référer à eux, tout en ayant conventionnellement recours au masculin en vertu d'une tradition dont la paternité revient aux mahendo'sat. Les kif utilisent parfois le *il* et parfois le *elle* en parlant d'eux-mêmes, mais nul ne sait encore si cette coutume s'inspire d'un genre distinctif, style mahen-hani, ou s'il faut y voir une analogie avec la langue stsho. Les kif sont avares en matière d'informations qui pourraient contribuer à éclaircir l'énigme.

Les kif sont venus de manière autonome dans l'espace – ce fut la conséquence d'une course aux armements – et c'est à la suite des contacts qu'ils ont eus avec les tc'a qu'ils se sont initiés au vol interstellaire, encore que certaines espèces mettent en doute la compétence des tc'a.

Ils sont exclusivement carnivores mais incapables d'avaler quoi que ce soit de volumineux. Ils ont dans leur groin deux jeux de mâchoires, l'un servant à mordre, l'autre à réduire la bouchée en une pulpe semi-liquide. Ils préfèrent les proies vivantes et ont, en fait, un appétit délicat. La charogne leur répugne et il leur est difficile de se résigner à manger de la viande cuite.

La couleur n'a aucune place dans leur décor, lequel est avant tout utilitaire, en général noir et gris. Il fait très sombre dans leurs habitations. Ils ont une très bonne vision nocturne. D'ailleurs, sur leur monde, ils élisent le plus souvent domicile dans des galeries souterraines. Toutefois, compte tenu de leurs yeux, plus petits que ceux des nocturnes d'autres planètes, certains chercheurs mahen ont émis l'hypothèse que les kif étaient, à l'origine, une espèce de chasseurs diurnes dont le mode de vie s'est modifié dans un passé reculé. Comme les kif n'ont fourni aucune donnée aux mahendo'sat et comme c'est là une chose qui n'intéresse ni les stsho ni les hani, la question demeure en suspens.

On notera avec intérêt que les kif sont amateurs

d'art. Celui qu'ils pratiquent semble se limiter aux objets d'usage quotidien – armes, coupes, coffres, récipients – qu'ils rehaussent de motifs tactiles. Ils n'attachent guère de valeur à la production en série mais, en revanche, prisent fort les objets qu'ils pensent être des pièces uniques ou des produits de consommation tels que les espèces rares en voie de disparition et les breuvages exotiques. Ils apprécient les spiritueux peu courants mais ils sont la moins intempérante des espèces connues : on rapporte que des kif pris de boisson ont été tués sur-le-champ par leurs congénères.

Les kif sont des linguistes virtuoses doublés d'imitateurs de talent. En particulier, ils parlent le hani aussi couramment que les divers dialectes kifish. Leur étoile-patrie est Akkt, leur planète-patrie Akkht, ce qui ne va pas sans déconcerter souvent les étrangers. De fait, les deux mots ont un sens équivalent, la « patrie » signifiant pour un kif le lieu où l'on récupère et reprend ses forces en vue de la prochaine saison. Quand les kif découvrirent l'existence d'autres espèces, le choc et la réorganisation qui s'ensuivirent permirent à quelques leaders de prendre le pouvoir sur Akkht, pouvoir qui tomba finalement et exclusivement entre les mains des astronavigateurs kifish.

Historiquement, les kif étaient piètrement organisés. Les litiges étaient monnaie courante et il était de règle que le plus fort s'appropriât les biens du plus faible. C'était la notion de *sfik*, d'« audace », en vertu de laquelle le plus puissant mettait autrui au défi de s'emparer de telle ou telle chose qu'il détenait. Plus la prise avait de valeur et plus elle était exceptionnelle, plus grand était le *sfik*. Peut-être est-ce de ce concept que découle l'intérêt que l'art suscite chez les kif. Les denrées consommables, les biens périssables qui peuvent être détruits ou utilisés à tout moment et de façon calculée pour frustrer l'ennemi ont une place de choix dans la hiérarchie du *sfik*. Mettre la main sur un pareil objet est une entreprise difficile et hautement valorisante. La légende rapporte aussi des destructions de biens considérés comme hautement précieux.

Le concept de *sfik* a pour complément celui de *pukkukkta*, terme qui ne saurait être exactement rendu dans la traduction. Son sens le plus proche serait : coup fatal porté à un rival.

Les kif opèrent en principe isolément ou en équipe. Dans ce dernier cas, l'un d'eux possède la suprématie et s'ils sont sans défense en face de celui-ci, les kif plus faibles sont, au moins, protégés des autres.

Parfois, un kif accède à une position si éminente que nul ne cherche à contester sa primauté. La terreur de ceux qui l'entourent lui vaut alors leur aide et leur assistance. Il reçoit dès lors le titre d'*hakkikt* qui, disent les kif, signifie « prince ». Quand un *hakkikt* est en place s'ouvre habituellement une période durant laquelle les étrangers auront maille à partir avec les kif. Les kif attendent avec une impatience grandissante l'avènement d'un *hakkikt* qui unifiera tous les mondes kifish : à ce moment, ceux-ci constitueront une force à laquelle le reste de la Communauté ne pourra résister.

Les tc'a

Les tc'a sont des reptiliens méthaniens, revêtus d'une carapace mordorée, originaires d'Oh'a'o'o'o. Ils sont dotés d'un cerveau multipartite à fonctionnement matriciel et communiquent entre eux par harmoniques. Leurs éléments buccaux permettent aux tc'a de manipuler des outils. Ils peuvent peser douze fois le poids d'un mahendo'sat et porter plusieurs petits à la fois. Ils ne portent pas d'attention apparente au processus de procréation qui peut intervenir au milieu d'une conversation. Ce sont des commerçants et des mineurs. Et ce qu'ils pensent est une chose qui ne regarde qu'eux. Ils sont généralement chargés d'administrer la section méthanienne des stations de la Communauté car ce sont, pour autant qu'on le sache, les seuls méthaniens que cette fonction intéresse. Ils sont alliés aux chi et knnn (voir plus bas) et si l'on en sait long sur leurs périples, si l'on sait qu'ils se gardent de toute action agressive à l'encontre de quelque espèce que ce soit, on ignore à peu près tout du fonctionnement de l'esprit, comme de l'histoire, des tc'a sinon qu'ils avaient noué des contacts avec les chi avant de rencontrer les stsho et qu'ils se lancèrent extrêmement tôt à la conquête de l'espace.

Les chi

Les chi ont l'aspect de bâtons luminescents comme du néon. Ils se déplacent avec une grande rapidité et donnent souvent l'impression d'être en proie à la panique la plus totale. « Fou comme un chi » est une maxime hani d'usage courant.

On ne sait pas très bien si les chi sont des partenaires des tc'a ou leurs animaux de compagnie. Ils sont capables de piloter des vaisseaux mais ce sont des navigateurs fantasques et capricieux, et il est pratiquement certain qu'ils n'ont pas eux-mêmes inventé la technologie dont ils se servent. On ne trouve pas de tc'a sans chi, bien que les chi puissent à l'occasion se constituer en colonies où les premiers ne semblent pas avoir accès.

Natifs de Chchchoh, les chi accompagnent régulièrement les tc'a dans les zones minières les plus dangereuses. Aucun membre d'une espèce respirant l'oxygène n'a jamais signalé avoir fait escale sur Chchchoh. Les tc'a ne le permettent pas pour des raisons qui n'ont pas été éclaircies. On sait que les chi se reproduisent en faisant pousser un second cerveau en un point médian de leur corps. Puis des jambes segmentées se forment. La fission intervient et les jeunes se dispersent. La notion de genre est, en conséquence, aléatoire dans le cas des chi. On a pu observer des activités susceptibles d'être interprétées comme des procédés d'accouplement mais rien n'est moins sûr.

Les knnn

Personne ne connaît le nom du système d'origine des knnn, personne même ne sait si leurs navires portent un nom – sauf, peut-être, les tc'a ou les chi mais ils gardent le silence sur ce point. Nul oxy-respirant ne sait au juste de quelle étoile ils viennent. Tout ce que l'on peut dire, c'est qu'elle est située sous le ventre mou de la Communauté et l'on soupçonne qu'il s'agit d'un astre réputé être un centre de l'activité knnn.

Les knnn ont l'apparence de pelotes de poils noirs et enchevêtrés, montées sur des pattes filiformes. Ces rats qui pullulent dans toute la galaxie sont des méthaniens et ils émettent par leurs radios de bord d'interminables complaintes alambiquées. Ce sont (peut-être) des mineurs et (suppose-t-on) des marchands mais l'idée qu'ils se font du commerce est tout à fait particulière (à en croire les tc'a – pour autant qu'ils aient pu communiquer avec eux). Le principe est de foncer sur une station ou un vaisseau et d'échanger ce qu'ils ont apporté contre ce qu'ils veulent ou qui leur fait envie. Autrefois, dans un sinistre passé, les knnn se contentaient d'éventrer purement et simplement les navires. Ils voyagent en essaims ou en solitaires et leurs bâtiments sont les seuls qui changent de vecteurs en cours de saut spatial. Ils sont équipés de réacteurs de poussée qui les mettent en mesure de virer de bord en plein saut, manœuvre impossible à effectuer pour les oxy-respirants. Les knnn sont plutôt assez mal vus. On ne peut parler avec eux que par le truchement des tc'a qui parviennent à donner une sorte d'interprétation générale de leur discours – à condition d'être capables de comprendre les phrases matricielles septuples du langage tc'a.

Les navires knnn ne respectent pas les réglementations concernant les couloirs de circulation, et les consignes d'approche sont pour eux lettre morte mais personne ne cherche à prendre des sanctions contre eux en ce domaine. D'aucuns supposent que les knnn ont été la source d'une grande partie de la technologie développée par la Communauté. Nul ne sait, sinon eux-mêmes, si les stsho ont effectivement forgé la technologie qui est la leur et il se peut que ceux-ci soient d'une façon générale dans l'incapacité de le dire. En tout cas, ils gardent le silence là-dessus.

Les knnn étaient inconnus à Anuurn avant que Pyanfar Chanur les y eût importés. Ses congénères ne lui en savent aucun gré.

Science-fiction

Depuis 1970, cette collection est leader du genre en France. Elle a publié la plupart des grands classiques (Asimov, Van Vogt, Clarke, Dick, Vance, Simak) mais elle a aussi révélé de nombreux jeunes auteurs qui seront les écrivains de premier plan de demain (Tim Powers, Joan D. Vinge, Tanith Lee, Scott Baker, etc.). La S-F est reconnue aujourd'hui comme littérature à part entière, étudiée dans les écoles et les universités. Elle est véritablement la littérature de notre temps.

ALDISS Brian W.   *Le monde vert* 520★★★
ASIMOV Isaac   *Les cavernes d'acier* 404★★★
                           Les robots 453★★★
                           Tyrann 484★★★
                           Un défilé de robots 542★★★
                           Cailloux dans le ciel 552★★★
                           Les robots de l'aube 1602★★★ & 1603★★★
                           Les robots et l'empire
                                      1996★★★★ & 1997★★★★ inédits
                           Espace vital 2055★★★
BAKER Scott   *L'idiot-roi* 1221★★★
                           Kyborash 1532★★★★
BLISH James   *Semailles humaines* 752★★
BOGDANOFF Igor & Grishka   *La machine fantôme* 1921★★★
BRIN David   *Marée stellaire* 1981★★★★★
BRUNNER John   *Tous à Zanzibar* 1104★★★★ & 1105★★★★
                           Le troupeau aveugle 1233★★★ & 1234★★★
                           Sur l'onde de choc 1368★★★★
CHERRYH C.J.   *Les adieux du soleil* 1354★★★
                           Les seigneurs de l'Hydre 1420★★★
                           Chanur 1475★★★★
                           L'épopée de Chanur 2104★★★ inédit
CLARKE Arthur C.   *2001 - l'odyssée de l'espace* 349★★
                           2010 - Odyssée deux 1721★★★
                           Avant l'Eden 830★★★
                           Terre, planète impériale 904★★★★
                           L'étoile 966★★★
                           Les fontaines du paradis 1304★★★

Impression Brodard et Taupin à La Flèche (Sarthe)
le 10 novembre 1986
6591-5 Dépôt légal novembre 1986. ISBN 2-277-22104-X
Imprimé en France

Editions J'ai lu
27, rue Cassette, 75006 Paris
diffusion France et étranger : Flammarion